Kontakt: autorin.ellasteen@gmail.com

Ella Steen
c/o Papyrus Autoren-Club
Pettenkoferstr. 16-18
10247 Berlin
Tel.: 030 / 49997373
Fax: 030 / 49997372

Korrektorat: www.perfekte-texte-coburg.de
Coverdesign by Melody Pond, www.melodyypond.weebly.com

ISBN (mobi): 978-3-96449-004-9
ISBN (epub): 978-3-96449-005-6
ISBN (Taschenbuch): 978-3-96449-003-2

Du warst nicht Teil des Plans

Ella Steen

Kapitel 1

Die laute Melodie und das Vibrieren ihres Handys, das anscheinend einen Tanz auf dem Nachttisch vollführte, hörten sich für Toni an, als würde sie neben einer Baustelle schlafen. Ein müdes und kaum verständliches „Was?“ wurde in das Mikrofon des Telefons genuschelt.

„Ich erwarte dich in einer Stunde im Büro“, erklang die elektronisch gefilterte Stimme knapp.

„Ich hab Urlaub!“

„Denkst du, das weiß ich nicht?“ Der Mann am anderen Ende klang unnachgiebig. „*Ich* bin dein *Chef* und *ich* sage dir, dass du in einer Stunde hier auf der Matte zu stehen hast, Toni!“

Es folgte nur ein „Okay“ und die Verbindung wurde unterbrochen. Ein gequältes Stöhnen erklang, als Toni sich aufrichtete und schließlich im Bett saß. Die Arme wurden über den Kopf gestreckt, danach folgte das bewährte Kopf–einmal–nach–links und einmal–nach–rechts–Beugen, bis das erlösende Knacken zu hören war, das diesen unangenehmen Druck im Nacken verschwinden ließ.

Unmotiviert drehte Toni sich im Sitzen um neunzig Grad, schob die Beine aus dem Bett und überdachte das Vorgehen wegen des lästigen Problems mit den extremen Verspannungen beim morgendlichen Wachwerden. An einem Besuch beim Chiropraktiker gab es wohl doch kein Vorbeikommen oder besser zum Orthopäden und mit dem die

Schlafsituation besprechen? Falsches Kissen, neue Matratze, was auch immer es wäre, so konnte es nicht weitergehen, denn sie wachte viel zu oft wie gerädert auf.

Fünf Minuten später prasselte kaltes Wasser aus der Dusche auf ihren Kopf. Das kalte Wasser leistete seinen Dienst und Toni wurde schlagartig wach.

Vor dem Spiegel folgte ein Gähnen und braune Augen, umgeben von einer deutlich geröteten Sklera, schauten sich an. Der Spiegelschrank wurde geöffnet und Augentropfen herausgeholt. Momente später das routinierte Benutzen des Fläschchens, und dann war Toni bereit für den Tag. Zuerst hier noch einen heiß ersehnten Kaffee trinken und einen für unterwegs fertig machen, man konnte ja nie wissen, welcher Stau einem den Morgen versaute, und guter Kaffee half zumindest ein wenig, hier einigermaßen Laune zu bewahren, wenn es nur im Schneckentempo voranging.

Ein Coffee–to–go–Becher wurde aufgefüllt, die Jacke von der Garderobe genommen und nach dem Verlassen der Wohnung die Tür abgeschlossen. Toni war froh, dass das Gebäude einen Fahrstuhl hatte, der sie direkt in die Garage brachte. Sie lehnte sich gegen die Wand und schloss für einen kurzen Moment die Augen. Es musste wirklich etwas Wichtiges sein, dass John sie aufforderte, ihren Urlaub abzubrechen. Zwar hatte er es ihr nicht explizit gesagt, doch nach jahrelanger Zusammenarbeit waren sie ein eingespieltes Team und kannten sich in und auswendig. Hinzu kam, dass sie aus Sicherheitsgründen nie etwas über die Telefonleitung besprachen, das Interna betraf.

Genervt und trotz inzwischen sogar drei Bechern Kaffee im Magen, von denen sie den dritten im Coffeeshop gekauft hatte, noch immer müde, fragte sie sich, was es wohl war, dass John sie anforderte.

Toni lenkte ihren Wagen durch den dichten Stadtverkehr, schaute dabei auf ihre Armbanduhr und wusste, dass sie es niemals rechtzeitig schaffen würde. Es war ihr auch egal, denn ihr Chef brauchte sie offensichtlich.

Noch wusste sie nicht, was hinter seiner Anforderung ihrer Person steckte; aber dahinter steckte etwas, das ihr wieder einmal sagte, dass sie gut war. Dass John dies auch wusste, war ihr ebenso klar. Und wenn sie ehrlich zu sich war, brauchte sie ihn auch. Sie waren ein Team und konnten sich blind aufeinander verlassen. Jeder von ihnen hatte sein Spezialgebiet, wurde, wenn möglich, dort bevorzugt zum Einsatz gebracht. Dennoch waren sie als Team aufeinander angewiesen und ergänzten sich nahezu perfekt.

Als sie vor dem gläsernen Eingang des Bürokomplexes stand, beobachtete sie das Treiben um sich herum. Beim Eintreten in die Eingangshalle sah sie bereits die Menschen, die vor den Fahrstuhltüren warteten. Heute war definitiv kein guter Tag für solche Ansammlungen, wie sie mürrisch feststellte.

Also machte Toni sich auf den Weg ins Büro, entschied sich aber, die Treppen zu nehmen. Sie hatte keine Lust auf die kleine Fahrstuhlkabine, in der sich Parfüm mit Aftershave und Schweißgeruch mischte und diverse Gerüche einen Kampf miteinander führten, welcher von ihnen der penetranteste war.

Die Firma, für die sie arbeitete, hatte einen kleinen Bereich im dritten Stock. Zwar war die Lage im Gebäude nicht gerade Top–Liga, aber es reichte für ihre Zwecke. Der ganze Komplex war nichts Besonderes, ein auf kaufmännische Büronutzung ausgerichtetes Mietobjekt, weder schmierig noch prachtvoll, in dem sich verschiedenste Branchen wiederfanden. Alles war in gutem Zustand, aber durchschnittlich ausgestattet, fand sie. Und genau *das* war besser als alles andere. Nicht herausstechen, in der Masse untergehen gehörte zu ihrem Beruf und war genau das, was sie wollten. Sie hatten in gewissen Kreisen einen Namen, eine Reputation, und mehr war nicht nötig.

„Guten Morgen, Dana“, sagte Toni, als sie die Räumlichkeiten betreten hatte und sich nun vor dem Büro ihres Chefs wiederfand. Dabei zog sie den rechten Mundwinkel hoch.

Die Begrüßte rollte die Augen, zeigte mit dem Zeigefinger auf Tonis Gesicht und machte eine kreisende Bewegung. „Spar dir das, Antonia! Vielleicht funktioniert das bei den Frauen, die *du* so kennst. Mit deinem Markenzeichen, diesem pubertären Lächeln oder was das auch immer darstellen soll, magst du bei denen ja landen. Aber bei mir nicht, junges Fräulein."

Jetzt war es an Toni, eine halbe Verbeugung zu machen. „Wie Sie wünschen, Gnädigste." Dieses Mal lächelte sie so, wie es sich gehörte, höflich und mit offenem, direktem Blick, eben wie es Dana gefiel. Toni holte ihre linke Hand, die sie bis eben hinter ihrem Rücken gehalten hatte, nach vorne. Eine kleine weiße Papiertüte kam zum Vorschein, die sie vor Dana auf den Schreibtisch legte.

Die Sekretärin nahm die Tüte und schaute hinein. „Genau so gewinnt man das Herz einer Frau." Sie holte den Bagel mit Frischkäse und Rucola heraus und legte ihn auf den Teller, der auf ihrem Schreibtisch stand und auf dem noch ein paar Krümel vom Frühstück zu sehen waren.

„Und?" Toni machte eine Kopfbewegung Richtung Tür.

„Keine Ahnung. Er telefoniert schon den ganzen Tag über und er hat gesagt, sobald du da bist, soll ich dich reinschicken."

„Und was ist, wenn ich lieber hier draußen bei dir sein und dich auf einen Kaffee einladen möchte?"

Dana öffnete gerade den Mund, um zu antworten. Da sprach eine tiefe, männliche Stimme: „Dann solltest du dich schämen, der Frau ihre sichere Rente zu nehmen. Und ob sie Ja sagen würde, möchte ich zudem bezweifeln, Toni. Nicht umsonst hält sie es jahrelang mit ihrem Mann aus." Beide schauten in die Richtung, aus der die Stimme kam. Ihr Chef hatte sich gegen den Türrahmen gelehnt. „Komm rein, du kleine Don Juanita."

Als Toni an der Sekretärin vorbeiging, zwinkerte sie ihr zu. Diese lächelte und schüttelte belustigt den Kopf über die jüngere Frau.

„Schließ die Tür hinter dir und setz dich."

Toni folgte der Anweisung ihres Chefs, ~~und~~ ging anschließend zu einem der Besuchersessel vor dessen Arbeitsplatz und setzte sich. Das Erste, was ihr anschließend auffiel, war die Akte in der Mitte seines Schreibtisches. Sein Büro war immer ordentlich und aufgeräumt und Unterlagen fand man auf dem Tisch nur, wenn er direkt damit arbeitete. Der Anblick einer geschlossenen, mitten auf der Tischplatte liegenden Aktenmappe war ungewöhnlich. Sie arbeiteten schon seit zehn Jahren zusammen und kannten sich gut, manchmal schon zu gut.

„Was liegt an, John?“, fragte Toni in neutralem Tonfall. Es war nichts mehr von der lockeren Art, die sie davor innehatte, zu hören. Jetzt war es etwas Geschäftliches, um das es hier ging, also wechselte Toni auch wie auf Knopfdruck in denselben Modus.

Er beugte sich nach vorne, legte beide Unterarme auf den Tisch, damit direkt auf die Akte, und verschränkte die Finger ineinander. Toni wusste gleich, dass es tatsächlich etwas Wichtiges war.

„Es wird dir nicht gefallen“, begann er seine Ausführung.

Toni reagierte darauf nicht, sie wartete geduldig ab. Das war eine der ersten Dinge, die sie gelernt hatte. Zuhören, überlegen, analysieren und dann erst reagieren. Niemals übereilt agieren, Affekthandlungen konnten in ihrem Job einen Genickbruch zur Folge haben. Nichts, aber auch rein gar nichts durfte in ihrer Mimik zu lesen sein.

Ihr Chef strahlte Ruhe und Vertrauen aus. Und genau wie das Gebäude, in dem sich ihre Büroräume befanden, nicht Besonderes war, sah er wie ein ganz normaler Mitarbeiter aus, der hier seinen Aufgaben nachkam. Von seinem Auftreten bis hin zu seiner Kleidung, einem ganz normalen Businessanzug von der Stange, würde er in den alltäglichen Massen, die morgens und abends die Bürogebäude der Umgebung betraten und verließen, mitschwimmen, ohne irgendwie herauszustechen. Ein weißes Hemd, schwarze Krawatte, schwarze Hose. Alles ganz einfach gehalten. Sein Stil war vollkommen unspektakulär, zweckmäßig. Als Typ Mann tat er eher alles dafür, nur durchschnittlich zu wirken, obwohl Toni fand, dass er mehr aus sich machen könnte, wenn er wollte, denn er war beileibe nicht unattraktiv. Aber genau *das* war nicht gewünscht – aufzufallen.

Wenn Toni ihn nicht kennen und ihm auf der Straße begegnen würde mit seinem akkuraten, an den Schläfen leicht angegrauten Kurzhaarschnitt, den glatt rasierten Gesichtszügen, würde sie niemals darauf kommen, womit er sein Geld verdiente, schon gar nicht, dass er selbst Chef einer Firma war. Sie würde sicher ebenso wenig darauf kommen, dass er Männer und Frauen zu Fall brachte. Und sie würde sich auch keine Gedanken darüber machen, wie er es tat. All das wären abwegige Begebenheiten, weil er ihr niemals auffallen würde! Die Verbindungen zu derlei Tätigkeiten würde ihr Hirn gar nicht erst herstellen.

Doch Toni kannte ihn, sie kannte ihn gut, sie wusste, was er tat, und war selbst Teil des ganzen Apparates.

Egal, wie tief die Leichen vergraben waren, sie fanden sie. Und dann gab es für die Personen, die sie, bildlich gesprochen, vergraben hatten, keine Rettung mehr. Wurde ihr Unternehmen beauftragt und nahm nach Prüfung erster Informationen den Job an, gab es auch kein Zurück mehr. Sie waren ein Team, ein perfekt eingespieltes Team. Vertrauen, das über Jahre aufgebaut worden war, machte sie zu der nahezu fehlerfrei agierenden und kompromisslosen Einheit, die sie bildeten, und es machte sie erfolgreich. Wie sie zueinander standen, war maßgeblich für Zusammenarbeit. Jeder wusste um die Fähigkeiten des anderen und respektierte dessen Ansichten, Macken und manchmal auch unkonventionelle Ideen, um einen Auftrag positiv abzuschließen.

Es interessierte Toni nicht, wer den Auftrag gab. Es war nicht ihre Aufgabe, als Erste zu selektieren, die Annahme von Aufträgen lag in Johns Aufgabenbereich und in seinem Ermessen. Sie vertrauten einander im Job, pflegten darüber hinaus privat eine innige Freundschaft, die sie über Jahre aufgebaut hatten, doch hielten sie Privates von ihren Aufträgen strikt getrennt.

Was während der Arbeit passierte, wurde nicht persönlich genommen und andersrum genauso. Es war ein harter Schnitt gewesen, dass sie hier klare Regeln gesetzt hatten, und es war nicht immer leicht. Aber nur so konnte ihre Freundschaft überleben und wurde nicht durch Unstimmigkeiten, die während der Arbeit passierten, im privaten Bereich belastet, die im schlimmsten Fall Streitereien verursachten, die einen dunklen Schatten über ihre zwischenmenschliche Beziehung warfen. John war der Chef und er entschied im Interesse seines Unternehmens.

Ob es der Auftraggeber persönlich war, was in all den Jahren ihres Wissens nach noch nie vorgekommen war, ein Assistent oder Berater; der Erstkontakt erfolgte über eine neutrale Hotline oder eine Mailanfrage mit der Bitte um Terminvereinbarung. John wusste, was er tat, hatte ein bedingungslos vertrauenswürdiges Team zusammengestellt und trotz ihres Erfolges eine Detektei aufgebaut, deren Namen sich niemals in den Medien wiederfand.

Er selektierte sehr genau, denn er wollte nicht jeden Kunden. Es war für ihn und sein Unternehmen ebenso unabdingbar, verschwiegene Kunden zu haben, wie es für seine Kunden wichtig war, dass er und sein Team arbeiteten, ohne dass man sie als Schnüffler wahrnahm, bis zu dem Punkt, wo seine Arbeit anderen half und den vermeintlichen Gegner in den Abgrund riss.

John hatte für die perfekte Tarnung ganze Arbeit geleistet und die würde er bestmöglich schützen.

Der unterschriebene Auftrag lag zusammen mit allen Informationen in der Akte und diese wiederum zwischen ihnen auf dem Schreibtisch. Er würde sie niemals anrufen, um Details mit ihr am Telefon zu besprechen. Telefonleitungen konnten angezapft werden und alle Leitungen dauerhaft sicher zu machen, war ihm zu aufwendig. Ein kurzer Anruf, ein Termin ohne Benennung des genauen Grundes, weil jeder wusste, worum es ging, ein persönliches Treffen an sicherem Ort. Das war ihr Vorgehen und sie fuhren gut damit.

Zwar war ihr Chef John mit seinen sechsundvierzig Jahren zehn Jahre älter als sie, aber sie hatten ein freundschaftliches, fast schon familiäres Verhältnis, das aber nicht in ihre Geschäftsbeziehung hineinspielte; wenn ein Auftrag zu Ende war, blieb alles dennoch auf geschäftlicher Ebene, was hiermit zu tun hatte.

Sie konnten und mussten Arbeit und Freundschaft sauber voneinander trennen, sonst würden Konflikte irgendwann unausweichlich. Dieses Verhältnis hatten sie in den zehn Jahren zueinander aufgebaut, die sie sich inzwischen kannten und schätzten.

John reichte ihr die Akte. Dann stand er auf und ging aus dem Büro. In Ruhe begann Toni alles durchzulesen, was die Unterlagen ihr offenbarten. Gerade als sie geendet hatte, kam John wieder rein, stellte ihr einen Becher Kaffee auf den Schreibtisch und ging um das Möbelstück herum.

Aus der Schublade zog er einen beschriebenen Zettel und reichte ihr das Stück Papier. Toni las die ersten Zeilen, dann stockte sie und ihr Blick wechselte sofort zu ihm.

Der Unmut in ihren Augen war für John unübersehbar. Mit beiden Händen machte er eine entschuldigende Geste. „Ich habe dir gesagt, es wird dir nicht gefallen!“

„Nicht gefallen ist untertrieben!“

„Ich weiß, dass das nicht deine Liga ist. Ich würde dich nicht fragen, wenn es nicht wichtig wäre.“

„Ich bin gut, sogar sehr gut. Am besten im Hintergrund …“

„Wenn nicht sogar *die* beste“, unterbrach er Toni.

Toni schaute ihm in die Augen. „Und so dumm; bin ich schon lange nicht mehr, dass du mich so billig um den kleinen Finger wickelst. Schleimer!“

Das brachte John zum Lachen, was dazu führte, dass sich die ganze Situation wieder entspannte.

„Komm schon, John. Ich bin seit Jahren nicht mehr sichtbar gewesen. Was ist mit Mira?“

„Ich würde dich nicht fragen, wenn es anders ginge. Okay? Mira hat sich vorgestern den Fuß gebrochen.“

„Ansonsten kann niemand?“ Sie wusste die Antwort, noch bevor sie die Frage gestellt hatte. Die Hoffnung starb ja bekanntlich zuletzt.

„Wenn du willst, kann ich unseren IT–Jungen fragen. Aber denk an unsere Reputation!“ Er wurde ernst, nicht so ernst, dass man vor ihm als Chef Angst bekam, aber der gemessene Arbeitsmodus kam wieder durch und das machte Toni klar, wie wichtig John dieser Auftrag war.

Es brachte nichts, weitere Fragen zu stellen. Sie waren ein Team, alles andere würde das Ganze hier und jetzt unnötig verlängern.

„Montag geht es los?“

„Jup, du hast nur das Wochenende, um dich vorzubereiten.“

„Ist das alles?“

„Das war es auch schon. Und hey! Versuch es doch mal so zu sehen, wie du das früher gemacht hast und wie es dir dabei ging. Das Adrenalin, in eine Rolle zu schlüpfen und Informationen zu beschaffen.“ Toni antwortete darauf nicht, sie guckte ihn nur an. „Früher hast du mehr gelacht.“

„Früher habe ich auch gedacht, die Guten gewinnen und die Bösen verlieren.“ Toni lachte jetzt über ihre eigene Naivität, die sie am Anfang tatsächlich gehabt hatte. Die Berufsjahre hatten sie inzwischen anderes gelehrt und dabei tat es nichts zur Sache, wie der persönliche Wunsch einer Ermittlerin ausgesehen hatte; er stellte gemeinhin keinen Gehaltsscheck aus. John war ihr Chef, also hatte er die moralische Verantwortung zu tragen. Sich mit solchen Fragen herumzuschlagen gefährdete ihre Jobs, weil sie ablenkten. Genau das hatte dazu geführt, dass sie irgendwann dazu überging, den Luxus der Fragen nach Gut und Böse bei den Hintergründen nicht mehr zu erlauben. Die Dunkelhaarige nahm den unterzeichneten Kundenauftrag aus den Unterlagen, schob ihn zu John, klappte die Akte zu und stand auf und zuckte einmal mit den Schultern. „Hab mich getäuscht, denn es hat sich rausgestellt, wer bereit ist, am weitesten zu gehen, gewinnt. Ist nicht unbedingt das, wie ich es persönlich bevorzuge, aber nicht mein Problem, das ist der Job."

Sie drehte sich um und wollte gerade aus der Tür gehen, als John ihr hinterherrief: „Vergiss nicht deinen Lebenslauf!"

Toni ging zurück, nahm den handgeschriebenen Zettel, tippte mit dem Zeigefinger gegen ihre Schläfe: „Den habe ich schon längst abgespeichert."

Johns unmissverständliches „Ich erwarte kurzfristige Ergebnisse, wir haben sehr wenig Zeit" begleitete sie aus seinem Büro.

Als sie an Dana vorbeiging, sagte sie: „Von mir muss dein Mann nichts erfahren."

„Glaub mir, Kleines, du weißt nicht, worauf du dich einlassen würdest. Das schaffst du nicht."

Sprachlos schaute sie die ältere Frau an. *Das* war eine Antwort, mit der sie niemals gerechnet hätte, schon gar nicht aus Danas Mund.

Das Klingeln des Telefons unterbrach den eindeutigen Dialog und Toni sagte noch schnell: „Bis in ein paar Wochen."

„Sei vorsichtig und pass auf dich auf." Danach ging Dana ans Telefon.

„Immer doch." Diesmal war es kein arrogantes Lächeln, das sie Johns Assistentin schenkte, sondern ein ehrliches und warmes. Flirten und Spielereien waren gut, doch schätzte sie Dana und sie war für Toni nicht nur eine Mitarbeiterin, sondern eine Freundin, für die sie immer da sein würde. Sie waren über die Jahre alle wie eine kleine Familie, die langsam zusammengewachsen war.

Dana nickte ihr zu und schenkte schließlich ihre Aufmerksamkeit dem Anrufer am anderen Ende der Leitung.

Kapitel 2

Am Sonntagabend saß Toni auf dem Sofa ihres neuen für den Fall vorübergehend angemieteten Apartments, das von den Kollegen eingerichtet worden war, und zwar genau nach Tonis Anweisungen. Die geöffnete Akte lag vor ihr auf dem Tisch. Das ganze Wochenende hatte sie sich die Daten immer und immer wieder eingeprägt. So lange, bis sie alles auswendig konnte. Akribische Vorbereitung war der Schlüssel zu ihrem Erfolg.

Vor ein paar Jahren wäre sie abends noch hochmütig in einen Club gegangen, hätte etwas getrunken und wäre auf der Suche nach einer Frau gewesen, mit der sie ein paar Stunden hätte Spaß haben können, denn man konnte niemals genau sagen, wie lange ein Auftrag dauerte und eine Scheinidentität aufrechterhalten werden musste. Wann sich also das nächste Mal die Gelegenheit für eine heiße Nacht bot, sobald sie einen neuen Fall begonnen hatte, war nie vorherzusehen.

Diesen Fehler hatte sie gemacht, einmal, ein einziges Mal, damals.

Sie war jung, unbedarft, übermütig und unglaublich von sich überzeugt gewesen, nur weil ein paar leichte Fälle für ihre Klienten erfolgreich zum Abschluss gebracht worden waren. Toni hatte die Bodenhaftung verloren, hatte gemeint, sie stehe über den Dingen, gedacht, sie sei die Beste und hatte eben diese Überheblichkeit und Arroganz damals auch ausgelebt.

Heute konnte sie nicht anders, als den Kopf über sich selbst zu schütteln, wenn sie an ihr Verhalten zurückdachte; sie war so verantwortungslos und dumm gewesen.

Hätte John damals nicht auf sie aufgepasst, wäre der Fall vollkommen aus dem Ruder gelaufen und sie selbst wäre in den Abgrund gestürzt. Sie wusste, sie war damals nicht gefestigt genug gewesen, um Misserfolge objektiv zu bewerten, daraus zu lernen und Fehler kein zweites Mal zu machen. Sie hatte es damals nicht gekannt, zu versagen, und glücklicherweise war John zur rechten Zeit da gewesen, um einzugreifen und sie und den Auftrag zu retten.

„Das passiert jedem mal. Das Wichtige ist, dass es nur *einmal* passiert und dass du aus deinem Fehler lernst. Wenn dir deine eigene Überheblichkeit nicht im Weg steht und du daraus gelernt hast, sind das die Punkte, die dich zu einer guten Ermittlerin machen." Mehr hatte er nicht dazu gesagt.

Er hätte sie damals rausschmeißen können, doch er war vorbereitet gewesen, als habe er nur auf diesen Punkt in ihrer Entwicklung gewartet, und hatte sie aufgefangen, statt sie fallen zu lassen. Er wusste zu genau, dass dieser Tag irgendwann kommen würde, was sie heute noch immer nicht wirklich greifen konnte. Er sagte irgendwann einmal, er habe diesen Tag sogar begrüßt, als eintrat, was sich unaufhaltsam angekündigt hatte, denn dadurch würde Toni noch besser werden, dessen war John sicher. Sie war unglaublich ehrgeizig, würde durch ihren Misserfolg wachsen, wie er seine Haltung begründete, und so war es.

Toni wusste, sie hatte ihm alles zu verdanken. Er sah damals ihr Potenzial. Sie wusste nicht, ob es Zufall oder Schicksal war oder ob er sie schon länger im Auge und schließlich dafür gesorgt hatte, dass sich ihre Wege irgendwann kreuzten. Toni dachte oft an die Zeit zurück, als sie John kennenlernte und er ihr eine andere Welt zeigte.

Sie war freiwillige Mitarbeiterin für einen der Teilnehmer, der für die Wahl zum Amt des Bürgermeisters kandidierte. Voller Ambitionen dachte sie, sie würde die Welt zu einem besseren

Ort machen, indem sie dort lernte und später vielleicht Beraterin eines Kandidaten würde. Wie zufällig waren sie und John sich begegnet und ins Gespräch gekommen. Erst Monate später begriff Toni, dass es bei John Fawcett keinen Zufall gab. Aber bei ihrem ersten Aufeinandertreffen war ihr das noch nicht klar. Etwas anderes forderte ihre Aufmerksamkeit.

Er fragte sie über die Gewohnheiten, die zeitlichen Abläufe des potenziellen Bürgermeisters aus. Er war sehr geschickt, doch sie roch den Braten und war mehr als gewillt, ihm falsche Informationen zu geben. Sie glaubte noch an den Kandidaten.

Die Ernüchterung kam ein paar Wochen später, als eine Versammlung einberufen wurde, in der er verkündete, dass er als Kandidat zurücktrat, weil er sich unvorhergesehen um seine Familie kümmern müsste und bei der er allen Unterstützern für die großartige Arbeit dankte.

Gerüchte waren für Toni Gerüchte, sie maß ihnen keine Bedeutung bei. Das eine Gerücht jedoch, dass er etwas mit einer minderjährigen Praktikantin gehabt hätte, nagte an ihr und quälte ihr Gewissen. Ihr wurden immer mehr Momente, Situationen und auch Blicke bewusster, je mehr sie die Tage und Wochen in seinem Wahlkampfteam reflektierte. Und irgendwann war sie der Überzeugung, dass dieses eine Gerücht der Wahrheit entsprach.

Toni hatte keine Ahnung, was sie machen sollte. Jobalternativen gab es nicht, da alle Stellen bei den anderen Kandidaten besetzt waren. Ihre Träume und Ambitionen wurden somit praktisch zerstört und Toni wusste plötzlich nicht mehr, wie es beruflich mit ihr weitergehen sollte.

Sie brauchte Geld, also kellnerte sie zur Überbrückung, bis sie eine Lösung hatte. Die Politik verfolgte sie nicht mehr so gewissenhaft wie noch als Wahlkampfhelferin. Ein Jahr später las sie in der Zeitung, dass besagter Ex-Kandidat sich von seiner Frau hatte scheiden lassen. Mehr an Informationen gab es nicht, ob er sich eine Jüngere gesucht hatte oder Ähnliches. Toni brauchte auch keine weiteren, um sich für ihre naive Einstellung damals erneut selbst abzukanzeln.

Einzig der Hintergrund für die Scheidung, von welcher Seite diese initiiert worden war, den hätte sie zu gerne gewusst. Was genau passiert war, sollte doch irgendwie herauszubekommen sein. Gerüchte gab es immer, egal in welcher Branche. Je weiter jemand oben in der Hierarchie stand, desto mehr Gerüchte gab es. Und an jedem Gerücht waren zumindest ein paar Funken Wahrheit, auf die man sich konzentrieren könnte. Vielleicht würde sie irgendwann mehr erfahren, wenn sie Gerüchten um diesen Typen ein wenig mehr Aufmerksamkeit schenkte und im richtigen Moment nachfasste.

Was ihr ebenfalls nicht aus dem Kopf ging, war der Mann, der sie in der Bar angesprochen hatte. Sie hatte den Verdacht, dass dieser etwas mit alldem zu tun hatte, was dem Kandidaten passiert war und noch weit nach seinem Rücktritt passierte. Sein ganzes Verhalten, dieses angeblich *zufällige* Gespräch und weitere verschiedene Kleinigkeiten verursachten bei Toni damals ein ungutes Gefühl. Ihre Neugierde war selbst noch nach einem Jahr angefixt, denn sie wollte gerne wissen, in welcher Verbindung der Fremde in die Konstellation gehörte, ob es ihm tatsächlich gelungen war, eine Kandidatur für ein Bürgermeisteramt zu sabotieren, und wenn ja, warum.

Als sie die Spätschicht im Restaurant hatte, erkannte sie ihn sofort wieder.

Das Problem war, dass er nicht an ihren Tischen saß. Kein Blick und nichts anderes zeugte davon, dass er sie wahrnahm. Er verhielt sich wie ein ganz normaler Gast, der nicht besonders auffiel. Dennoch, sie konnte sich sofort an ihn erinnern.

Als ihre Schicht zu Ende war, kam die Überraschung. Sie war gerade auf dem Weg zur Bahn, als er einfach nur dastand und sie anlächelte, lässig an einer Gebäudewand lehnend, mit den Händen in seinen Manteltaschen.

Mit genügend Abstand zu ihm blieb sie stehen. Die Arme vor der Brust verschränkt, die Beine schulterbreit auseinander, um einen festen Stand zu haben, und das Kinn angriffslustig vorgestreckt.

„Ich habe einen Job für dich."

Toni legte den Kopf leicht schief und sagte nichts.

„Du suchst Antworten." Das irritierte Funkeln in Tonis Augen, das seiner Aussage folgte, entging ihm natürlich nicht und die Spur eines gelassenen Schmunzelns veränderte für Sekunden seine Miene. „Ich würde dich ja fragen, ob du nicht in meinen Wagen einsteigen möchtest, damit wir das besprechen können." Er hob ergeben die Hände und deutete kurz mit dem Kopf in ihre Richtung. „Aber ich hänge an meinem Leben."

Er machte eine weitere zeigende Kopfbewegung in die Richtung eines Diners. „Komm, da drüben trinken wir einen Kaffee und reden über alles."

„Und was ist, wenn ich das gar nicht will?"

Jetzt lachte John laut auf. „Ach, Toni, denkst du tatsächlich, dass ich meine Hausaufgaben nicht gemacht habe? Ich weiß, dass du zu neugierig bist, als dass du nicht mitkommen würdest. Denkst du nicht, dass ich dich im Restaurant genau im Blick hatte? Die Neugierde stand dir ins Gesicht geschrieben, als du mich erkannt hast." Er ging los, ohne sich umzudrehen. „Ich bin übrigens John Fawcett, Toni. Nur falls du das Verlangen haben solltest, Hilfe zu rufen, weil du mir nicht traust. Dann hast du wenigstens einen Namen." Den belustigten Unterton in seiner Stimme konnte Toni hören, obwohl er ihr den Rücken zugewandt hatte.

Im Diner angekommen, setzte er sich an einen Tisch in der hintersten Ecke. Dort wartete er, bis Toni saß, und fackelte nicht lange: „Wir sind Ermittler, nicht mehr und nicht weniger." John lächelte, als er sah, wie sich Tonis Stirn in

Falten legte. „Wir kriegen Aufträge, wir erfüllen sie. Doch man braucht das gewisse Etwas, um erfolgreich zu sein. Es ist sehr selten und du hast dieses gewisse Etwas, Toni. Denkst du, ich habe nicht gemerkt, dass du mir Lügen aufgetischt hast bei unserem ersten Treffen? Du warst dir bei mir nicht sicher und bist deinem Bauchgefühl gefolgt."

„Ja, mag schon sein, Mister. Aber was wollten Sie von diesem Mann? Er war ehrlich, kümmerte sich um alle und kämpfte für den kleinen Mann."

„Kümmern wäre hier subjektiv. Er kümmerte sich, ja, und das zu *gerne* um seine Praktikantinnen. Ich weiß, dass deine Neugierde zu groß ist, und du wartest auf mehr. Ich kann dir leider nicht sagen, dass seine Frau die Auftraggeberin war oder doch jemand anderes." Ein verschmitztes Lächeln begleitete diesen letzten Satz.

„Ja, aber warum? Und warum ein Jahr später erst die Trennung?"

„Diese Liga ist etwas ganz anderes als das, was du kennst und als du es dir vorstellen kannst. Es geht hier um Wissen und was du damit machst. Denn Wissen *ist* Macht!"

Sie redeten noch eine Zeitlang, am Ende gab er ihr seine Visitenkarte und verabschiedete sich mit dem Satz: „Toni, du hast das Talent dafür. Was hast du schon zu verlieren? Dass du keinen anderen Kellner Job findest, davor brauchst du wohl keine Angst zu haben. Die Welt der Politik, der Reichen und Schönen, ist nicht die Welt, die du glaubst zu kennen."

Abends hatte sie dann im Bett gelegen und gegrübelt wie nie zuvor in ihrem Leben. Ihr Weltbild war nicht mehr das, was es vorher war. Es reizte sie. Es reizte sie mehr, als sie zugeben wollte.

Wissen ist Macht, das war es!

Genau das waren die Worte, die ihr im Gedächtnis geblieben waren und die sie von dem Tag an antrieben.

Toni schüttelte den Blick in die Vergangenheit ab. Warum kamen genau jetzt die Erinnerungen an diese Zeit zurück?

Lag es daran, dass sie zu viel Schlechtes gesehen hatte an alldem unfassbar Widerwärtigen, das einige Menschen vergraben hatten? Oder weil sie fast an ihrem Ziel angekommen war und inzwischen ein ruhiges, nicht besonders luxuriöses Leben führen könnte, wenn sie es denn wollte? Sie hatte sparsam gelebt und über die Jahre gutes Geld beiseitegelegt, das ihr den Alltag eine ganze Weile auch ohne regelmäßige Einkünfte erhalten würde. Ein einfaches Leben mit der Sicherheit, Geld zu haben, aber wenn sie etwas Besonderes wollte, eine besondere Anschaffung plante, dann sollte sie sich besser einen kleinen Job suchen, denn so riesig war der Puffer auch nicht.

Sie wusste eines: Für den Ruhestand war sie mit ihren sechsunddreißig Jahren zu jung. Sie hatte sich schon lange von den vermeintlichen Rookie–Aufträgen verabschiedet, wurde bei kniffeligen Fällen eingesetzt, weil ihr Gespür, ihre Kombinations- und Auffassungsgabe seinesgleichen suchten und sie Johns beste Mitarbeiterin war. Aber auf Dauer und bis ins Rentenalter würde sie diesen Job nicht machen wollen.

Doch etwas anderes wusste sie auch, dass sie niemals Johns Nachfolge antreten würde. Auf lange Sicht hin würde sie daran kaputtgehen. Egal, wie sehr man Leute hinters Licht führen, sogar betrügen und ausspionieren musste, um zum Ziel zu kommen, einen kleinen Teil ihres Gewissens hatte sie noch, und das wollte Toni nicht verlieren.

Toni stand vom Sofa auf und ging zur Eingangstür. Dort lag ihre gepackte Reisetasche, die sie beim Betreten der Wohnung einfach an der Seite abgestellt hatte. Sie griff sich das Gepäckstück, um sich einzurichten. Im Schlafzimmer angekommen, räumte sie ihre Kleidung in die Schränke.

Mehrmals betrat sie in der Wohnung jedes einzelne Zimmer. Jede Schublade, jeder Schrank wurde geöffnet. Sie musste sich alles einprägen. Auch wenn sie niemanden mit hernehmen würde, so wollte sie dennoch abgesichert sein, dass sie sich zurechtfand und kein Misstrauen entstand, wenn sie sich in ihrer eigenen Wohnung nicht auskannte.

Sie legte ihren Lebenslauf in die Akte und ging zurück ins Schlafzimmer.

Dort öffnete Toni die Schublade, in der sich ihre T-Shirts befanden, und öffnete das Geheimfach mit dem doppelten Boden darin. Es war ihr persönlicher Wunsch und John respektierte das.

Auf die Frage, ob sie sich nicht ein besseres Versteck aussuchen könnte, war ihre Antwort einfach: Es war nicht die einfallsreichste Idee, Unterlagen so zu verstecken. Das Versteck war schon so offensichtlich, dass man es, der Einfachheit halber, dort gar nicht vermuten würde. Wenn sie aufflogen, würden die Decken abgesucht werden oder Sonstiges. Sogar sie selbst würde erst diese Orte absuchen. Umso logischer war dieses banale Versteck.

Als Toni im Bett lag, ging sie alles in Gedanken noch einmal durch. Ihre Hände lagen unter ihrem Hinterkopf und sie sprach die Frage, die ihr persönlichster Schlüssel des aktuellen Falles war, wie sie es bei jedem Fall tat, laut aus: „Was versteckst du, Isabella Underwood?“

Das war ihr Ritual, ihr persönlicher Start in den neuen Auftrag, bevor sie die Augen schloss und einschlief.

Kapitel 3

Die Umarmung war so stark und überraschend, dass Victoria einen leichten Panikanflug bekam und plötzlich der Meinung war, keine Luft mehr zu bekommen.

„Ich danke Ihnen. Sie haben uns das Leben gerettet!" Ein Schniefen folgte. Ms. Dominguez wischte sich ihre Tränen mit dem Handrücken weg. Ihre kleine sechsjährige Tochter Luisa stand neben ihr. Zwar sah sie, dass ihre Mutter aufgebracht war, aber sie konnte noch nicht wirklich wissen, worum es ging.

Vic zwinkerte dem schüchtern dreinblickenden Mädchen zu. „Das war mein Job."

„Ja, aber Sie hätten das nicht machen müssen. Sie hätten den Fall ablehnen können."

Victoria legte beide Hände auf die Schultern ihrer Mandantin, um sie zu beschwichtigen, und drückte leicht zu. „Aber ‚hätte' ist nicht eingetroffen und nun ist es vorbei. Jetzt genießen Sie den Tag und feiern Sie!"

„Glauben Sie das? Dass es wirklich vorbei ist?" Angst und Unsicherheit waren deutlich in der Stimme der Frau zu hören, die Vic durch schwere Zeiten bis hin zum heutigen Gerichtstermin betreut hatte.

„Ich bin mir da sehr sicher. Aber falls nicht, Sie sind immer noch meine Mandantin, das heißt, Sie rufen mich umgehend an, wenn es anders kommt. Und es ist egal, worum es geht. Es gibt keine *Kleinigkeiten*. Versprochen?“

Es schien eine Last von der Mandantin zu fallen, als sie diese Worte gehört hatte. Sie lächelte Victoria an. „Ja, versprochen.“ Dann nahm Ms. Dominguez die Hand ihrer Tochter, beide verabschiedeten sich und gingen aus dem altehrwürdigen Gebäude, in dem ihre Verhandlung erfolgreich verlaufen war.

Als sie zusammen mit ihrer zugeteilten Junganwältin bei Gericht die Treppen hinuntergingen, sagte Lacie zu ihrer Vorgesetzten: „Ich hätte niemals gedacht, dass wir den Fall gewinnen würden.“

Victoria kam kurz ins Stocken, doch sagte sie nichts dazu. Wenn sie solche leichtfertigen Handlungsweisen nicht in ihrem ersten Jahr als Anwältin ablegen würde, dann hätte Lacie keine Zukunft in der Kanzlei.

Der Gedanke, dass man einen Fall verlieren könnte, oder daran, dass die Aussichten, einen Fall nicht zu gewinnen, nicht allzu gut waren, und solche Gedanken auch noch ganz offen auszusprechen, war etwas, das außerhalb der Kanzleiräume nicht geduldet wurde. Denn mit so einer Einstellung war jeder Fall zum Scheitern verurteilt. Vor allem, wenn Ohren derartige Aussprüche mitbekamen, für die diese nicht bestimmt waren.

Victoria schaute geradeaus und musste schmunzeln. Der Fahrer wartete auf sie beide, öffnete ihnen die Tür und Lacie stieg zuerst ein.

„Danke, George“, sagte Victoria mit einem Lächeln auf den Lippen.

Der Fahrer griff nach seiner Mütze und nickte ihr zu.

Als er losfuhr, lehnte Victoria sich zurück, schloss für einen kurzen Augenblick die Lider und atmete tief durch. Sie spürte den Blick ihrer Kollegin auf sich und mahnte sich, entspannt zu bleiben.

Sie lernt noch, hab Geduld.

Anspannung und Nervosität legten sich langsam, die sie vor jeder Verhandlung übermannten, von denen während der Stunden im Gericht aber nichts spürbare Auswirkungen hatte, obwohl sie präsent waren.

Sich direkt nach einem Fall die Zeit zu nehmen, einmal tief durchzuatmen, war ein Ritual für Victoria geworden. Es ließ die ganze Spannung von ihr abfallen, die sich aufbaute, sobald es in den Verhandlungstag ging.

Nachdem sie nochmals tief ein- und ausgeatmet hatte, öffnete sie wieder ihre Lider. Lacie lächelte sie an und Victoria antwortete ihrerseits darauf ebenfalls mit einem Lächeln.

Sie sah, wie sich eine leichte Röte an Lacies Wangen abzeichnete.

Oh, nein! Victorias Alarmglocken schrillten in ihrem Kopf.

Als sie sich dann räusperte, um etwas zu sagen, kam ihre Chefin der jungen Frau zuvor: „Welche Termine habe ich noch?“

Aus der Bahn geworfen, schaute Lacie sie verwirrt an, fing sich aber schnell wieder. Sie griff nach ihrem Handy und schaute im entsprechenden Kalender nach.

Victoria spürte, dass ihr Dutt sich gelockert hatte. Sie setzte sich gerade hin und löste ihn komplett. Hellbraunes, seidig schimmerndes Haar glitt hinab und floss in leichten Wellen über ihre Schultern. Die gepflegte Mähne endete auf Höhe der Schulterblätter und erinnerte an den warmen Farbton von Bernstein. Sonne sorgte im Sommer oder im Urlaub immer wieder dafür, dass einzelne Strähnen etwas heller wurden, fast als hätte der Friseur nachgeholfen. Doch dem war nicht so, die feurige Lebendigkeit in Victorias Haarpracht war vollkommen naturgegeben und sie war stolz darauf. Außer ums Schneiden und hin und wieder eine pflegende Haarkur musste sich ihr Haarspezialist um nichts weiter kümmern.

Victoria nahm ihr zuvor gelöstes Haargummi, dazu drei Haarnadeln und machte sich einen neuen, festen Dutt. Lacie hatte aufgehört, im Handy nachzuschauen, was terminlich anlag, und starrte auf ihre Chefin.

Als sie schließlich anfing, sich die Lippen zu befeuchten, räusperte sich Victoria, um sie anschließend zu erinnern, wonach sie gucken sollte: „Die Termine, Lacie."

Beschämt darüber, erwischt worden zu sein, wurde die Röte in Lacies Gesicht stärker. Sie scrollte in ihrem Handy und murmelte „das kann nicht sein" vor sich hin.

„Was kann nicht sein?"

Verwirrt schaute die junge Frau auf: „Dass Sie keine Termine haben. Dort steht nur IU. Was ist IU und warum wurde der ganzen Nachmittag dafür geblockt? Ich müsste es doch wissen. Was ist IU?"

„Wenn ich wollte, dass Sie es wissen, oder wenn Sie es wissen *müssten*, Lacie, dann hätte ich es Ihnen gesagt und dann wäre es auch ausgeschrieben."

Der Wagen blieb stehen und George öffnete wenig später die Tür.

Nachdem sie das Fahrzeug verlassen hatte, dankte sie dem Mann im Anzug. Und während Lacie nach ihr ausstieg, sagte Victoria zu ihrem Fahrer: „Das wäre dann für heute alles, George."

Der Fahrstuhl kam nach kurzer Zeit und als die letzte Person ausgestiegen war und sie beide die Kabine alleine betreten hatten und es auch noch waren, nachdem sich die Türen geschlossen hatten, drehte sich Lacie zu ihr.

„Warum haben Sie Ihrem Fahrer freigegeben? Ist Ihr Termin etwa so geheimnisvoll, dass noch nicht einmal Ihr Fahrer wissen darf, wo Sie hinfahren?" Es war als ein Scherz verkleidet, doch konnte man die Neugierde bei Lacies Frage deutlich heraushören.

Lacie überschritt gerade die Grenze der Professionalität und Victoria musste ihr unbedingt ihre Grenzen aufzeigen, was sie für gewöhnlich auf leichte Art verpackte, statt zu tadeln. Also lachte Victoria laut auf und antwortete: „Seine Tochter hat eine Schulaufführung, mehr nicht. Und ich denke, ich bin wohl in der Lage, den Weg alleine zu finden."

Die Fahrstuhltüren öffneten sich und Victoria ging voraus. Damit war die Unterhaltung und jedwede möglicherweise von Lacie bereits angedachte Frage unterbunden.

Victoria erreichte den Arbeitsplatz der Assistentin ihres Vaters und ehe sie etwas sagen konnte, entgegnete diese schon: „Er erwartet Sie."

Sie bedankte sich und ging in das Büro, wo ihr Vater kurz von einer Akte aufsah, ihr zunickte und mit einer Geste andeutete, dass er gleich für sie da sein würde.

Martin Wentworth, Anwalt für Strafrecht, saß an seinem großen Schreibtisch und es schien, als suchte in den Unterlagen vor sich etwas Bestimmtes. Victoria kannte solche Momente selbst, wenn man unbedingt eine Information brauchte, wusste, dass sie da war, man sie aber nicht gleich fand.

Bevor man durch eine Unterhaltung aus den Augen verlor, was man suchte, erledigte man das Thema gleich, anstatt später von vorne zu beginnen oder es gar ganz zu vergessen.

Ihre Strukturen war sich sehr ähnlich, schließlich hatte sie viel von ihm gelernt und ebenso vieles in ihre Arbeitsweise übernommen, was jetzt dazu führte, dass seine Tochter sich in den Besuchersessel setzte und abwartete.

Die Firma deckte viele Bereiche ab, Strafrecht, Arbeitsrecht sowie Bank- und Kapitalmarktrecht. Victorias Abteilung befasste sich mit Scheidungs- und Familienrecht. All diese Felder waren abgedeckt, und das mit sehr guten Anwälten. Die Erweiterung um einen juristischen Bereich wurde erst angegangen, wenn die anderen Bereiche problemlos liefen oder die Nachfrage hoch genug war.

Das führte jetzt dazu, dass sie dabei waren, erneut zu expandieren, sie wollten Handels- und Gesellschaftsrecht in absehbarer Zeit ebenfalls abdecken. Denn weil Wentworth & Partner seit Jahren sehr gute Ergebnisse erzielten und das Unternehmen sich einen Namen gemacht hatte, wollte und musste ihr Vater expandieren. „Stillstand ist Rückschritt", sagte ihr Dad oft genug und verfolgte diese Strategie konsequent mit seinen Partnern.

Martin war ihr Vorbild und nicht nur in Bezug auf ihre Arbeit hatte Victoria vieles von ihrem Vater.

Auch konnten weder Vater noch Tochter ihren gemeinsamen Genpool verleugnen. Das helle Braun ihrer Haare, die gleichen Gesichtszüge wie auch die großen Parallelen in den Charakterzügen waren unbestritten dem geschuldet. Das Einzige, was sie von ihrer Mutter hatte, war ihre Augenfarbe. Ein gleichmäßiges, warmes Karamellbraun, dessen Ton manchmal changierte, wenn sich Victorias emotionaler Level nicht mehr kontrollieren ließ, was durch verschiedenste Auslöser sehr wohl passieren konnte, doch selten im Berufsleben der Fall war.

Ihr Vater war ein gut aussehender Mann, sehr charmant und zuvorkommend. Er strahlte Souveränität und Durchsetzungsvermögen aus. Sein Selbstbewusstsein war allgegenwärtig, ohne dass es zu überheblich wirkte. Es war eher so zu beschreiben, dass er über alle Maße Aufmerksamkeit walten ließ, um Sicherheit und Ruhe zu vermitteln, wenn man mit ihm in einem Raum war. Nichts war schädlicher für das Verhältnis zwischen Anwalt und Klient oder auch Chef und Angestellten als Unaufmerksamkeit. Victoria empfand es häufig so, als übertrage sich dies ausgeglichene Auftreten sogar auf unbestimmte Weise auf ihm zugewandte Personen und half in kniffeligen Verhandlungen Brisanz und gereizte Stimmung zu mildern.

Sie sagte immer, er könne Menschen, unabhängig vom Geschlecht, um den kleinen Finger wickeln.

Wie oft sah sie, dass Frauen ihm hinterherschauten oder sich mit ihm unterhielten und versuchten, mit ihm zu flirten. Doch er hielt sich zurück. Und er würde sich auch nicht mehr so schnell auf eine Frau einlassen; zu tief saß der Schmerz, den ihre Mutter verursacht hatte.

Obwohl sie ihn immer wieder betrogen hatte, redete er nie schlecht über seine Ex-Frau, jedenfalls hatte er das nie in

Victorias Gegenwart getan. Das brauchte er auch nicht, denn besonders der Schmerz, den sie ihm zugefügt hatte, als sie mit ihrem Freund abgehauen war, hatte in ihr selbst emotionale Spuren hinterlassen. Als Victoria damals in seine Augen sah, waren seine Qualen unübersehbar gewesen.

Ihren Dad so zu sehen hatte ausgereicht, dass sie nie wieder etwas mit ihrer Mutter zu tun haben wollte. Dennoch schmerzte es sie, dass ihre Mutter seit dem Weggang vor Jahren nicht einmal versucht hatte, Kontakt mit ihr aufzunehmen. Nicht ein einziges Mal!

Nach dem, was zwischen ihren Eltern vorgefallen war, hatte Victoria ihren eigenen Glauben an die große, ewige Liebe nicht nur innerlich begraben. Denn selbst ihr so lebenserfahrenes Vorbild zeigte ihr, dass Wissen und Erfahrung nichts zählten, wenn es um die Liebe ging, und dass einen aufopfernde Liebe, für die man bereit war, alles zu tun und sich selbst hintenanzustellen, nur dumm machte.

Sie sah bei ihren Eltern eine Beziehung, in der der eine Partner den anderen laufen ließ, hoffte, ihn so für sich gewinnen zu können. Indem er seine Frau freiließ und immer darauf hoffte, dass die nächste Rückkehr ins heimische Nest eine endgültige wäre, hatte Martin Wentworth alles nach seinem Ermessen Richtige getan, ohne aber zu wissen, ob es genügte. Und wie sich dann eines Tages zeigte, war es ein Trugschluss, zu glauben, dieser Weg würde irgendwann ein gemeinsamer werden. Ihr Dad hatte bis zur Selbstaufgabe geliebt und trotzdem war er am Ende der Dumme. Sie sah in Zeitraffer etwas in die Brüche gehen, dessen Ende in Zeitlupe Jahre ihres Lebens begleitet hatte.

Wie ihre Eltern ihre Beziehung lebten, war deren Sache, das hatte sie schon als Jugendliche begriffen. Dass sie aber Probleme hatten, die zu einer Trennung führen könnten, hatte sie bis zum Tag des Auszugs ihrer Mom niemals erwartet.

Es war eine Nacht–und–Nebel–Aktion, binnen weniger Stunden war der Spuk vorbei, die Schränke leer. All ihre Kleider, ihr Schmuck, Kosmetika und persönlichen Sachen waren innerhalb kürzester Zeit verpackt und in einem großen Transporter verstaut, wie ihr Vater später berichtete, als Victoria ihre Eltern besuchen wollte und ihren Vater am Boden zerstört in der Küche sitzend vorfand.

Alles andere hatte ihre Mutter zurückgelassen, die Familienfotos und selbst ihre Tochter. Es wäre eigentlich das Mindeste gewesen, dass sie beide, besonders ihre Mutter, mit ihr hätten reden müssen.

Nachdem Victoria Stunden mit ihrem Vater verbracht hatte, Stunden, in denen er ihr sein Herz ausgeschüttet und ihr Einblick in seine Seele gegeben hatte, liebte sie ihn noch mehr. Doch schalt sie ihn innerlich auch einen treuen Dummkopf und schwor sich, es niemals so weit kommen zu lassen, dass sie eine solch satte Bruchlandung hinlegen würde, weil *ihr* jemand das Herz brach. Sie entschied sich, eher wegzulaufen, wenn die Gefühle für einen anderen Menschen zu stark würden, als sich von der Liebe jemals dermaßen Hörner aufsetzen zu lassen. Sie würde lieben, aber nur bis zu einem bestimmten Grad, sie würde niemals so wie ihr Vater enden. Liebe bis zur völligen Selbstaufgabe hatte ihm nichts eingebracht, im Gegenteil. Und so war für Victoria bereits früh klar, die Kontrolle über ihre Gefühle würde sie behalten, immer.

Martin schloss die Akte. „Und, wie ist es ausgegangen?"

„Wie erwartet. Er muss Unterhalt für sie beide zahlen, inklusive Zinsen. Dazu noch eine einstweilige Verfügung, dass er sich seiner Ex-Frau nur auf maximal zweihundert Meter nähern und die Tochter nur im Beisein eines Mitarbeiters des Jugendamtes sehen darf." Victoria putzte einen imaginären Fussel von ihrer Schulter, nachdem sie geendet hatte, was ihren Vater zum Lachen brachte.

„War das der letzte Pro bono–Fall?"

„Für diesen Monat schon, ich habe einen Fall auf dem Schreibtisch, der meine ganze Zeit in Anspruch nehmen wird. Aber wer weiß, ob nicht was dazwischenkommt. Dann könnte einer der Kollegen das übernehmen, von denen, die gerade vom College kommen. Ist nichts Dramatisches, nur arbeitsintensiv. Ich denke, dass das sehr schnell erledigt sein wird. Und sie lernen viel."

Väterlicher Stolz lag in Martins Augen. „Ich wollte dich eigentlich fragen, ob wir zusammen zu Mittag essen wollen."

In Victorias Augen lag ehrliches Bedauern. „Ich kann leider nicht, ich habe noch einen wichtigen Termin."

Martin zog seine Augenbrauen zusammen, doch auch bei dieser Geste sagte sie nicht, was sie von einem gemeinsamen Essen abhielt, und das war nicht typisch für seine Tochter. Er hielt ihrem Blick stand und forderte sie so stumm heraus.

„Schon gut, guck nicht so, Dad!" Ergeben hob sie die Hände. „Ich treffe mich mit einer Klientin zum Essen."

„Wegen dem Fall, der deine ganze Aufmerksamkeit braucht?"

Murmelnd brachte Victoria ein „Ja" zustande.

Martin stand auf, ging zu seiner Tochter und klopfte ihr auf die Schulter. „Siehst du, Schatz. War doch nicht so schwer!"

Victoria schüttelte ihren Kopf darüber, was ihr so im Kopf herumspukte, während sie zum Fahrstuhl ging: Mit ihren sechsunddreißig Jahren fühlte sie sich manchmal in der Gegenwart ihres Vaters noch immer wie ein Kind.

Kapitel 4

Die Assistentin begleitete Victoria in das Büro ihrer Chefin. Sie klopfte an die Tür, worauf ein dumpfes „Ja" zu hören war. Freundlich lächelnd öffnete sie der Besucherin die Tür und gab mit einer begleitenden Armbewegung, einzutreten, den Weg für Victoria frei. Noch im Türrahmen stehend, fragte sie dann, ob sie den beiden Frauen etwas zu trinken bringen solle. Die Chefin schaute Victoria fragend an, worauf diese mit einem „Nein, danke. Alles bestens" antwortete, was als knappes „Danke, Alice, das wäre alles" weitergegeben wurde. Die Assistentin zog sich zurück und schloss die Bürotür hinter sich.

Isabella Underwood stand auf, als Victoria den Raum betrat, und ging um den Schreibtisch herum, um ihren Gast zu begrüßen. Das offene, freundliche Lächeln reichte bis zu Isabellas Augen, sie strahlte förmlich. Sie freute sich unbestritten, Victoria zu sehen, trotz des Grundes für ihren Besuch.

Victoria überlegte, wann sie Isabella das letzte Mal gesehen hatte. Ihr fiel ein, dass es vor über einem Jahr gewesen war, bei der Jubiläumsfeier von Isabellas Verlag, Underwood Publishing.

Ein unbehagliches Gefühl machte sich in ihr breit, wenn sie daran dachte, weswegen sie hier war.

Sie kannte Isabella und Charles seit einigen Jahren und hatte sie mehrfach zusammen getroffen, aus verschiedensten Anlässen und auf unterschiedlichsten Veranstaltungen. Als sie sich kennengelernt hatten, waren die zwei bereits verheiratet. Dennoch fand sie nie, dass die beiden als Paar eine harmonische Ausstrahlung hatten.

Victoria hatte schon früher, noch vor ihrem Studium, ein gutes Gespür für Menschen gehabt, insbesondere für Paare, wie Freunde ihr immer bestätigten, besonders, wenn es wieder eine Trennung zu vermelden gab. Auf dieses Gespür verließ sie sich oft, besonders auch dann, wenn es um neue Bekanntschaften ging, wie bei den Underwoods damals.

Wenn die zwei irgendwo zusammen auftauchten, war da nichts zwischen ihnen! Kein Blick, kein Lächeln oder irgendeine Geste, nichts, das Vertrautheit widerspiegelte, geschweige denn Harmonie und Respekt oder gar Liebe. Die beiden boten ein perfektes Schauspiel nach außen, gaben ein funktionierendes Paar in der Society. Sah man aber genau hin, verstand man schnell, dass ihre Verbindung rein zweckgebunden war und sie einander nichts bedeuteten, jedenfalls nichts, was mit Liebe zu tun hatte. Sie passten in keiner Weise zu–einander.

So etwas gab es öfter in der gehobenen Gesellschaft, aber es wurde darüber in der Regel nicht geredet. In Victorias Welt war es aber leider traurige Wahrheit.

Isabella hatte Klasse, das wusste Victoria bereits, sah es aber erneut in ihrer Körpersprache, der Haltung und ihrer Bewegung, als sie auf ihre Besucherin zukam. Und da war noch etwas anderes, etwas Neues, das Victoria so von ihr nicht kannte. Sie strahlte eine Wärme aus, der man sich nicht entziehen konnte. Isabella wirkte im positivsten Sinne wie ausgewechselt auf sie – eine unvorhergesehene Erkenntnis, die Victoria lächeln ließ.

Was auch immer der Auslöser war, sie hoffte für Isabella, es möge möglichst lange anhalten, denn es stand Isabella unglaublich gut.

Zur Begrüßung verzichteten die Frauen auf die für ihre Kreise so typischen gekünstelten Luftküsschen oder ein Händeschütteln. Isabella Underwood umarmte sie wie eine alte Freundin.

Victoria musste bei dem Gedanken grinsen, denn das Wort „alt" sollte sie nicht in ihrer Gegenwart benutzen, darauf reagiert jede Frau! Und meistens, nein, überwiegend, reagierte sie nicht gut darauf; „allergisch" war wohl die passendste Umschreibung.

Sie beide verstanden sich schon bei ihrem ersten Aufeinandertreffen gut. Aber damals war Isabella distanzierter und vorsichtig, was die Wahl ihrer Kontakte anging. Dennoch, nach ein paar Gläsern Wein, lockerer Stimmung, einer durch Alkohol gelösten Zunge und einem Spruch Victorias über eine *Freundin*, die das Skalpell des plastischen Chirurgen bei der letzten OP eindeutig zu stark geküsst hatte, was sie laut zu sich selbst gesagt hatte, stand Isabella plötzlich neben ihr, ohne dass sie es gemerkt hatte.

Immer wieder zuckten ihre Mundwinkel; das Lachen zu unterdrücken schien Isabella damals sehr schwerzufallen. Als aber die besagte Person dann auf sie beide zukam, bekam Victoria Herzflattern.

Isabella begrüßte die von Victoria beschriebene *Freundin* und die beiden gingen.

Im Moment, als Isabella sie an der Seite der fremden Frau passierte und ihr verschwörerisch zuzwinkerte, da wusste Victoria, dass sie beide aus gleichem Holz geschnitzt waren.

Leider gab es darauf keine weiteren Events, die tatsächlich vorrangig für das Amüsement der Reichen und Schönen gedacht waren und an denen sie beide zur gleichen Zeit waren. Feiern, die für die Presse Geier nicht sonderlich im Fokus standen oder bei denen die Gäste unter sich sein wollten und die Medien keinen Zutritt hatten, auf denen man sich ganz locker und unverfänglich persönlich besser hätte kennenlernen, vielleicht sogar tatsächlich eine engere Bekanntschaft hätte aufbauen können. Nachfolgende Anlässe hatten immer eher offiziellen Charakter und waren gespickt mit Ohren und Linsen, auf die man definitiv achten sollte.

Einmal gab es eine private Geburtstagsfeier eines gemeinsamen Bekannten, die in großem Stil aufgezogen und auf der die Presse nicht erwünscht war, aber da hatte Isabella Abstand von Victoria gehalten. Victoria war an dem Abend zwar leicht irritiert über ihr Verhalten, aber damit war es auch für sie erledigt.

Erst vor Kurzem hatten sie sich nach längerer Zeit erstmalig wieder gesehen, als die Veränderung in der Führungsetage bei Underwood Publishing in die Öffentlichkeit gezerrt wurde. Ihr Vater hatte sich darum gekümmert, so viel wusste sie und auch, dass das Thema damit eigentlich erledigt war. Zu diesem Zeitpunkt hatten Isabella und Victoria aber auch nur kurz ein paar Worte gewechselt, als Isabella bei einem Termin in der Kanzlei erschienen war und sie sich zufällig vor dem Büro von Martin Wentworth getroffen hatten.

Das, was mit Charles Lawrences Auftritt verbunden war, lag nicht im anwaltlichen Fachgebiet ihres Vaters und so musste in der Kanzlei Wentworth umgedacht werden.

Nachdem feststand, dass Martin Wentworth Isabella nicht federführend in der Angelegenheit einer Scheidung betreuen konnte, hatte er Isabella empfohlen, seine Tochter zurate zu ziehen, was diese ohne Vorbehalte annahm.

Ein Telefonat, und schon vereinbarten sie ihren ersten Termin, ein kurzes Treffen in Isabellas Büro, denn es gehörte sich für Vic, zum Klienten zu fahren und nicht, diesen in die Kanzlei zu bestellen, außer er bot es an. Für den Vor-Ort-Service zahlten Klienten genügend an Honorarkosten und je nach Rechtsbereich auch anteilige Streitwertbeteiligung bei Prozesserfolg, sofern es vor Gericht ging. Für alles Erdenkliche an Fällen gab es ebenso viele Varianten an Abrechnungsmodellen, die vorher mit dem Mandanten besprochen wurden, bevor man sich endgültig auf die Zusammenarbeit einigte. Amerika, das Land der ungeahnten Möglichkeiten. Also war Victoria gerne bereit, für Besprechungen den Mandanten, in diesem Fall die Mandantin, aufzusuchen, damit diese sich in gewohnter Umgebung bei unangenehmen Themen möglichst gut fühlten. Kleinigkeiten, die oft große Wirkung hatten und auf die Victoria bestmöglich achtete.

Bei dem Anruf der Verlegerin stand zum damaligen Zeitpunkt nicht fest, ob sie die Vertretung endgültig übernehmen konnte, denn sie war gefragt und ihre Kapazitäten ließen kaum mehr Spielraum, weswegen Vic sich einen Überblick verschaffen musste, was Isabellas Fall anging. Aber eine erste Analyse der Lage, das war nach Isabellas Anruf ein Muss, nicht nur, weil ihr Vater die Kontaktaufnahme angeregt hatte, sondern weil Vic sich freute, von Isabella zu hören und sie auf diese Weise wiederzusehen, unter vier Augen, wenn auch mit recht unschönem Hintergrund.

Bei ihrem Besuch damals war zuerst noch ein Teil der alten Isabella da, die sie aus den Medien kannte, den sie bei diesem Treffen jedoch nur dies eine Mal aufblitzen sah. Es dauerte nicht lange und sie fingen an, vom Thema abzuschweifen. An dem Abend begann ihre Freundschaft.

Das heutige Treffen jedoch war so ursprünglich nicht geplant. Vollkommen unerwartet, nach vielen Monaten, war Isabellas Ex-Mann zurückgekommen, wie aus dem Nichts, und keiner wusste, was er wollte. Vom zeitlichen Rahmen her war das Jahr der räumlichen Trennung der Ehepartner beinahe herum. Doch jetzt war etwas passiert, das Vics Mandantin offenbar nicht erwartet hatte.

Isabella hatte die Kanzlei angerufen und um ein kurzfristiges Treffen gebeten. Sie wurde zu Martin Wentworth weitergeleitet. Sie hatte nur angerissen, dass sie Post bekommen habe und dass es um ihre bevorstehende Scheidung gehe. Martin versicherte, dass er alles in die Wege leiten und einer seiner Anwälte schnellstmöglich mit ihr Kontakt aufnehmen würde.

Es gab entsprechende Regelungen über Abfindungen und weitere Absprachen, die in die Scheidungspapiere aufgenommen wurden. Alles war bereits im Vorfeld vertraglich geregelt, als die Ehepapiere unterschrieben wurden, denen ein separater, sehr ausführlicher Ehevertrag beigefügt worden war.

Doch jetzt trat Lawrence wieder in Erscheinung und versuchte offenbar irgendetwas zu kippen, weswegen Isabella sie um ein möglichst kurzfristiges Treffen gebeten hatte.

„Komm, setzen wir uns aufs Sofa“, sagte die Verlegerin. Dabei machte Isabella eine einladende Handbewegung Richtung Sitzecke.

Als sie saßen, schlug Isabella die Beine übereinander und legte die Hände auf ihre Knie.

Wenn Victoria Isabella in solchen Momenten beobachtete, wie anmutig und elegant ihre gesamte Erscheinung war, jede ihrer Bewegungen Stil bewies, selbst wenn sie praktisch Privatperson war, bestätigte sich ihre Meinung über Isabella, dass sie eine Frau mit Klasse war. Ihrer Feststellung lag kein Neid zugrunde, sondern bewundernde Anerkennung. Isabella Underwood war ein Musterbeispiel für eine erfolgreiche Geschäftsfrau, der ihr Erfolg nicht zu Kopf gestiegen war und die stets Bodenhaftung behielt. Aber es war nun mal so, Erfolg machte auch sexy, und das war Isabella unbestritten ebenfalls .

Sie begannen ihr Gespräch locker, redeten ein wenig über das Wetter und hielten einen Small Talk. Dann gab es einen kurzen Moment der Stille und beide wussten, dass es jetzt um den eigentlichen Grund ihres Treffens gehen würde. Sie mussten auf geschäftlichen Modus umschalten, auch wenn sie lieber weiter geplaudert hätten.

Isabella stand auf, ging mit schnellen Schritten zu ihrem Schreibtisch, holte einen Umschlag aus einer Schublade und kam zurück. Sie reichte ihn Victoria.

„Hier, das habe ich von diesem Scheißkerl bekommen." Victoria war kurz sprachlos, da sie mit so einem Ausdruck nicht gerechnet hätte.

Als die Anwältin auf den Briefkopf schaute, stellten sich ihre Nackenhaare auf. Simon Frey, ein schmieriger Anwalt, dem alle Mittel recht waren. Mit ihm hatte sie schon ein paar Mal zu tun gehabt. Seine Lieblingsmethode war es, bildlich gesprochen, in den Kellern der Gegenpartei nach Leichen zu suchen und noch so irrelevante Informationen in absurden Behauptungen zu verbreiten. Schamgefühl kannte er nicht und ihm war nichts heilig, egal, wie intim die Details aus dem Leben seiner aktuellen Gegenpartei waren.

Victoria meinte sogar, dass er sich daran aufgeilte, nicht gesicherte Informationen zu finden und gegen die Person zu benutzen. Oder das, was nicht nachweisbar war, trotzdem zu nutzen, um ein Gerücht zu streuen und als Kübel voller dreckiger Nachrede über den Klienten des Gegners zu kippen, um ihn oder sie aus der Reserve zu locken. Er spielte ein gefährliches Spiel, das an der Grenze der Legalität lag, und er ging äußerst geschickt vor, war dadurch ungemein gefährlich.

Geschürte Emotionen verleiteten zu Affekthandlungen und Menschen ließen sich dadurch zu Dingen hinreißen, die sie mit klarem Verstand so nie tun würden.

Sie überflog die Zeilen, konzentrierte sich, wie sie es gelernt hatte, nur auf das Wesentliche. Ihre Augenbrauen zogen sich zusammen. *Das wird ein Spaß!* Dieser Mann würde alles versuchen, um an sein Ziel zu kommen. Seine Lieblingstaktik war es, psychischen Stress auf seine Gegner auszuüben. Es ging ihm in den seltensten Fällen um echten Rechtsstreit, sondern eigentlich nur darum, dass die Gegner einen Vergleich oder einen Klageverzicht anboten und am Ende eine Abfindung zahlten, damit ihr Ansehen nicht in den Schmutz gezogen wurde oder um einfach endlich ihre Ruhe zu haben. Das war sein eigentliches Ziel, nerven und zermürben, denn eine Gerichtsverhandlung barg das Risiko, zu verlieren und dann die Kosten der Gegenpartei tragen zu müssen.

Das wäre allerdings bei Isabella nicht der Fall, sie könnte die Gerichtskosten tragen, ohne Frage. Bei ihr ging es um anderes. Den größten Druck auf sie könnte er nur ausüben, wenn es um ihr Ansehen ginge.

Soweit würde Victoria es nicht kommen lassen, doch die Anschuldigungen musste sie in Ruhe durchgehen. Und das würde eine gewisse Zeit brauchen. Sie wollte keine Fehler machen, weil sie etwas übersehen hatte.

Hier und jetzt ging es um ihre Klientin, der sie eine kurze Einschätzung geben sollte.

Nur wie? Victoria bekam ja schon rote Ohren beim Lesen, denn die Unterlagen enthielten recht pikante private Details, die ohne Freys äußerst ausführliches Anschreiben mit Ankündigung einer Klage Außenstehenden niemals zugänglich gemacht worden wären. Neben der Klage informierte sein aufgesetztes Schreiben lapidar darüber, dass sein Mandant in die Scheidung nun doch nicht einwillige.

All das war harter Tobak und kam nicht nur für Isabella unerwartet, selbst Vic fiel innerlich aus allen Wolken, hatte sich doch vor Monaten alles äußerst klar und eindeutig dargestellt.

Und plötzlich war alles anders.

Jetzt mündlich ein erstes Resümee? Wie sollte sie da vorgehen, ohne einem Feuermelder optisch Konkurrenz zu machen? Klage und Widerspruch gegen die Scheidung waren eines, belastende Beweise, wie Frey es beschrieb, in ausführlicher Deutlichkeit zu lesen, das war für die Anwältin in der Tat mehr als ungewohnt und trieb ihr darum die Schamröte ins Gesicht.

Sicher war Vic nicht prüde, aber sie fühlte sich unwohl dabei, die sexuellen Präferenzen ihrer Mandanten als eines der Hauptthemen in den Mittelpunkt zu stellen, denn solche Themen hatten nichts in der Öffentlichkeit zu suchen, außer jemand entschied sich *freiwillig* ganz klar für einen offenen Umgang mit seiner geschlechtlichen Vorliebe oder seiner Orientierung. Solange es legal war, sollte jeder ihrer Meinung nach seinen Weg diesbezüglich selbst finden.

Die Art und Weise, mit der Frey ins Rennen ging, war aber alles andere als freiwillig. Sie wurde gezwungen, gegen ihre „moralische Komfortzone" zu agieren, denn sie selbst würde sich schließlich ungern mit Menschen über intime Details zu ihrem Liebesleben unterhalten, bei denen sie sich hierbei normalerweise so gar nicht *zu Hause* fühlte. Victoria hatte gar keine andere Wahl, als Isabella zu Vorwürfen und Behauptungen Stellung beziehen zu lassen. Sie musste schließlich wissen, wie bereit Isabella war, diese Informationen an die Öffentlichkeit zu tragen.

Da standen Behauptungen im Raum, eindeutig sehr private Dinge, die niemanden außer Isabella etwas angingen und ihren noch – Gatten Charles, der ihrer Kenntnis nach aber selbst mehr Dreck am Stecken hatte und für den Treue ein Fremdwort zu sein schien. Es wäre ein gefundenes Fressen für die Klatschpresse und schon allein der Gedanke machte Victoria wütend. Sie hielt von dieser Meute nichts.

Nun, wie sie es auch drehte und wendete, sie kam aus der Nummer der pikanten Fragestellung nicht raus, also hieß es, Zähne zusammenbeißen und sich dem Feind stellen.

Okay, *du kannst das!*, sagte sie zu sich, straffte die Schultern und richtete sich auf.

Victoria hob ihren Blick von den Unterlagen und sah in grüne Augen, die weder Angst noch Zweifel zeigten. In ihnen war der reine Kampfgeist zu sehen und plötzlich merkte Vic, wie die Peinlichkeit aus ihren Adern wich und sie selbst von unbändiger Kampfeslust ergriffen wurde.

Victoria hatte mit einem Mal den Eindruck, sie müsste nicht sonderlich viel ausführen, die Frau vor ihr wusste sehr genau, woher der Wind wehte.

„Isabella, Frey fährt richtige Geschütze auf, das ist dir bewusst, oder? Das hier", sie tippte auf die Zettel vor sich, „sind unter anderem recht intime Informationen, die dein Liebesleben betreffen. Wir werden darüber reden müssen, welche ihrer Behauptungen zutreffen und welche haltlos sind, damit wir Frey untersagen können, hiermit öffentlich zu agieren. Was auch immer davon wahr ist, wir müssen uns eine Strategie überlegen, wie wir die von ihm erhobenen Vorwürfe des Fremdgehens in gleichem Zuge gegen Charles verwenden können und somit die vermeintlichen Trumpfkarten deines Ex zu Asche machen."

Isabella hatte Victorias Ausführung konzentriert aufgenommen und nickte schließlich. Sie brauchten weiter nicht über das zu diskutieren oder große Worte über die Fakten zu wechseln, das würden sie dann ab ihrem nächsten Termin tun. Aber sie hatten beide eine Übereinkunft getroffen, das wussten beide, als sie sich in die Augen sahen, sie würden die vollkommen haltlosen Vorwürfe widerlegen und den Spieß umdrehen.

Isabellas veränderte Lebenssituation, ja, die gab es unbestritten. Und falls der Anwalt von Charles Lawrence meinte, Isabella über die Offenbarungen hierüber bloßstellen zu können, dann sollte er es nur versuchen. Victoria würde ihn auseinanderpflücken, wenn Isabella ihr Recht auf Schutz ihrer Privatsphäre würde durchsetzen wollen. Sie würden gemeinsam kein Stück zurückweichen.

Wenn er bloß an die beiden denkt, wird er nur noch Angst empfinden können, wenn ich mit ihm durch bin.

„Was denkst du?" Isabella sah sie aufmerksam an.

„Den machen wir fertig", sagte Victoria mit sicherer Stimme. „Wenn dein Ex-Mann ein Problem hat, soll er nicht einen solchen Kindergarten veranstalten, sondern echte Fakten auf den Tisch bringen, denn es gab viele Regelungen in eurem Ehevertrag, was unter anderem auch Ehebruch und den damit verbundenen Verlust jeglicher Unterhaltszahlungen oder das Recht auf anderweitige Entschädigungen einbezieht. Und bezüglich außerehelicher Bekanntschaften müsste ich mir die Beweise in Ruhe anschauen, die zusammengetragen wurden, denn da scheinen beide Parteien ja etwas vorlegen zu können. Die Verlegerin nickte zustimmend, was Vic genügte und sie fortfahren ließ: „Du wirst mich dazu noch mit Details versorgen müssen, aber so ist es für mich schon eindeutig in eine Richtung ausgelegt. Man könnte ihm unterstellen, er wolle dich erpressen, aber womit, ist mir noch nicht klar. Sein Anwalt verpackt das halbwegs geschickt, aber ich werde einen Ansatz finden, ihm die Luft abzudrehen.

Isabella, was du mit wem machst und wie du jetzt lebst nach eurer räumlichen und persönlichen Trennung, all das derart ausschlachten zu wollen, ist armselig. Ehrlich, auf ersten Blick sieht das nach billiger Rache für gekränkte Eitelkeit aus. Aber das ist jetzt nur mein persönliches Bauchgefühl.

Wir werden alles in Ruhe sichten und besprechen. Ich muss mir einen richtigen Überblick verschaffen und dann planen wir die Taktik endgültig, auf der wir aufbauen. Ich werde dich befragen müssen, ich brauche Gegenargumente. Aber …“

Isabella hob die Hand und lächelte Victoria an. „Schon gut, Vic. Ich weiß, was du sagen willst. Du darfst mich alles fragen. Ich werde dir offen und ehrlich Antwort geben. Charles ist endgültig zu weit gegangen, er hatte seine Chance und ich habe ihm eine meiner Meinung nach mehr als angemessene Abfindung gegeben. Es war mit Hilfe deines Vaters alles geklärt und Charles hat den angebotenen Vertrag unterschrieben, der ihn zum Verlassen des Verlages gebracht hat.

Er hätte damals intervenieren können, über manches hätte man vielleicht noch verhandeln können. Aber *das* jetzt?! Nein, nicht mit mir, Vic! Ich will seinen Kopf!“

Victoria wusste, wie Isabella diesen Ausspruch meinte, und sie würde alles dafür tun, dass ihre Freundin und Mandantin sich nie wieder mit Charles Lawrence rumärgern müsste und dieser mundtot gemacht würde.

„Dann lass mich an die Arbeit gehen. Ich melde mich schnellstmöglich.“

Die Anwältin nahm die Unterlagen an sich, verstaute die Papiere in ihrer Aktentasche und schickte sich an, zu gehen. Isabella begleitete sie zur Tür.

„Wir sollten mal wieder feiern gehen. Was hältst du davon? Wenn wir Charles los sind, machen wir einen drauf. Dann lade ich dich den ganzen Abend ein, egal, worauf du Lust hast." Die Blondine funkelte Victoria herausfordernd grinsend an und die Juristin hielt die Hand hin, um mit Isabella einzuschlagen.

„Was für ein Ansporn, ich nehme dich beim Wort. Und glaub mir, ich werde dein Bankkonto schröpfen, meine Liebe. Du glaubst ja nicht, was ich so essen und trinken kann." Victoria lachte selbstsicher. „Aber jetzt muss ich los, Bis bald, Isa."

Vic fühlte sich in der Tat ein wenig überrumpelt, als sie im Aufzug stand. Selten hatte sie in ihrer Karriere bisher solche Treffen erlebt, in denen sie und ein Mandant ein gemeinsames Ziel so klar schon zu Beginn vor Augen hatten. Die Anschuldigungen waren wie ein Zündschlüssel gewesen, der gedreht wurde. Die Wut Isabellas und ihr Kampfgeist, es war, als würde es von Isabella auf sie abfärben, wobei sie den Vorteil hatte, jegliche echte Emotion aus ihrer Betrachtung der Fakten herauszulassen, was unabdingbar war für sie in ihrer Position. Ihr fiel auf, wie selten es tatsächlich vorkam, mit einem Menschen so schnell auf einer Wellenlänge zu liegen und sich sofort zu verstehen, nicht nur auf Anwalt–Klienten–Ebene.

Der Eindruck wirkte noch nach, als sie das Verlagsgebäude verließ, und Vic genoss den besonderen Draht zu Isabella noch ein wenig in ihren Überlegungen, denn sie mochte sie und war froh, sie inzwischen *Freundin* nennen zu können, ungeachtet ihrer derzeitigen geschäftlichen Beziehung.

Es war spätabends, als Victoria den Kugelschreiber auf ein Stück Papier legte, das mit Notizen vollgeschrieben war. Sie machte sich zuerst gerade, um sich dann nach hinten zu lehnen, bis sie die Rückenlehne des Stuhls erreichte. Dann fuhr sich mit der Hand durch ihre braunen Haare, wobei sie sich Luft machte: „Puh, was für ein Paket!"

Ihr Blick ging wieder zu der Akte, die vor ihr auf dem Tisch lag, dann nach rechts zu ihren Notizen. Seit dem Treffen mit Isabella befasste sie sich die letzten Stunden hochkonzentriert mit den Informationen, hatte alles gesichtet und in entsprechenden Vermerken für sich zusammengetragen. So langsam verabschiedete sich ihre Aufmerksamkeit, denn bisher hatte sie sich keine Pausen gegönnt, seitdem sie sich an die Arbeit gemacht hatte.

Noch im Büro von Isabella hatte sie dieser versprochen, die Unterlagen schnellstmöglich durchzuarbeiten, und ihr Versprechen würde sie halten, auch wenn sie merkte, dass dieser Fall nicht „mal eben“erledigt sein würde.

„Ich und mein Mundwerk, ich hätte es besser wissen müssen. Dad hätte mich nicht gebeten, mich mit Isabella zu treffen und mir alles anzuhören, wenn es ein einfacher Fall wäre.“

Sie war keine Anfängerin, dass ihr so ein Fehler passierte. Ihr war ein ähnlicher Fehler zu Beginn ihres Anwaltsdaseins bereits passiert, damals als blutjunge Anwältin, und sie hatte daraus gelernt, nicht vorzeitig Versprechungen zu machen. Doch als sie heute ihrer Freundin und neuen Klientin gegenübergesessen hatte, hatte sie sich, warum auch immer, zu diesem Versprechen hinreißen lassen.

In Isabellas Augen hatte etwas gelegen, das Victorias sonstige klare Regeln außer Kraft gesetzt hatte für den einen, entscheidenden Moment. Vielleicht war es die Wärme, die Offenheit in ihrem Blick, mit der Isabella ihr begegnet war und die sie bis dato bei ihr noch nicht gesehen hatte? Dann, als sie anfing, die Anschuldigungen zu lesen, und mit jedem geschriebenen Wort fassungsloser wurde, hatte das offensichtlich einen Notschalter in ihrem Verstand blockiert.

Victoria verstand sich selbst nicht, warum sie anscheinend ohne nachzudenken, eine solche Zusage gemacht hatte. Möglich, dass es die Mischung aus Isabellas Auftreten und den abstrusen Informationen aus der Akte war.

Aber es war auch müßig, weiter darüber nachzudenken, denn aus der Nummer käme sie nicht heraus, ohne ihr Wort zu brechen, und das würde sie nicht tun!

Sie wusste nach dem ersten Lesen aller Zeilen schließlich, worauf der Anwalt hinauswollte. Zahlen fürs Stillschweigen oder er würde dafür sorgen, dass Isabella und ihr Leben durch den Dreck gezogen werden.

Nach Victorias erster Einschätzung, die sie ihrer Mandantin mitgeteilt hatte, war diese gleich auf absolute Gegenwehr ausgerichtet. Victoria musste schmunzeln, denn Isabella strahlte unfassbare Stärke aus und es schien, als hätte Isabella Blut geleckt und machte sich gerade erst warm, erneut dafür zu kämpfen, wofür sie stand und wofür sie lebte.

Als Isabella im Büro noch zu ihrem Schreibtisch gegangen war und eine Mappe hervorholte, sagte sie: „Ich hätte da auch noch ein paar Informationen für dich. Ich habe das in all der Aufregung vergessen, dein Vater hat auch noch eine Kopie."

Vic wusste, dass ihr Vater sich besonders wichtiger Mandanten und die diese Personen betreffenden sensiblen Daten persönlich annahm. Dass es bei solchen Fällen, die ihr Vater juristisch betreute, des Öfteren erst gar nicht zur Verhandlung kam, war nicht nur ihr bekannt, sondern auch den Teilhabern und Mitarbeitern der Kanzlei. Bei den Klienten war es ebenfalls bekannt, zumindest bei denen, die zu diesem inneren Kreis zählten, die Victorias Vater persönlich betreute, was er inzwischen sehr selektiert tat. Denn wenn es so war, konnte sich die Gegenseite in der Regel glücklich schätzen, dass ihr Fall nicht an die Öffentlichkeit kam. Eigentlich blieb Martin inzwischen eher im Hintergrund und kümmerte sich um die Belange der Kanzlei, dann und wann aber trat er in den Vordergrund, als wisse er genau, wann er zur Stelle sein müsse.

Warum es in manchen Angelegenheiten nicht vor Gericht ging, das wussten nur ein paar Menschen, zu denen sie leider noch nicht gehörte. Vic wusste auch nicht, ob sie dieses Wissen überhaupt wollte. Er jedenfalls wusste genauestens Bescheid, welche Klienten gerade direkt betreut wurden und um welche Angelegenheiten es ging. Seine Erfahrung zeichnete ihn aus und Victoria hoffte, dass sie einmal eine ebenso gute Anwältin werden würde, wie er es war.

Das, was die ihr zur Verfügung stehenden Unterlagen verrieten, war noch nicht ausreichend. Vieles hing offensichtlich mit dem zusammen, was ihr Vater seinerzeit betreut hatte, als es galt, Charles Lawrence aus der Geschäftsführung von Underwood Publishing zu entfernen. Hierüber fanden sich zwar oberflächliche Informationen in diesen Papieren, aber sie brauchte mehr. Sie müsste sich erst die alten Akten holen und sichten, um eine strategische Ausrichtung entwickeln zu können.

Sie würde gleich morgen ins Büro ihres Vaters gehen und ihm Bescheid geben, dass sie die Akten brauchte, und was ihr viel wichtiger war, ob er einen Rat für sie hätte. Auf diese Akten hatte sie bisher keinen Zugriff gehabt und brauchte ihn auch nicht, aber für diesen Fall schon. Denn es hing dem Augenschein nach doch alles zusammen und die Scheidung ließ sich nicht ohne Einbeziehung der beruflichen Verbindung Charles` zum Verlag und somit zu Isabellas anderem Hintergrund, dem als seine Ehefrau, betrachten.

Es war einer dieser *speziellen* Fälle, die ihr Dad persönlich begleitet hatte. Dennoch hatte Victoria eine vage Vermutung.

Das ganze Spiel, das einige Menschen trieben, wenn sie sich trennten, Intrigen, die gesponnen wurden, um an bestimmte Positionen zu gelangen oder an Macht. Oder wozu sie getrieben wurden, wenn es um Selbstschutz ging, was sie aufgaben, worauf sie verzichteten, dass sie sich verrieten, all das zeigte ihr dieses Beispiel erneut. Und wieder einmal wusste Victoria, dass *sie* dazu nicht bereit war.

Sich zu verlieben, blind zu vertrauen und füreinander da zu sein, hörte sich traumhaft an. Aber die Realität war anders, grausam, rücksichtslos. Wenn es schiefging, dann blieb nur ein riesiger Scherbenhaufen und jeder konnte sehen, wo er blieb.

Aber bei den beiden, Isabella und Charles, war etwas noch anders. Sie konnte die beiden nicht als Paar sehen und es ging nicht rein um das Thema Scheidung und „wer bekommt den Hund", wie Victoria es unter Kollegen gerne sarkastisch umschrieb.

Bei Isabella und ihrem Mann stimmte etwas nicht, das sagte ihr Bauchgefühl, sie musste nur wissen, worum es damals gegangen war, als Charles das Unternehmen und auch seine Frau verlassen hatte, dann würde sich alles zusammenfügen und leichter werden.

Dass er eine Abfindung wollte, weil er jahrelang, nein, Jahrzehnte an der Spitze von Underwood Publishing gestanden hatte, war soweit nachvollziehbar, dem würden Richter auch zustimmen. Doch er wollte jetzt eine *gerechte* Abfindung, wie er es hatte formulieren lassen, die ihm angeblich zustand. Dazu spekulierte er auf eine schöne Summe aus Isabellas Privatvermögen mit dem Hintergrund, sie hätte außerhalb seiner Kenntnis und somit an ihm vorbei Gewinne erwirtschaftet.

In der utopischen Höhe, die benannt wurde, könnte es bei einem richterlichen Zuspruch der Genickbruch für Underwood Publishing sein, da Isabella auch nicht mehr in der Lage wäre, große Privateinlagen zu machen, ohne sich blank zu machen, und Vic war sich ziemlich sicher, dass es ihm nur darum ging, seine Frau zu ruinieren.

Vic nahm ihre Lesebrille von der Nase und legte sie zu den restlichen Sachen auf den Tisch. Mit Zeigefinger und Daumen griff sie nach ihrer Nasenwurzel und rieb leicht darüber. Es stand die nächste Frage vor der Tür und sie schüttelte verneinend den Kopf.

Die Frage war, wie handhabte *sie* diese Situation? Der Fall war sensibel, die Presse würde sich sicherlich auf Isabella stürzen, wenn etwas nach draußen drang, bevor sie eine Strategie entwickelt hatten. Es ging von Beginn an um professionelles Auftreten nach außen hin; falls es Fragen geben würde, müssten Antworten parat liegen. Mit einem andauernden „kein Kommentar" würden sie nicht lange bestehen können. Eben *das* würde die Pressemeute anfixen, selbst auf die Suche zu gehen und zu graben.

Dazu käme ihre Gegenpartei.

Die war bei Weitem nicht so mit Skrupeln behaftet und würde an entsprechenden Stellen immer wieder für Futter sorgen. Es wäre ein Leichtes, die Presse zu informieren, wann immer Unruhe für sie dienlich wäre. Und Vic ging davon aus, dass sie mit kleinen Happen, die sie an die Presse gaben, direkt oder indirekt zeigen würden, dass sie es ernst meinten.

Was also war der beste und sicherste Weg? Sollte sie sich, wie es üblich war, einen der neuen jungen Anwälte hinzuziehen, der gerade von der Uni kam, damit er lernen und Erfahrung sammeln konnte?

„Die bei ihren Buddys so was von nicht den Mund halten können und durch die es dann in kürzester Zeit ein Informationsleck gibt?", kommentierte sie ihren Gedanken laut und zog missmutig die Augenbrauen zusammen.

Das war einer der Gründe, warum die frischen Absolventen anfangs nur bei leichten Fällen mitarbeiten durften. So lange, bis sie sich in ihrer Loyalität und Integrität bewiesen hatten.

Jedes Leck an Informationen war gefährlich, doch waren diese Züge auch menschlich. Besonders wenn sich die Jungspunde im Gespräch gegenseitig zu übertrumpfen versuchten. Wenn sie dann, gewollt oder ungewollt, Informationen preisgaben, dann wären die Auswirkungen nicht sonderlich schlimm. Die jungen Anwälte würden ihren Einlauf bekommen und daraus lernen. Victoria selbst war der Meinung, dass man aus Fehlern am meisten lernte, nur mussten deren Folgen kalkulierbar bleiben.

„Wer sagt, dass die Chirurgie ein Haifischbecken sei, der sollte sich besser nicht in die Welt der Anwälte und Juristen wagen“, murmelte sie sich in den Bart, als sie auf die Uhr an der Wand sah. Es wurde immer später und Victoria hatte mehr Fragen als Antworten. Eine Frage verschaffte sich immer mehr Gehör, *bist du überhaupt die richtige dafür, wächst es dir nicht jetzt schon über den Kopf?*

„Ich habe noch nicht einmal richtig angefangen und ich bekomme Selbstzweifel. Das hatte ich lange nicht.“

Nachdem sie vom Tisch aufgestanden war, nahm Vic ihr Weinglas, trank den Rest aus und ging in die Küche. Der Weg war nicht allzu weit. Ihre Wohnung war zwar klein, aber es war *ihre* Wohnung, in der sie sich wohlfühlte und alles hatte, was sie brauchte; sogar ein separates Arbeitszimmer, dessen Tür sie einfach schließen konnte, wenn ihr die Arbeit doch mal auf die Nerven ging, wie ihr persönlicher Ausschalter, oder wenn Besuch kam.

Als sie in besagtes Arbeitszimmer zurückkam, fiel ihr Blick wieder auf ihren Schreibtisch und die Unmengen an Unterlagen darauf.

„Weglaufen werden die Unterlagen wohl nicht.“ Ein Gähnen bahnte sich seinen Weg. „Und morgen ist das alles auch noch da.“

Kaum hatte sie ihren Gedanken laut ausgesprochen, war die Zimmertür auch schon geschlossen und Vic kurzerhand in ihrem Schlafzimmer verschwunden.

Kapitel 5

Am frühen Morgen hatte Vic alle Unterlagen vom Tisch zusammengesammelt und fuhr schnellstmöglichst in die Kanzlei.

Sie hatte sich noch lange den Kopf zerbrochen über ihre plötzlich auftretenden Selbstzweifel. Sie waren da und sie war niemand, der so etwas einfach ignorierte. Logik und klares Agieren waren wichtig, aber in solchen Fällen war Victoria jemand, der immer auch auf seinen Bauch hörte. Sie musste hierüber mit ihrem Vater sprechen, bevor sie etwas falsch einschätzte.

Es gab nicht viele Möglichkeiten, besser gesagt nur zwei, und die waren für sie nach jetziger Ansicht beide nicht optimal. Mit dem einen Vorschlag wäre sie unzufrieden, denn sie müsste den Fall *Underwood* abgeben. Das war etwas, was sie bis jetzt noch nie hatte tun müssen und auch nie in Betracht gezogen hatte, einen Fall abzugeben, der bereits seine Schatten vorauswarf, ohne dass die Society-Medien Lunte gerochen hatten, und der die Kanzlei ihres Vaters nicht minder in die Presse ziehen würde, sobald auch nur ein einziger Reporter Blut geleckt hatte, was nicht allzu lange dauern würde, da Frey die Karten mischte und noch niemand sagen konnte, ob es ein sauberes oder gezinktes Blatt war, das er ausspielte.

Die zweite Möglichkeit gefiel ihr auch nicht, denn sie hatte mit den anderen laufenden Fällen zu tun, die sie betreute. Sie waren bei Weitem nicht von dem medialen Interesse wie Underwood gegen Lawrence. Wenn etwas in die Printmedien kam, dann solche Rosenkriege bekannter Paare, die zum oberen Kreis der Reichen und Schönen gehörten. Damit ließen sich Zeitungen verkaufen. Dennoch lagen ihr die Fälle nicht minder am Herzen und sie würde auch diese nur ungern an andere Kollegen abgeben.

Für Vic ging es in erster Linie darum, im Sinne ihrer Mandanten bestmöglich zu agieren.

Natürlich wusste sie, dass alle Kollegen ihren Job ebenfalls beherrschten und sich nicht weniger engagierten als sie selbst, sonst würden sie nicht für Wentworth und Partner arbeiten. Doch widerstrebte es nun mal Vics Naturell, anderen vertrauen zu müssen, dazu zählte auch die Übergabe ihrer Fälle an andere Anwälte ihres Kanzleiteams. Denn ihre Mandanten vertrauten ihr vorbehaltlos. Ihnen dann sagen zu müssen, dass sie deren Fall nicht weiter betreuen könnte, fühlte sich einfach nicht richtig für sie an. Vic würde nicht unbedingt so weit gehen zu sagen, ein solches Vorgehen könnte das Vertrauen der Mandanten in sie oder die Kanzlei ins Schwanken bringen, aber im Hinterkopf war der Gedanke doch da und verursachte bei ihr jedes Mal ein ungutes Gefühl in der Magengegend. Möglich, dass es überzogen war, so zu reagieren, dass sie zu loyal ihren Klienten gegenüber war, aber das war nun mal sie.

Sie musste also ihr Problem mit ihrem Vater besprechen, anders würde sie nicht zur Ruhe kommen.

Ihre Assistentin war noch nicht da. Victoria schloss ihre Bürotür auf, legte die Unterlagen auf den Tisch, ging wieder hinaus und schloss ab. Dann machte sie sich auf den Weg zum Büro ihres Vaters.

Seine Tür war einen Spalt weit geöffnet, dennoch klopfte sie an und bekam sofort ein „Herein“ als Antwort.

Als sie in das Büro trat, trafen blaue Augen auf ihre braunen. Sie hatten beide die gleiche Haarfarbe, bis auf das Grau, das sich bei ihrem Vater an den Schläfen zeigte. Die Jahre hatten ihn markanter werden lassen im Aussehen, ohne dass es den Anschein machte, der Job würde ihm sämtliche Energie nehmen. Er war ein attraktiver Mann und wie man so schön sagte bei Männern, sie werden im Alter meist interessanter. Unbestritten galt das auch für ihren Dad, wie Vic immer wieder voller Stolz feststellte, wenn sie zusammen essen gingen und unzählige Frauen ihm interessierte Blicke zuwarfen.

Schon damals, als sie noch ein Kind war, war ihr Vater ihr Held gewesen. Trotz des Erfolges der Kanzlei tat er alles Mögliche, um für sie da zu sein. Wie er es geschafft hatte, bei wichtigen Ereignissen bestimmter Lebensabschnitte seiner Tochter dabei zu sein, war für Vic bis heute ein Rätsel. Er war ein unglaublicher Workaholic, aber auch ein liebevoller und ungemein aufmerksamer Vater über all die Jahre, bis heute.

Als er seine Tochter zum ersten Mal zu einer Verhandlung mitgenommen hatte, auf ihr Drängen hin, sie dort zusah, wie ihr Vater für das Recht einer Frau und Mutter kämpfte, die durch einen harten Schicksalsschlag plötzlich Witwe geworden war und nun gegen den Arbeitgeber ihres verstorbenen Mannes vor Gericht ziehen musste, weil der ihr die Hinterbliebenenrente nicht zahlen wollte, war ihr damaliger Held geboren.

Die Frau war ihrem Vater am Ende vor Glück um den Hals gefallen und war dabei in Tränen aufgelöst, denn durch ihn erhielten sie und ihre Tochter eine enorme Summe. Ihr Mann war bei der Arbeit verstorben und der Arbeitgeber wollte dem Mitarbeiter ein Selbstverschulden anlasten, um die Rentensumme nicht zu zahlen, was nach hinten losging. Es kam sogar heraus, dass der Arbeitgeber seiner Fürsorgepflicht nicht nachgekommen und der Mann deshalb ums Leben gekommen war, was eine zusätzliche Abfindung in Millionenhöhe für die Frau bedeutete. Diese Geschichte war einer der Grundsteine für Vics eigene Kariere im Juristischen.

Als Martin Wentworth seine Tochter sah, zogen sich seine Augenbrauen zusammen.

„Was ist los?"

Manchmal fühlte Vic sich trotz ihrer sechsunddreißig Jahre in seiner Gegenwart wirklich noch wie ein Kind. Und genauso ließ sie sich jetzt in den Besucherstuhl fallen.

Sie atmete einmal tief ein und wieder aus, bevor sie antwortete: „Der Underwood–Fall."

„Was ist damit?" Er schloss die Akte und legte beide Unterarme auf den Schreibtisch.

Victoria fing an zu erzählen, von den Anschuldigungen, ihrer Vermutung über die Absichten des gegnerischen Anwaltes, dass sie definitiv Unterstützung bräuchte, aber niemanden aus der jungen Riege der Nachwuchsanwälte mit ins Boot nehmen wollte. Und dass die anderen erfahren Kollegen alle selbst mehr als genug Fälle betreuten, war kein Geheimnis. Die Kanzlei lief bestens.

„Die ganzen Aussagen, die ich aufnehmen muss, die Angestellten befragen und alles durcharbeiten. Das kostet zu viel Zeit. Ich weiß nicht, ob ich das alles schaffe, allein sehe ich da nicht wirklich Land. Parallel zu meinen aktuellen Fällen kann das auf keinen Fall laufen, das zeichnet sich jetzt schon ab, ohne dass ich mit jemandem außer Isabella überhaupt gesprochen habe."

Martin lehnte sich in seinen Bürostuhl zurück und verschränkte die Arme hinter den Kopf. Seine blauen Augen schauten ins Nichts, als er nachdachte.

„So wie ich das sehe, hast du zwei Möglichkeiten." Victoria musste bei der Aussage bereits lächeln. „Entweder du gibst den Fall ab oder du arbeitest exklusiv an diesem Fall. Das heißt wiederum, dass jemand anderes so lange deine Fälle bearbeiten wird." Er stand auf und ging um den Schreibtisch, während er sagte: „Wir sind keine Soap–Kanzlei aus der Flimmerkiste. Wir arbeiten hier zusammen, haben ein gesundes Klima und keiner will den anderen hintergehen, erpressen oder irgendein anderes Drama veranstalten. Wir arbeiten hier in einem Team. Wir wissen, wann was zu tun ist und wie weit wir gehen müssen." Er setzte sich auf den zweiten Besuchersessel. „Victoria, dieser Fall ist sehr wichtig."

„Das weiß ich, Dad."

Martin lächelte, weil ihm klar war, dass seine Tochter das Renommee der Kanzlei meinte, ohne dass sie es aussprach. „Das auch, aber noch in anderer Hinsicht." Er beugte sich vor und klopfte ihr liebevoll mit der flachen Hand auf den Oberschenkel und erklärte, worin für ihn die Wichtigkeit wirklich lag: „Als ich Ms. Underwood sagte, dass eine weitergehende Betreuung in ihrem Fall durch mich nicht sinnvoll ist, da Scheidungen nicht meine Spezialität sind, erwähnte ich dich. Als ihr bewusst wurde, dass *du* meine Tochter bist, und sie schon von deiner juristischen Schlagkraft gehört hatte, sagte sie sofort zu. Du kennst die Geschichte bis dahin, Schatz. Sie hatte dich diesbezüglich tatsächlich nicht mit mir in Verbindung gebracht, stell dir vor. Als ich den Vorschlag machte, dich ins Boot zu holen, schien sie sehr angetan und als ich nachfragte, erzählte sie mir, dass ihr euch bereits über den Weg gelaufen seid. Du hast bei ihr offenbar Eindruck gemacht." Martin lächelte seine Tochter an und sie schmunzelte etwas verlegen zurück, weil ihr das erste Treffen wieder in den Kopf kam, wovon ihr Vater natürlich keine Ahnung hatte. „Für uns ist es umso besser, wenn sie bereits einen guten Eindruck von dir hat. Wer hätte ahnen können, dass Lawrence nachtritt und die Scheidung nicht so anerkennt wie ursprünglich ausgemacht?" Martin fuhr sich mit der Hand übers Kinn und dachte nach. „Ich habe damit nicht gerechnet und ich kann mir auch nicht erklären, was genau ihn dazu veranlasst hat. Möglich, dass ihn seine Geldgier treibt. Das wird sich rausstellen müssen." Er sah seine Tochter liebevoll an. „Ich bin jetzt schon stolz auf dich, denn dieser Fall ist für *dich* sehr wichtig. Dass es jetzt anders kommt als ursprünglich verhandelt, konnte keiner ahnen. Aber jetzt müssen wir für Isabella Underwood eine Lösung finden, die die veränderte

Lage aufgreift, um für unsere Mandantin endlich einen Abschluss dieser Ehe–Farce herbeizuführen.

Keiner hat Lust auf solche miesen Nummern, wir können uns nur nicht davor verstecken, das sind wir nicht.

Der Spruch, das Beste draus zu machen, ist überflüssig, ich weiß, aber er trifft auch zu. Victoria, es ist deine Chance, dir einen großen Namen zu machen. Nicht durch mich, nicht durch die Kanzlei, sondern nur alleine für dich. So eine Chance zu bekommen ist selten. Du würdest dir damit eine gehörige Portion Aufmerksamkeit verschaffen und glaub mir, die Gerüchteküche brodelt schon." Victoria sah ihn konsterniert an, denn damit hatte sie nicht gerechnet. „Wenn du diesen Fall gewinnst, bist du in der Oberliga gelandet." Martin legte ermutigend seine Hand auf die seiner Tochter. „Es ist ein Risiko und die Frage ist, ob du bereit bist, das Risiko einzugehen. Ich weiß, wie wichtig dir *deine* Fälle sind, besonders die Pro–bono–Fälle. Immerhin bist du *meine* Tochter, ich sollte dich wohl kennen.

Ich verspreche dir, wenn eine wichtige Entscheidung bei einem der anderen Fälle ansteht, werde ich dich sofort anrufen und du *wirst* dann entscheiden. Ich denke nicht, dass Ms. Underwood gegen dieses Vorgehen etwas sagen wird. Immerhin vertrittst du dann sie und niemand anderen im Moment, doch ohne kleine Kompromisse ist es nun mal schwer, einen guten Anwalt freizuschaufeln." Martin zwinkerte ihr zu und Victoria konnte nicht umhin zu denken, dass er ein alter Fuchs war. Mit diesem kleinen Argument würde Isabella sich, so wie sie sie einschätzte, in der Tat zufriedengeben. Besonders, wenn Martin mit ihrer Klientin ein nettes Pläuschchen halten würde und dies beiläufig fiel, dessen war Victoria sich sicher.

„Ich verspreche dir, niemand wird etwas in deinen Fällen entscheiden, ohne es vorher mit mir abgeklärt zu haben."

Es war das, was sie sich gewünscht hätte, hätte sie wählen dürfen. Aber jetzt, wo ihr Vater es ausgesprochen hatte, musste *sie* eine Entscheidung treffen. Sich etwas vorzustellen und demgegenüber dann die Realität zu sehen, waren zwei unterschiedliche Sachen. Hatte sie den Mut, alles zu riskieren?

Victoria schloss die Augen und hörte in sich hinein.

Wenn nicht jetzt, wann dann? Was genau riskierst du, Vic?

Sie bekam den Hut auf, musste in einem gewichtigen Fall die Verantwortung tragen, aber was riskierte sie denn tatsächlich? Doch lediglich ihre Komfortzone zu verlassen und sich blaue Flecken zu holen, wenn sie tatsächlich auf die Schnauze fiel.

Wenn sie es verbockte, ja, möglich, dass sie Sprüche kassierte. Aber der Gedanke daran, dass ihr Vater sie nicht mit diesem Fall betrauen würde, wenn er nicht vollstes Vertrauen in ihre Fähigkeiten hätte, ließ sie schließlich zusagen: „Aber du musst mich wirklich anrufen, okay?“

„Keine Sorge, es wird genauso laufen, wie ich es gesagt habe.“ Victoria stand auf. „Dann werde ich Ms. Underwood die Nachricht überbringen, dass du den Fall tatsächlich *exklusiv* übernimmst und nicht ein Kollege einen Großteil der Betreuung innehaben wird. Du wirst dich bei ihr melden, wenn du alles vorbereitet hast. Ihr müsst da sicher einiges auf- und ausarbeiten, aber das wirst du besser sehen, wenn du deine anderen Fälle aus dem Kopf hast.“

Ihr Vater lächelte sie zufrieden an, doch um etwas bat sie ihn trotzdem noch: „Dad, kontaktierst du sie bitte und informierst sie darüber, dass es ab und an passieren kann, dass ich …“

Victorias Vater legte seine Hand auf ihre Schulter und unterbrach sie: „Ja, du Star–Anwältin, das werde ich.“ Sein Blick war warm, als er ihr beruhigend über den Oberarm streichelte. „Die kleinen Randbemerkungen werde ich ihr schon verkaufen, Kleines.“ Ein breites Grinsen erhellte seine Sonnenbräune. „Und Ich werde dir so schnell wie möglich alle Informationen zukommen lassen, die wir haben. Die bisherigen werden nicht mehr genügen, denke ich.“

Victoria hatte die Unterlagen in der Tasche, von denen ihr Vater gesprochen hatte, und war auf dem Weg zu Isabella. Sie wollte sie in ihrem Büro treffen.

Victoria hatte den ganzen Vormittag damit verbracht, ihre Fälle weiterzuleiten, alle Informationen, den aktuellen Stand und ihre Taktiken weiterzugeben.

Sie wollte Isabella Underwood auch noch einmal persönlich von der Entscheidung berichten, dass sie ab sofort ihr Rechtsbeistand sein würde; nahezu ausschließlich. Sie wusste, ihr Vater hatte seinen Part bereits erledigt und seinen Charme spielen lassen, um ihr nötigen Freiraum zu verschaffen. Sie wollte aber bereits heute abstecken, welche Optionen es für sie gab, um schnellstmöglich Isabellas Verteidigung vorzubereiten. Sie musste wissen, wie Isabellas Termine in nächster Zeit waren, da sie sie sicher immer wieder zu einzelnen Informationen befragen musste. Da war ein wenig Luft im Kalender der Chefin sicher hilfreich. Auch um das abzustimmen, wollte Vic kurz persönlich bei Isabella in Erscheinung treten und hatte sich bei ihrer Assistentin rückversichert, dass sie im Moment frei war.

Es war die richtige Entscheidung, so vorzugehen. Sie wirkte nach außen hin fokussiert und professionell, wenn ihr Vater nebenbei fallen ließ, dass sie ab und zu noch mal auf ihre abgegebenen Fälle blicken und vielleicht dann und wann den vertretenden Kollegen Hilfestellung gab und nicht sie selbst hierfür bei Isabella um Verständnis bitten würde, falls sie kurzfristig abkömmlich sein müsste.

Es würde ihre Position sogar stärken, wenn ihr Vater als Vorgesetzter durch eine solch *zufällige* Äußerung im Gespräch auf die Position seiner Tochter als wichtiges Glied in seiner Kanzlei hinwies.

Und wer würde sich nicht geschmeichelt fühlen, wenn ein Anwalt einer solch bekannten Kanzlei exklusiv den Fall bearbeiten würde?

Aber so, wie Victoria Isabella einschätzte, würde sie gleich die Komplexität des Falles erkennen und warum Victoria so viel Zeit einräumen musste, dass sie ihre anderen Fälle nicht nebenbei mitbetreuen konnte.

Victoria ging in Gedanken die Dinge durch, die sofort erledigt werden mussten. Auf der Fahrt mit dem Aufzug trug sie innerlich ihre To–do–Liste zusammen, bis das Geräusch des Fahrstuhles erklang, das ankündigte, dass sie im Stockwerk angekommen war.

Ohne aufzusehen, machte sie zwei Schritte nach vorne und prallte gegen einen harten Körper, in den sie gerade gelaufen war. Ihr Kopf schnellte hoch und sie sah in braune Augen.

Vor Schreck über den Zusammenstoß machte sie einen Schritt nach hinten, war kurz davor, die Balance zu verlieren, als zwei starke Hände sie an den Schultern festhielten.

Victoria waren ihre Unaufmerksamkeit und der Zusammenprall extrem peinlich, sie spürte die Wärme im Gesicht und wusste, dass die Röte auf dem Wangen unweigerlich folgte.

„Entschuldigung. Normalerweise bin ich nicht so unachtsam."

„Ähm …", mehr sagte die andere Frau nicht, in die sie hineingelaufen war. Victoria sah nur so etwas wie Unsicherheit in ihren Augen. Die Hände, die sie festhielten, die Stärke, mit der sie festgehalten wurde, waren für eine Frau ungewohnt kräftig, aber nicht grob oder unangenehm. Ihr Bick wanderte automatisch auf eine der Hände, die sie an der Schulter gepackt hatten, damit sie ihr Gleichgewicht nicht verlor. Als die Frau bemerkte, dass sie Vic noch immer festhielt, ließ diese sie ganz schnell los, da die Gerettete offensichtlich wieder sicheren Stand erlangt hatte.

Victoria versuchte die Situation mit einem Lächeln zu überspielen. Dann machte sie einen Schritt zur Seite und ging an der Frau, die immer noch einfach so dastand und sie ansah, vorbei.

Mit schnellen Schritten ging sie zum Büro von Isabella Underwood. Während sie lief, stellten sich ihre Nackenhaare unerwartet auf und sie fühlte ein Kribbeln, das einmal durch ihre Wirbelsäule zog.

Victoria konnte nicht anders, als über ihre Schulter zu blicken, sah aber nur, wie sich Fahrstuhltüren schlossen.

∞

„Und das hier wird dein Büro sein." Alice Peterson zeigte auf einen leeren Schreibtisch in einem kleinen Büro mit nackten Wänden und einen Aktenschrank in der hinteren Ecke. Die Beleuchtung war alles andere als erhellend. „Ich weiß, es ist nicht gerade ein Büro, das zum Arbeiten einlädt, aber soviel ich weiß, ist es nur eine Übergangslösung, wenn hier Leute untergebracht werden." Verschwörerisch senkte sie ihre Stimme. „Seien wir mal ehrlich, ich glaube, der Raum ist eher zum Bestrafen denn zum Arbeiten gedacht. Ein echter Schuhkarton." Alice zwinkerte schelmisch und zuckte einmal mit ihren Schultern, was Toni zum Lächeln brachte.

Alice Peterson hatte sie freundlich begrüßt, als Toni bei Underwood Publishing ihren ersten Tag hatte. Die Assistentin von Isabella Underwood war nicht besonders groß, Toni würde sogar sagen, sie wäre eher kurz gewachsen. Ihre Art allerdings machte sie zu einem angenehm auffälligen Charakter, und wie hieß es doch gleich? Körperliche Länge hat nichts mit Größe zu tun. Alice schien genau dafür ein Paradebeispiel zu sein: Ihre Freundlichkeit war einnehmend und brachte einen dazu, zu lächeln. Ob man wollte oder nicht. Sie war einer dieser Menschen, der, wenn er den Raum betrat, Blicke automatisch auf sich zog. Schon von Weitem hatte Toni ihre sonnige Ausstrahlung wahrgenommen, die freundlichen Augen, die sie direkt angesehen und neugierig geglitzert hatten wie bei einem Kind, dem man eine Überraschung versprochen hatte. Zwar redete Alice ohne Punkt und Komma und, was leicht verwirrend war, je schneller sie redete, desto stärker machte sich ihr Lispeln bemerkbar. Aber das Ganze trieb den

Niedlichkeitsfaktor bei dieser Frau, die ihren Job offensichtlich nicht nur lebte, sondern ihn auch liebte, ungemein in die Höhe, besonders beim ersten Aufeinandertreffen.

Toni kannte sich mit Menschen aus, sie war trainiert darin, eine erste Einschätzung schon beim ersten Kennenlernen zu machen. Anhand der Charakterisierung stufte sie die Menschen in verschiedene Kategorien ein, wie sie es gelernt hatte.

Toni fand die Assistentin sofort sympathisch. Denn diese Frau hatte keinen Funken von Missgunst oder Neid in sich. Sie machte das, was sie machte, mit ganzem Herzen und voller Begeisterung.

Das hieß aber auch, dass sie loyal gegenüber ihrer Chefin war und Toni nicht so einfach Informationen über sie rauskriegen würde. Sie müsste sich offensichtlich erst das Vertrauen erschleichen, langsam und behutsam, sonst würde es verdammt schwer werden, ihren Auftrag zu erledigen.

Auch wenn ein solches Energiebündel als Kollegin für sie auf Dauer anstrengend wäre, und das wäre es definitiv, so verspürte sie bei diesem Gedanken, sie zu hintergehen und auszunutzen, für einen kurzen Augenblick den Anflug eines schlechten Gewissens, den sie aber schnell unterdrückte.

Toni lehnte sich gegen den Schreibtisch, während Alice am Türrahmen lehnend zusah, wie die neue Kollegin augenscheinlich ihren zugewiesenen Arbeitsplatz auf sich wirken ließ.

Toni kannte diesen Typ Mensch gut genug. Einfach abwarten, und sie redeten und redeten und merkten dann gar nicht, dass sie beim netten Plaudern wichtige Informationen herausgaben.

Alice erzählte ihr gleich am Anfang, was hier passiert war: „Du glaubst gar nicht, wie froh wir alle waren, dass dieser Scheißkerl endlich weg war. Ich hasste es, morgens aufzustehen und hierherzukommen. Aber ich brauchte das Geld, so wie viele andere hier auch.“ Toni sah, wie ein Schauer Alices Körper erzittern ließ, sich eine leichte Gänsehaut auf ihren Unterarmen zeigte, als ein unvermeidbares Frösteln sie durchfuhr. Die Erinnerungen an Charles Lawrence mussten Emotionen in ihr auslösen, die Toni sich nicht erklären konnte.

„Kündigen hättest du können, das schon, aber Mr. Lawrence hätte dafür gesorgt, dass du keinen Job mehr in der Branche bekommst. Und nach all den Jahren, einfach so“, Alice schnippte mit den Fingern, „stand eines Tages Ms. Underwood, also die baldige Ex-Mrs-Lawrence hier und verkündete, dass sie jetzt die Leitung des Verlages innehätte.“ Alice sah Toni fragenden Blick bei diesem Namens-Wirrwarr und klärte die neue Mitarbeiterin auch hier sofort auf: „Du musst wissen, sie hat von Beginn an darum gebeten, nicht mehr mit seinem Namen angesprochen zu werden.

Am Anfang waren wir froh, er war weg und jemand, der zum Underwood-Clan gehörte, der diesen Verlag ja gegründet hatte, übernahm. Doch dann kamen uns Bedenken und Zweifel, ob sie die Richtige wäre, um die Geschäfte und die Mitarbeiter zu führen. Hatten wir jetzt das große Übel gegen ein kleineres ausgetauscht oder würde sie möglicherweise noch schlimmer sein?“ Alice hob den Zeigefinger und sprach im Flüsterton weiter: „Denn sie hatte schon ihren Ruf weg. Auf Verlagsfeiern konnten wir ja sozusagen Schnipsel von ihr sehen. Sie war ziemlich kühl, distanziert, und wenn ich es mit einem Wort beschreiben sollte, wäre das *arrogant*.

Aber dann arbeitete sie Tag um Tag, teilweise mitten unter uns. Schließlich, als sie die Zeit für gekommen hielt und jeder unter ihrer Führung wusste, worauf es ihr ankam, hielt sie eine Rede. Und was für eine. Ihr Auftritt war wirklich beeindruckend, eine kleine Offenbarung einer Frau, die bis dahin so weit weg zu sein schien. Wir konnten ihr wahres Ich sehen und ich kann es nur so beschreiben, sie ist eine aus unserer Mitte.“ Alice winkte ab und kicherte: „Na, okay, lassen wir den Vergleich der Bankkonten und die Grundflächen unserer Häuser oder Wohnungen mal außer Acht. Darüber hinaus ist sie wirklich mit beiden Füßen auf dem Boden und begegnet einem auf Augenhöhe.“ Alice nickte zur Bestätigung.

„Du musst dir vorstellen, sie hat sich sogar entschuldigt bei uns Mitarbeitern."

Das lief besser, als sie gedacht hatte. Toni hörte nur zu, machte sich gedanklich Stichpunkte, was sie in ihrer Akte vermerken musste, weil es wichtig sein könnte. Der Job würde einfach werden, sie wäre schneller wieder draußen als gedacht. Ihre anfänglichen Befürchtungen, Alice Peterson könnte eine hart zu knackende Nuss sein, sanken mit jedem Einblick, den diese ohne Nachfrage gab.

„Ich meine, ich hatte nichts dagegen, dass hier umstrukturiert wird." Alice zuckte einmal mit den Schultern. „Ein anderes Wort für ‚feuern'. Aber dass es so viele geworden sind und so schnell aufeinander. Puh! Danach waren es harte Monate, unglaublich viel Arbeit für weniger Angestellte.

Was denkst du, wie froh ich war, als meine Chefin jetzt doch sagte, dass wir zur Überbrückung ein paar Hilfskräfte einstellen? Egal, wie viel sie zu tun hat, sie kriegt alles mit." Sie klopfte Toni auf die Schulter. „Tja, und darum bist zum Beispiel *du* jetzt hier. Ich denke, wir beide werden gut zusammenarbeiten."

Oh ja, das werden wir!

„Ich habe den ganzen Papierkram kaum noch geschafft, trotz meiner Überstunden. Ms. Underwood blieb sogar länger als ich im Büro, länger als jeder andere.

An vielen Tagen hat sie mich trotz meines Vetos in den Feierabend geschickt. Sie sagte, dass zwischen uns beiden ein großer Unterschied bestehe, sie habe die Verantwortung für den Verlag, vor allem aber auch die Menschen, die für sie arbeiteten, und nicht ich. Ich hätte nur die Verantwortung dafür, meine Arbeit bestmöglich zu erledigen, aber auch darauf zu achten, dass ich jeden Tag fit und erholt zur Arbeit käme. Sie würde mir Bescheid geben, wenn Überstunden unabdingbar wären. Ich dachte in den ersten Tagen, ich kriege richtig Ärger, wenn ich Feierabend gemacht und mich verabschiedet habe, weil sie manchmal schwer einzuschätzen ist. Ich denke aber, das kommt, weil sie von ihrem Mann so verletzt wurde. Überstunden kamen bei mir selten vor, irgendwie passte es mit dem Abarbeiten. Die letzten Wochen aber ist es doch mehr geworden. Das ist ihr aufgefallen und nachdem sie selbst gesagt hat, dass es aktuell nicht weniger werden würde, sollte ich in der Personalabteilung anrufen und Bescheid geben, dass wir ein paar Hilfskräfte brauchen." Ihr Handy vibrierte und sie schaute kurz auf das Display. „Oh nein! Das war Ms. Underwood. Sie fragt, wo ich bleibe." Ihre Hand ging zur Stirn. „Dabei kriegt sie gleich wichtigen Besuch. Also dann. Schau dich um, mach dich mit allem vertraut. Okay?" Kaum hatte sie das Büro verlassen, da kam sie wieder zurück. „Vergiss nicht, deinen Ausweis bei der Security abzuholen, sonst kommst du morgen nicht rein. Und danach kommst du als Erstes zu mir." Ein Lächeln folgte. „Ich bin ja sozusagen dann deine Chefin." Grinsend verschwand Alice endgültig aus Tonis Sichtfeld und diese atmete tief durch, als der wasserfallartige Redefluss endgültig stoppte.

Sie schaute sich in dem kleinen Büro um, das kein Fenster hatte. Die einzige Lichtquelle waren Deckenleuchten mit Neonröhren, die im Raum ein unnatürliches, kaltes Licht machten.

Sie war der Meinung, dass es sich bei diesem *Büro* um eine ehemalige Abstellkammer handeln musste, die man aus der Not heraus umfunktioniert hatte. Es war ihr aber recht, denn hier war sie war so weit abseits, dass ein Kollege hier nicht mal eben aus Zufall vorbeiging. Die Küche lag in der entgegengesetzten Richtung und sie würde der Assistentin der Geschäftsführung unterstützend zuarbeiten, sodass andere Kollegen kaum einen Grund haben würden, sie aufzusuchen.

Die kleine Bürokammer hatte mehr als nur diesen Vorteil. Wenn sie aus dem Fahrstuhl stieg, ging sie durch die Glastür und bog sofort scharf nach links und war nach wenigen Metern an ihrem Arbeitsplatz. Ging sie aber nur links und ließ den unscheinbaren Stichflur liegen, in dem ihr Raum lag, hatte sie nach einigen Schritten ein Großraumbüro vor sich, also fast das ganze Stockwerk gut im Auge. Sie war hier in ihrer Abstellkammer unauffällig. Das Licht flackerte kurz und die Technik der Deckenlampen summte gleichmäßig. Toni blickte verstimmt nach oben, betätigte den Lichtschalter und ging zum Fahrstuhl.

Als sie auf den Aufzug wartete, schob sie ihre Hände in die hinteren Hosentaschen und wippte auf ihren Fußballen. Den Blick nach unten gerichtet, ging Toni die Informationen, die sie heute erhalten hatte, noch einmal im Kopf durch.

Das *Ping* des ankommenden Fahrstuhls führte dazu, dass sie einen Schritt nach vorne machte, wobei sie nicht daran dachte, erst zur Seite zu gehen und die Leute aus dem Fahrstuhl aussteigen zu lassen, und dazu noch viel zu spät den Blick hob. Sie sah nur etwas Hellblaues aus dem Fahrstuhl kommen, da kam es auch schon zum Zusammenstoß.

Für Toni wirkte es mit einem Mal, als ob sich alles in Zeitlupe abspielte.

Sie spürte die Weichheit des Körpers, der für einen kurzen Augenblick gegen ihren prallte, sah die erschrocken dreinblickenden braunen Augen, die ihre fixierten, und nahm den angenehmen Duft warmer Haut und eines ihr unbekannten Parfüms wahr, dessen Mischung ihr unaufdringlich in die Nase stieg. Eine betörende Note, die ihren Geruchssinn streichelte, genau nach Tonis Geschmack. Um die Sinnlichkeit des Aromas auszukosten, war allerdings der Zeitpunkt mehr als unpassend, denn die Frau, mit der sie ungeplant zusammengestoßen war, stolperte im Rückwärtsgehen über ihre eigenen Füße.

Mit beiden Händen griff sie reflexartig nach der Strauchelnden und hielt sie fest an den Schultern, damit sie nicht nach hinten zurück in die Aufzugskabine fiel.

Röte breitete sich im Gesicht der anderen aus. „Entschuldigung. Normalerweise bin ich nicht so unachtsam."

„Ähm …" Toni fehlten schlagartig die Worte.

Als die Unbekannte auf Tonis Hände schaute, ließ diese sie ganz schnell los, um nicht aufdringlich zu wirken.

Die Frau lächelte, eine Mischung aus Freundlichkeit und peinlich Berührtsein. Dann machte sie einen Schritt zur Seite und ging an Toni vorbei.

Toni schüttelte über sich selbst den Kopf. „Ähm?“ Toni schlug sich in Gedanken mit der flachen Hand auf den Hinterkopf. „Was ist los mit dir?“, sagte sie zu sich selbst, während sie in den Fahrstuhl stieg und auf den Erdgeschossknopf drückte.

Als sich die Türen des Aufzugs schlossen, schaute die Brünette wieder hoch und sah direkt auf die elegante Rückansicht der Frau. Selbst von hier erkannte Toni die stolze Haltung, die diese Frau ausstrahlte. Ihr selbstbewusster Gang sagte ihr, dass die Fremde wusste, wer sie war, und dass die Verunsicherung bei ihrem Zusammenprall auf dem Überraschungsmoment basierte. Dann fiel ihr Blick auf den Hüftschwung, glitt noch ein Stück weiter hinab auf den knackigen Hintern der Fremden und blieb dort kleben.

Bei jedem Schritt vollführten die Rundungen ihres Pos einen gleichmäßigen, für Toni fast hypnotischen Schwung zur Seite, begleitet von dem unverkennbaren Geräusch der High Heels, die sie trug, *links, tock, rechts, tock, links, tock, rechts, tock* …

Sekundenbruchteile, bevor sich die Tür ganz schloss, fühlte sich Toni der Situation ausgeliefert. Sie hatte nicht anders gekonnt, als der Frau ungeniert auf den Hintern zu starren, und kam erst wieder zu sich, als sich die Kabine in Bewegung setzte.

Kapitel 6

Toni saß direkt gegenüber dem Eingang des Verlagsgebäudes auf einer Parkbank. Sie trank schon ihren zweiten Kaffee und schaute sich um.

Heute war sie bereits eine Stunde vor offiziellem Arbeitsbeginn im Verlag gewesen, um sich ungestört eingehender umzusehen. Im Vorbeigehen testete sie kurz, welche Türen abgeschlossen waren, verschaffte sich einen Überblick, wer wo sein Büro hatte, wer im Großraumbüro arbeitete und wann die ersten Personen zur Arbeit erschienen.

Sie merkte sich das Zeitfenster, das ihr zur Verfügung stand, um sich Zugang zu den relevanten, aber regulär verschlossenen Büros zu verschaffen, nach Informationen Ausschau zu halten und, wenn die ersten Personen auftauchten, sie dort also rechtzeitig verschwinden musste.

Sie war gerade im hinteren Bereich, als sie den glockenhellen Ton des ankommenden Aufzugs hörte. Dann glitten die Fahrstuhltüren auseinander. Glücklicherweise kündigte das *Ping* den Fahrstuhl immer ein paar Sekunden früher an, als sich die Türen tatsächlich öffneten. Somit war sie schnellen Schrittes in die Küche gegangen, wo sie anfing, Kaffee aufzusetzen, und es so aussehen ließ, als wäre sie selbst eben erst angekommen.

Eine einzelne Stimme kam immer näher, aber Toni konnte nichts verstehen. Langsam bewegte sich die Person in die Richtung, in der Isabella Underwoods Büro lag.

Das Einzige, was sie hörte, war: „Das Privileg musst du dir erst erarbeiten", gefolgt von einem Lachen und dem Schließen einer Bürotür.

Toni wandte sich wieder der Küche zu und nahm sich einen Kaffeebecher aus dem Schrank, während sie über den Gesprächsfetzen nachdachte. Etwas störte sie. Es war definitiv kein Geschäftstelefonat. Die Stimmlage war anders, es ging ins Flirten nach Tonis Dafürhalten.

Bei diesem Gedanken kam ihr ihre eigene, besondere Begegnung vom Vortag wieder in den Kopf. Die warmen Augen, die sie angestarrt hatten, die Tatsache, dass sie nach der reflexartigen Hilfestellung nicht gleich die Hände weggenommen hatte. Und das Schlimmste an diesem Erlebnis, ihr eigener merkwürdiger Auftritt, dass sie so wortkarg gewesen war und selbst nur starren konnte wie ein pubertierender Teen, dem der Anblick einer Person die Sprache verschlagen hatte. Ihr Verhalten war ihr selbst im Nachhinein vollkommen unerklärlich gewesen, war es auch jetzt noch.

Toni hatte sich den Kaffee eingegossen und drehte sich um. Sie erschrak, als vollkommen unerwartet eine Person hinter ihr stand, der sie beinahe den Kaffee auf die Bluse geschüttet hätte.

Isabella Underwood stand im Eingang und schaute sie an. Toni erkannte sie sofort, konnte sie aber nicht so recht mit der Person in Verbindung bringen, die Alice ihr voller Bewunderung beschrieben hatte. Laut ihrer Aussage war Isabella zwar eine Geschäftsfrau durch und durch, aber offen und umgänglich ihren Mitarbeitern gegenüber.

Womit sie nach Alices Schilderungen absolut nicht gerechnet hätte, waren die Kälte und Härte, mit der sie Toni maß.

Unwillkürlich musste Toni schwer schlucken.

Das Gefühl, dass ihr Gegenüber unnahbar wirkte und ihre Persönlichkeit mehr einnahm, als dieser Raum an Platz bot, verursachte ein unangenehmes Gefühl bei der eingeschleusten Ermittlerin und es war definitiv ihre Ausstrahlung, die Toni bereits massiv in Habachtstellung gehen ließ, noch bevor Isabella Underwood überhaupt ein Wort hatte verlauten lassen. Sie hätte sich am liebsten geschüttelt, um die gefühlte Kälte loszuwerden.

„Sie arbeiten hier nicht“, stellte Isabella mit kritischer Stimme fest, musterte sie mit ebensolchem Blick, als sie Toni ansprach. Dabei schwangen Misstrauen und zugleich etwas Vorwurfsvolles mit.

Toni hatte das Gefühl, dass Kälte und Härte in ihrem Blick an Intensität von Sekunde zu Sekunde zunahmen. „Ich bin neu.“ Sie wich der Unnachgiebigkeit in Isabellas Augen aus, um ihr zu zeigen, dass sie den Kampf gewonnen hatte, und um sich selbst eingeschüchtert zu geben. Sie holte ihren Firmenausweis aus der Tasche und zeigte Isabella die Plastikkarte mit ihrem Konterfei.

Hinter Isabellas Stirn arbeitete es merklich.

„Wer hat Sie eingestellt und wem sind Sie zugeteilt?“

„Alice Peterson, in beiden Fällen.“ Toni lächelte.

„Mhm! Und warum sind Sie so früh hier?“

„Na ja, Alice meinte, ich sollte mich mit allem vertraut machen. Ich habe die ganze Nacht an meinem Manuskript gearbeitet.“ Toni beobachtete Isabellas Regungen genau und sah, dass die misstrauischen Zweifel langsam wichen. Welcher Autor würde die Chance ablehnen, für eines der erfolgreichsten Verlagshäuser des Landes zu arbeiten? In der Hoffnung, Kontakte zu knüpfen und dann das eigene Manuskript zu pushen, würden Schreiberlinge vielfach ihre eigene Großmutter verkaufen oder ihre Seele, damit sie eine derartige Möglichkeit bekämen.

„Tja, und da war ich so aufgedreht, dass ich hergekommen bin, um mir alles in Ruhe anzuschauen.

Sie wissen schon, der ein oder andere Becher Kaffee zu viel, und schon ist der Koffein–Flash perfekt. Ich möchte einen guten Eindruck machen an meinem ersten richtigen Arbeitstag."

Isabella machte einen Schritt auf Toni zu, diese machte einen Ausweichschritt zur Seite, wobei sie sich innerlich anspannte in Erwartung dessen, was kommen würde. Doch die Chefin trat nur an die Küchenzeile und griff ganz normal zur Kaffeekanne. Erst jetzt entdeckte Toni den Kaffeebecher in ihrer Hand und hätte sich am liebsten geohrfeigt, dass sie den nicht gleich bemerkt hatte.

Um Unschlüssigkeit zu vermitteln, blieb Toni stehen und wippte nervös von einem Fuß auf den anderen. Isabella drehte sich nach dem Einschenken zu Toni und sah sie nochmals für einige Sekunden eindringlich an, bevor sie mit dem Kopf eine auffordernde Geste Richtung Flur machte.

„Gehen Sie frühstücken. Ms. Porter hat die Anweisung bekommen, erst hier aufzutauchen, wenn der normale Dienst losgeht. Danach wird es hektisch genug. Sie werden teilweise nicht wissen, wann Sie Zeit haben, etwas zu essen. Und wie sagt man so schön? Frühstück ist die wichtigste Mahlzeit des Tages. Das gilt *hier* besonders."

Toni nickte und verschwand. Auf dem Weg zu ihrem Büro wurde sie wütend auf sich selbst. Wieso entgingen ihr wichtige Details?

Das war ein Fauxpas, der ihr nicht hätte passieren dürfen, und er ärgerte sie maßlos. Doch das Schlimmste war, dass sie das Eingeschüchtertsein nicht gespielt hatte, sie musste nur ein bisschen dicker auftragen von Isabella Underwood war sie auf jeden Fall beeindruckt.

So schnell schüchterte sie normalerweise niemand ein, doch ihr unnachgiebiger Blick und die Art und Weise, wie sie dagestanden hatte, damit hätte Toni niemals gerechnet. Vor ihr stand genau die Frau, die ihr in den Fallakten beschrieben worden war, mit denen sie sich vorbereitet hatte. Eine attraktive, selbstbewusste Geschäftsfrau, die durch und durch bei sich war, wusste, was sie wollte, und bei der sie, Toni, extrem auf der Hut sein musste, damit sie sich nicht verriet und ihre Tarnung den Bach runterging.

Diese Frau hatte alles im Blick und wusste über alles Bescheid, trotz der großen Zahl an Mitarbeitern. Isabella Underwood hatte einen schnellen, messerscharfen Verstand. Tonis musste also über alle Maßen aufpassen, nicht durch irgendeine Unachtsamkeit aufzufliegen.

Es nagte an Tonis Ego, dass sie nicht bemerkt hatte, dass Ms. Underwood in der Tür stand, und sie tadelte sich dafür: *Das fängt ja gut an!*

Jetzt saß sie hier auf der Parkbank und beobachtete die Menschen, die in das Gebäude gingen.

Sie konnte, wenn sie wollte, stundenlang den Eingang beobachten und hätte die Zeit nicht bemerkt, die dabei an ihr vorbeigezogen wäre.

Früher hatte sie in Plaudereien davon erzählt, wie sie stundenlang vor Gebäuden saß, die Menschen beobachtete und dass das Ganze eine beruhigende Wirkung auf sie hatte. Viele Gesprächspartner hatten nicht verstanden, dass das Beobachten von Menschen für Toni beinahe etwas Meditatives war, das ihr innerlich half, runterzufahren und gleichzeitig ihren Fokus zu schärfen. Daher hatte sie irgendwann aufgehört, über dies für andere offensichtlich absurde Thema zu sprechen.

Hier versuchte sie, die Gesichter mit ihren Spickzetteln mit den personenbezogenen Informationen zusammenzubringen.

Toni musste sich augenblicklich ein arrogantes Lächeln verkneifen. *Da kommt Mulvin!*

Außergewöhnliche Namen konnte sie sich besonders gut merken. Die ständigen Johns, Jacobs und Benjamins waren erstens langweilig und zweitens lästig, denn man musste für jeden Namen zur Person eine besondere Eselsbrücke finden, ein unverwechselbares Attribut, was nicht immer leicht war; bei Frauen war es nicht anders.

Malvin beispielsweise brachte sie mit einem Zauberer in Verbindung, der mit Kartentricks arbeitet. Karten waren auch Malvins Lieblingsbeschäftigung, aber die Kunst des Gewinnens stand offensichtlich nicht auf seiner To–do–Liste, als er seine Leidenschaft fürs Pokern und ähnliche Spielchen entdeckt hatte.

Toni schüttelte den Kopf. Dass auch immer der gleiche Fehler gemacht wurde und Menschen sich einredeten, sie würden das Geld zurückgewinnen, jede Pechsträhne würde irgendwann enden und dann käme der große Gewinn, bla, bla. Sie konnte solche Sprüche nicht mehr hören.

Malvin hatte dieselbe Schiene gefahren, bis er es nicht mehr vor Frau und Kindern hatte verheimlichen können. Die Beziehung war fast in die Brüche gegangen, aber sein großes Versprechen, dass er an keinem Glücksspiel mehr teilnehmen würde, hatte auch nur ein paar Monate gehalten.

Dadurch, dass Malvin Leiter der Personalabteilung war, war alles um ein Vielfaches einfacher gewesen. Tonis Einstellung, die Abteilung, für die sie arbeiten wollte, alles war nur abhängig von ein paar fallen gelassenen „was wäre, wenn Ihre Frau" und „Ihre Kinder würden", dazu noch eine überschaubare Summe, die er verzocken könnte, ohne dass seine Frau wegen der Bankauszüge stutzte. Tonis Unterlagen wurden nicht gesondert zugespielt, man hatte Malvin nur gesagt, dass er die Personalgesuche in einer bestimmten Woche nur an zwei bestimmte Agenturen geben sollte. Ein leichter Job für jemanden, dem Frau und Schuldeneintreiber im Nacken hingen.

Somit wüsste er zwar, welchen Personen er durch sein Vorgehen einen Job verschafft hatte, mehr aber auch nicht, denn natürlich waren es echte Jobagenturen und echte Bewerber, in deren Pool man Toni mit an Underwood Publishing meldete. Dann wurde alles in die Wege geleitet und Toni bekam nur wenig später den Anruf, wann man sie wo erwartete.

Besagter Malvin ging gerade durch den Eingang, als sie in ihrem peripheren Sichtfeld eine Bewegung wahrnahm.

Da war sie wieder, diese unglaublich anziehende Person, mit der sie an ihrem ersten Tag kollidiert war.

Die Frau aus dem Fahrstuhl trug nicht Schwarz, so wie die meisten Menschen, die ins Büro gingen, sondern eine Stofffarbe, die Toni so noch nicht untergekommen war. Der figurbetonte Businessanzug wirkte auf den ersten Blick silbergrau. Bei jeder Bewegung aber schien er sich zu verändern, leicht ins Bordeaux zu changieren, dann verschwand dieser Eindruck wieder.

Du stichst schon so heraus, du brauchst das nicht durch Kleidung zu tun!

Für Toni war der Effekt, den ihre Augen sehr wohl sahen, gar nicht richtig zu beschreiben. Sie war beeindruckt wie von der Frau selbst, saß mit offenem Mund da und konnte ihr für einen Moment nur hinterhersehen.

Was war das denn?

Tonis Augenbrauen zogen sich zusammen. Sie schaute sich schon den ganzen Morgen die Personen an, welche ins Gebäude gingen. Warum zum Teufel hatte sie nach rechts geschaut? Und warum genau in diesem Moment? Und wieso hatte sie ausgerechnet diese Frau im Auge behalten? Was war das mit ihr, was hatte ausgerechnet *sie* an sich, das Tonis Aufmerksamkeit mehr auf sich zog als all die anderen Leute?!

Das sind zu viele W's!

Toni schnaufte einmal schwer, stand auf und ging in schnellen, zielgerichteten Schritten zu der Tür.

Es wird Zeit, herauszufinden, wer du bist!

Kapitel 7

Victoria war kein Fan von morgendlichen Aftershave Wolken im Fahrstuhl. Die Enge, die unweigerlich entstand, wenn mehrere Menschen sich in eine Aufzugskabine hineinpressten, nur um nicht auf den nächsten Lift zu warten, ließ in ihr manchmal den Verdacht aufkeimen, an Klaustrophobie zu leiden.

Als sich die Fahrstuhltüren schlossen, ging sie noch einmal gedanklich durch, was sie mit Isabella besprechen musste, um ihre Abläufe für die Befragungen zu koordinieren. Sie wollte möglichst wenig im Tagesgeschäft des Verlages stören und Isabella in ihr Vorgehen einbeziehen. Bei ihren Überlegungen wanderten ihre Augen auf den schmaler werdenden Spalt zwischen den Türen, als unerwartet eine Hand zwischen die Schiebeelemente gesteckt wurde. Die Sicherungssensoren, die das Einquetschen von Personen oder deren Gliedmaßen verhindern sollten, erledigten ihren Job ordnungsgemäß, die Fahrstuhltüren öffneten sich wieder und Victoria rollte genervt mit den Augen.

Super! Noch einer.

Als Erstes sah sie Turnschuhe und eine Jeans. Ihr Blick ging nach oben und ihre Augen erweiterten sich erstaunt. Die Frau vom Zusammenstoß stieg ein. Sie hatte den Ansatz eines

Lächelns auf den Lippen, das eine Spur arrogant wirkte, besonders in Kombination mit dem Schalk in ihren Augen.

Die Unbekannte mit der dunklen Kurzhaarfrisur stellte sich direkt neben Victoria in die einzige Lücke, die es in der Kabine noch gab.

Zum ersten Mal gefiel ihr heute ein Duft; es war der, der die Frau umgab, und der durch ihre Körperdrehung nach dem Betreten des Fahrstuhls zu Victoria wanderte.

Er war ungewöhnlich für eine Frau, hatte eine fruchtig würzige Mischung aus Grapefruit und weiteren Früchten, Ingwer, Sandelholz und auf jeden Fall eine Spur Moschus, dessen war Victoria sicher. Das Parfüm hätte auch als Herrenduft durchgehen können, vielleicht lief es unter Unisex.

Zu der Unbekannten jedenfalls passte diese ebenfalls unbekannte Kreation wie die Faust aufs Auge. Präsent und doch subtil. In seiner Entfaltung besonders und möglicherweise in Kombination mit ihrer warmen Haut ein einzigartiges Ergebnis.

Sie hatte es wohldosiert aufgelegt, nicht übertrieben wie andere, die rochen, als wären sie in die Flasche gefallen.

Der Fahrstuhl blieb stehen und ein Mann aus der hinteren Reihe wollte durch. Victoria machte eine kleine Bewegung nach rechts, verringerte so den Abstand zu Toni und der Mann drückte sich vorbei. Unbeabsichtigt berührten sich die Handrücken der beiden Frauen, doch keine von ihnen nahm die Hand weg oder veränderte jetzt den Abstand wieder.

Immer mehr Personen verließen den Fahrstuhl und als nur noch sie beide im Fahrstuhl standen, machten sie keine Anstalten, ihre Position aufzugeben, sie blieben so stehen.

Was tue ich hier? Toni spürte mit einem Mal ein Kribbeln in ihrem Körper, Kribbeln, das hier nicht hergehörte. Irritiert versuchte sie sich zu beruhigen, indem sie tief und gleichmäßig ein- und ausatmete. Es half, ihr Körper beruhigte sich tatsächlich Augenblicke später.

Im Stockwerk angekommen, drehte Toni den Kopf zu ihrer Aufprallgegnerin.

„Vielleicht sollten Sie vorgehen." Sie zwinkerte der anderen zu, eine ausladende Handbewegung wies zudem in Richtung Flur.

Victoria schaute die Frau neben sich an und wollte nach einem dankenden Nicken kommentarlos loslaufen, als sich ihre Blicke ineinander verfingen.

∞

Das verschmitzte Lächeln der größeren Frau ließ ihren Puls in die Höhe schnellen. Hitze breitete sich in ihrem Nacken aus und Victoria wurde sauer auf sich selbst, weil ihr Körper so reagierte. Das Auftreten der Unbekannten war ihr einen Zacken zu drüber, ihr Ego war auf jeden Fall gut ausgeprägt und wirkte auf sie schon fast überheblich, wie zuvor, als sie den Fahrstuhl aufgehalten hatte und zugestiegen war. Trotzdem wusste Victoria nicht, woran es lag, als *unsympathisch* würde sie die Frau trotzdem nicht bezeichnen. Sie hatte irgendetwas an sich, das Victorias Interesse kitzelte, was allerdings vollkommen unerklärlich und deplatziert war. Sie war schließlich beruflich hier und nicht in irgendeiner Frauenbar.

Komische Person! Mit dem Gedanken rief Victoria sich endgültig ins Bewusstsein, weswegen sie hier war, straffte ihre Schultern, hob den Kopf und marschierte davon. Sie brauchte sich auch nicht umzudrehen, um sich zu vergewissern, dass die andere ihr nachsah, denn den Blick auf ihrem Hintern spürte sie den ganzen Weg über.

Alice sah sie von Weitem und lächelte sie an. Victoria hatte den Verdacht, dass es egal wäre, was für eine Laune sie selbst gehabt hätte, bei einem derart unwiderstehlichen Lächeln würde sie jederzeit automatisch zurücklächeln.

Alices Blick ging an Victorias rechter Schulter vorbei und man sah in ihren Augen, dass sie sich freute. Sie unterließ es, der Versuchung nachzukommen, sich umzudrehen, eine innere Stimme sagte ihr, wer da offensichtlich hinter ihr hergekommen war – diese sonderbare Person, die anscheinend ihre und die Nähe zu Aufzügen suchte. Innerlich rollte Victoria mit den Augen.

Gruselig.

„Ms. Underwood erwartet Sie.“ Alice brachte Victoria zur Tür.

„Danke“, sagte die Anwältin daraufhin, bevor sie das Büro betrat.

Isabella Underwood begrüßte sie freundlich, doch Victoria konnte Unsicherheit und Unruhe erkennen, die sie bei der Geschäftsfrau so niemals vermutet hätte. Einem Außenstehenden würde das vermutlich nicht auffallen, aber denen, die Isabella besser kannten. Oder Menschen, die so wie Victoria geschult waren, Körpersprache zu lesen. Sie wirkte bisher, egal, wo sie sich getroffen hatten oder wenn Victoria Isabella mal in den Society Reportagen im Fernsehen gesehen hatte, immer unerschütterlich, als könne sie nichts aus der Fassung bringen. Sie schien Nerven wie Drahtseile zu besitzen.

Hier vor ihr stand allerdings eine Frau, deren Anspannung merklich im Raum hing, und Victoria hoffte, dass sie ihr zumindest ein wenig davon durch die ersten Einblicke in ihre Erkenntnisse nehmen könnte.

Beide setzten sich auf das Sofa, das gegenüber dem Schreibtisch an der Wand stand.

„Und? Was für Nachrichten bringst du mir, Vic?“

„Also, ich habe mir Folgendes überlegt …“ Die Anwältin erzählte von der Menge an Anschuldigungen, genaueren Hintergründen, kam zum Thema Ehebruch und konnte beobachten, wie es oberhalb Isabellas rechtem Auge einmal leicht zuckte. Das Zucken war keine normale Reaktion wie bei einem kleinen Tick, es war eindeutig unterdrückter Unmut, der durchzubrechen versuchte. Dieses Thema musste, egal bei welchem Mandanten, immer mit Vorsicht angegangen werden. Schnell passierte es, dass sich die Klienten zurückzogen, weil sie sich von ihrem Rechtsbeistand *verurteilt* fühlten. Oder sie sparten Details aus und logen sogar.

Auch band sie in ihre Erläuterungen den Zeitfaktor ein, den eine gute Vorbereitung leider unabdingbar beinhaltete, und welche Lösung sie bis zu diesem Stand mit der Kanzlei ausgearbeitet hatte.

„Je schneller diese Geschichte vom Tisch ist, desto besser. Dann können die Geier sich für das nächste Gerücht interessieren und sich auf andere Dramen stürzen.“ Victoria hätte am liebsten „Maul zerreißen“ sagen wollen, aber sie war sich auch ohne die etwas derbe Ausdruckweise sicher, dass Isabella wusste, was sie meinte. Victoria wartete ab und ließ sie das Gesagte erst einmal verarbeiten.

Isabella hatte sich alles mit stoischer Ruhe angehört, nickte dann und wann, ließ Victoria sämtliche Ausführungen zu Ende bringen. Sie wirkte auf ihren juristischen Gast, als grüble sie, doch eher einen Auftragsmörder zu beauftragen, um das lästige Thema *Charles Lawrence* loszuwerden, statt einen eventuell langwierigen, legalen Weg zu beschreiten.

Leicht zuckten die Mundwinkel der Juristin bei dieser Eingebung, es hatte für sie in der Tat etwas Amüsantes, obwohl es alles andere als das war, aber es wäre eine nachvollziehbare Idee.

Wenn sie Lawrence nicht stoppen konnten, würde Isabella eine ziemliche Weile Futterquelle für die Pressemeute sein, die alles bis zum Letzten ausschlachten würden, ohne Rücksicht darauf, ob ein Mensch dabei seelisch auf der Strecke blieb. Es war nun mal ihre Aufgabe, im Vorfeld auf das Schlimmste hinzuweisen und ihr zu versichern, dass sie alles in ihrer Macht Stehende tun würde, um so etwas zu verhindern oder dementsprechend vorbereitet zu sein und gegen jegliche Dinge anzugehen, die kamen.

Alice klopfte an und Victoria drehte sich um. Die Assistentin kam mit einem Tablett frischem Kaffee durch die Tür. Victorias Blick allerdings ging nicht zu ihr, sondern zu der Person, die lässig an den Schreibtisch der Assistentin gelehnt draußen stand und Victoria unverblümt anschaute.

Die Frau aus dem Fahrstuhl machte keinerlei Anstalten, den Blickkontakt zu unterbrechen, und Victoria wurde die Situation zwischen ihnen unangenehm. Die Blöße, als Erste das Duell der Augen zu beenden, wollte sie sich allerdings nicht geben, also hielt sie stand.

Alice verabschiedete sich, verließ den Raum, wobei sie die Tür hinter sich schloss und so Victorias *Problem* löste.

Victoria drehte sich wieder zu ihrer Klientin, die sie mit hochgezogenen Augenbrauen anschaute.

Victoria räusperte sich und konzentrierte sich wieder auf ihre Aufgabe. „Ich weiß, es sind am Anfang eine Menge Informationen, aber das ist nur jetzt so. Danach geht es meistens nur um die Kenntnisnahme, kurze Rückfragen oder Besprechungen."

Beide tranken in Ruhe ihren Kaffee und sprachen noch über verschiedene Strategien, die angewendet werden könnten. Isabella würde hierüber beim nächsten Treffen mehr erfahren und sollte dann entscheiden. Denn wie auch immer sie Charles Lawrence Paroli bieten würden, Isabella musste sich mit dem Vorgehen soweit wohlfühlen, denn es würden auch private Details angesprochen werden, die möglicherweise eine gewisse Brisanz beinhalteten.

Irgendwann allerdings schweiften sie ab und sie redete über alles Mögliche. Erst als die Assistentin anklopfte, um sie dran zu erinnern, dass der Termin mit Ms. Porter vom Stone Verlag in Kürze stattfände, beendeten sie ihre Unterhaltung und Isabella bot an, sie neben Alice zum Aufzug zu begleiten.

Auf dem Weg dorthin schaute Vic sich das geschäftige Treiben in einzelnen Büros, aber vor allem dem Großraumbüro an, das sie passierten. Das alles hier war wie ein Ameisenhaufen, chaotisch und strukturiert zugleich.

„Beeindruckend, nicht wahr?" Isabella blieb stehen.

„Mh?" Victoria wusste nicht, was Isabella Underwood meinte. Die Chefin schien in dem großen Raum auf der Suche nach etwas zu sein, oder besser gesagt, nach jemandem.

„Die Menschen hier. Jeder hat seine Aufgabe, alleine würde keiner agieren und der Verlag nicht funktionieren können. Nur zusammen, als Einheit, schaffen sie etwas. Viele Menschen haben eine falsche Vorstellung von einem Verlag; wenn sie die Gelegenheit für einen Blick hinter die Kulissen haben und die große Zahl an Mitarbeitern sehen, sind sie erstaunt. Und weißt du, was das Beste daran ist? Alle hier", Isabella deutete in Richtung ihrer Angestellten, „all diese Menschen tun das, was sie tun, *aus* und *mit* unglaublicher Leidenschaft."

Victoria sah den Stolz in den Augen der Verlagschefin. Ganz unerwartet jedoch veränderte sich der Ausdruck in ihrem Gesicht. Für Vic vollkommen überraschend, lag eine sonderbare Traurigkeit in den Zügen, die eben noch so zufrieden gewirkt hatten.

„Beinahe hätte ich alles verloren, nur weil ich viel zu sehr mit mir selbst beschäftigt war."

Als die drei weitergingen, kamen sie an einem Besprechungsraum vorbei, der links des Ganges lag, den sie gerade entlangliefen. Darin gab es einen langen Tisch, an dem mindestens zwölf Personen sitzen konnten. Der Raum war komplett aus Glas und direkt gegenüber waren die Schreibtische weiterer Angestellter. Victoria fiel sofort auf, dass es im Bereich des Großraumbüros praktisch keine massiven Trennwände gab. Alles war offen, hell und in warmen Farben gestaltet. Einzelne Wandelemente, die hier und da in den Raum integriert und auffällig in ihrer Oberflächengestaltung waren. Sie waren dem Anschein nach gesetzt worden, um bei der Vielzahl der Angestellten trotzdem für einen angenehmen Akustiklevel zu sorgen. Sie musste sofort an Wandverkleidungen in Tonstudios denken, als sie diese Elemente sah. Ein Blick nach oben sagte ihr, dass den wichtigeren Part hier aber die Akustikdecke übernahm, weswegen der Raum selbst optisch kaum von solchen Einbauten unterbrochen wurde.

Isabella sah zu, wie Victoria alles aufnahm. „Wir wollen miteinander arbeiten, nicht als Einzelkämpfer oder gegeneinander, darum die offene Gestaltung. Aber ja, es kann mitunter auch mal sehr laut werden und falls jemand zum Arbeiten richtig Ruhe braucht, zum Beispiel bei letzten Lektoratsgängen, stehen genügend Räume zur Verfügung, wo ungestört gearbeitet werden kann. Wenige meiner Angestellten bevorzugen dauerhaft ein separates Büro, aber denen, die so besser arbeiten können, räumen wir auch das ein. Deswegen sind sie trotzdem Teil des Teams.

Gerade wollte Victoria etwas sagen, da drehte sich Isabella zu ihrer Assistentin um. „Alice, wie oft nutzen wir den Besprechungsraum?"

Diese antwortete: „Das Montagsmeeting und dann vielleicht noch einmal die Woche, wenn eine Abteilung den Raum braucht. Aber zurzeit ist es hier ziemlich hektisch. Meist treffen sich die Kollegen an einem Arbeitsplatz oder sie kommen alle zu jemandem ins Büro und dann besprechen sie schnell, was erledigt werden muss." Sie schmunzelte. „Offensichtlich dauert das Buchen im Belegungsplan in der EDV länger als die Besprechungen." Die drei lachten über Alices Anmerkung, denn so ganz daneben lag sie mit ihrer Annahme wohl nicht.

„Bestünde die Möglichkeit, den Raum für ein paar Wochen zu blockieren?"

„Das wäre möglich." Alice nickte ein paar Mal. „Das würde ich auch kurzfristig hinkriegen. Alternative Räumlichkeiten für Gruppenmeetings finden sich genügend."

Isabella lächelte. „Habe ich nicht die beste Assistentin der Welt? Also, was sagst du?"

Vic konnte der Unterhaltung nicht folgen und war leicht verwirrt.

„Was soll ich wozu sagen?"

„Na, für dich! Der Besprechungsraum." Bevor Victoria jedoch etwas sagen konnte, hob Isabella die Hand. „Du hast hier mehr als genügend Platz, dein Zeitverlust mit dem Pendeln fällt weg. Wenn du mit einem Mitarbeiter sprechen müsstest, sag Alice Bescheid und in kürzester Zeit wird die angeforderte Person da sein. Überlege dir, wie viel Zeit du sparen würdest, und wir haben genügend Mitarbeiter, die dir helfen werden. Das ist eine Win–win–Situation. Und bevor du etwas sagen willst und es mit den Argumenten hin und her geht, sage ich dir, ich bestehe darauf." Isabella stemmte die Hände in die Hüften und nahm eine Pose ein, die ausdrückte „Widerworte akzeptiere ich nicht!".

„Eigentlich wollte ich gleich zusagen." Victoria versuchte sich das Grinsen zu verkneifen.

„Wolltest du gar nicht. Das habe ich gesehen."

„Doch, wirklich, das wollte ich. Aber es war ein Genuss, deine inbrünstige Werbeansprache mitzuerleben."

Beide Frauen guckten sich an und lachten herzhaft los und auch Alice kicherte.

Als sie sich beruhigt hatte, sagte Victoria: „Es wäre eine Menge Zeit, die ich sparen würde. Da hast du recht, Isa."

„Gut, wenn das geklärt ist, hätte ich da noch eine Kleinigkeit. Da wir viel Zeit miteinander verbringen werden, denke ich, dass du wissen solltest, wenn du jemanden triffst und ihr euch unterhalten solltet, wird er dich duzen, das ist bei uns sozusagen ein neues Gesetz. Wir haben hier einiges verändert, nachdem ich die Leitung übernommen habe, sozusagen eine modernere Ideologie für U. P., die Praktikantin ist genauso wichtig wie die leitende Verlegerin, wir sprechen uns nur mit dem Vornamen an und duzen uns." In Isabellas Gesicht konnte Victoria unbändige Begeisterung erkennen, die ihr zeigte, wie sehr die Leidenschaft für ihre Firma in der Verlagschefin brannte.

„Du müsstest noch kurz mit Alice runterfahren, damit dein Ausweis fertig gemacht werden kann. Damit kannst du dann den grässlichen Besucherausweis abgeben. Die Dinger sind echt alles andere als stylish, aber Besucher sollen ja sofort herausstechen." Die Verlegerin senkte die Stimme und grinste. „Ich würde damit höchstens versuchen, eine Tür zu knacken, wenn ich meinen Schlüssel vergessen hab, aber damit rumlaufen? No way." Isabella grinste weiter, schaute kurz an

Victoria vorbei und ganz plötzlich passierte etwas mit ihr. Ihre Augen leuchteten und dem glücklichen Leuchten folgte ein noch glücklicheres Lächeln. Victoria wollte unbedingt sehen, was der Grund für solch strahlende, unübersehbare Glückseligkeit war, und drehte sich um.

Auf sie kam eine jüngere Frau zu, die das gleiche Leuchten und Lächeln wie Isabella zur Schau trug.

Oh, oh!, war ihr erster Gedanke, weil sie sofort eins und eins zusammenzählte. *Verdammt! Das verkompliziert möglicherweise einiges.*

Victorias Prioritätenliste hatte sich gerade geändert. Zuerst musste sie rausfinden, wer die Frau war, wie lange das zwischen den beiden schon ging und wer alles von dieser Beziehung wusste.

Jeder, der hinsah, hätte erkannt, dass zwischen den beiden etwas lief. Und zum jetzigen Zeitpunkt war das ein unkalkulierter Faktor, den sie schnellstmöglich einbeziehen musste. Bisher hatte sie keine konkreten Angaben von Namen in den Unterlagen des gegnerischen Anwalts gefunden, sondern nur Vorwürfe, die sich allgemein auf Ehebruch bezogen. Ebenso wenig war von Betrug durch Fremdgehen mit dem gleichen Geschlecht die Rede oder hatte sie es bisher nur überlesen, weil sie damit selbst nicht gerechnet hatte? Victorias Hirn arbeitete auf Hochtouren, dazu waren die Antennen schlagartig auf neues Terrain ausgerichtet.

Doch wie die beiden sich anschauten und auf die jeweils andere reagierten, war das zwischen ihnen definitiv keine lockere Bekanntschaft.

Die Frau blieb vor Isabella stehen und für Vic sah es so aus, als würden die beiden alles um sich herum vergessen.

„Hallo“, sagte die Jüngere zu Isabella.

Alice hatte ein Grinsen im Gesicht und die beiden Frauen schienen lautlos miteinander zu kommunizieren, indem sie sich tief in die Augen sahen.

Ein kleiner Funken Neid machte sich in Vic breit, doch das Schauspiel musste ganz schnell unterbunden werden, also räusperte sie sich, um die Aufmerksamkeit auf sich zu ziehen.

„Entschuldigung, Vic. Victoria Wentworth, darf ich vorstellen? Julia Porter, leitende Verlegerin vom Stone Verlag." Dann wechselte sie in der Ansprache zu Julia und sagte: „Julia, das ist Victoria Wentworth, Anwältin für Scheidungsrecht."

Beide begrüßten sich und schüttelten die Hände. Julia konnte ihren besorgten Gesichtsausdruck nicht besonders gut überspielen und sie stand sehr nahe bei Isabella. Ihre Nähe zueinander war nicht so, wie man sie bei Bekannten oder Arbeitskollegen erwarten würde, nein, diesen eigentlich gesellschaftlich anerzogenen Abstand hatte sie schon längst unterschritten.

Für Victoria war es aus zwischenmenschlicher Sicht vollkommen okay und es war die Angelegenheit der beiden, wie sie ihre Verbindung nach außen darstellten. Unter den derzeitigen Begebenheiten musste sie Isabella diesbezüglich aber schnellstmöglich bitten, sie aufzuklären, was Julia und ihre Person anging. Für sie als ihre Anwältin, die sich unter anderem um den Vorwurf des Ehebruchs kümmern sollte, war das hier wie ein nasser Lappen, der ihr ins Gesicht klatschte. Viel schlimmer aber, die Verbindung wäre Wasser auf die Mühlen des Gegners, wenn er davon erführe.

Sie musste sich zurückziehen und überlegen, wie sie Isabella auf Julia ansprechen sollte. Es war Zeit, zu gehen und die neuen Informationen zu verarbeiten.

„Ich denke mal, dass ich den Weg zum Fahrstuhl schon alleine schaffen werde. Julia, es hat mich gefreut."

Victoria ging gerade auf den Aufzug zu, als Alice hinter ihr hergelaufen kam. Die Assistentin lachte laut auf, als sie Victorias Gesicht sah.

„Du hast noch etwas vor." Vic starrte sie fragend an. „Ich sage nur *Ausweis*."

Die Juristin tippte sich leicht mit der flachen Hand vor die Stirn. „Stimmt. Ich war in Gedanken wo …"

Alice unterbrach sie: „Keine Sorge, ich vergesse auch einiges, wenn die beiden nebeneinanderstehen. Die Energie und die Schwingungen zwischen den Damen, da kann man schon fast eifersüchtig werden, neidisch auf jeden Fall."

Schockiert schaute Victoria sie an.

„Komm schon. Ich hab deine Reaktion gesehen. Glaub mir, wir Assistentinnen, auch wenn das den meisten Leuten nicht bewusst ist, wir sind Augen und Ohren unserer Vorgesetzten, aber wir sehen und kriegen auch mehr mit, als manchem lieb ist. Du wirst Isabella sowieso darauf ansprechen, allein, weil du es musst.

Aber Victoria, ich möchte, dass du weißt, egal was ist, frag mich ruhig. Okay?

Der Laden und die Chefin bedeuten mir zu viel, als dass ich tatenlos rumsitzen würde. Ich will nicht, dass du Zeit verlierst, weil du die falsche Person gefragt hast. Du lebst von Informationen und davon habe ich sicher eine ganze Menge gesammelt, seit ich hier angefangen habe. Wenn ich also helfen kann, du weißt, wo du mich findest." Sie legte ihre Hand auf Vics Oberarm und drückte leicht zu.

„Wir haben uns zwar gerade erst kennengelernt, ich denke aber, dass ich eine gute Menschenkenntnis habe und dass ich euren Trupp richtig einschätzen kann. Und du bist definitiv eine Datenkrake, Alice." Die beiden kicherten miteinander um die Wette, denn sie wussten beide, was Vic damit ausdrücken wollte. „Schön, dass ich auf dich zählen kann, wenn ich Hilfe brauche. Mach dir keine Sorgen wegen dem, was da im Hintergrund gegen Isabella läuft. Wir fangen erst an, aber glaub mir, sie haben sich die falsche Gegnerin ausgesucht, solche Typen wie Charles Lawrence und seinen komischen Anwalt, die habe ich zum Fressen gern.

„Notfalls püriere ich sie dir im Mixer und reiche dazu einen Strohhalm", stimmte Alice in Victorias Tenor ein.

Lachend machten sich die beiden auf den Weg zur Personalabteilung, wo Victoria ihren neuen Ausweis bekommen sollte.

Kapitel 8

„Sie hat eine Anwältin", sagte Toni in ihr Handy.

„Natürlich hat sie eine", kam es aus dem Hörer. „Die Frage ist nur, ob es eine aus der Liga der Großen ist, alles andere wäre enttäuschend. Wie heißt sie?"

„Ihre Assistentin Alice sagte, Victoria Wentworth."

„Mh." Es herrschte Stille am anderen Ende der Leitung. Bis ihr Chef sagte: „Das ist nicht gut, denn das wird unserem Klienten und seinem Anwalt nicht gefallen. Sie wussten zwar, dass es jemand aus der Kanzlei sein wird, aber da es noch keine Schreiben mit deren Antwort zum Fall selbst gab, außer dass der Brief unseres Mandanten eingegangen ist und man sich die eingehende Prüfung vorbehält, um Stellung zu nehmen, war bis dato der Rechtsvertreter noch nicht klar. Solche Briefe sind nur Blabla, Standardantworten aus Textbausteinen, möchte ich wetten und Fristen sind auch eher Schall und Rauch, die können sie mit dem Antwortschreiben verlängern. Die Papiere werden von einem der Chefs gegengezeichnet, was nichts zu sagen hat über die weitere Betreuung.

„Nicht gut? Und was heißt das genau?"

„Victoria Wentworth ist gut, sogar sehr gut. Hat schon so einigen das Leben schwer und das Portemonnaie dünn gemacht."

„Und weiter?" Toni war schon leicht genervt von diesen kaum aussagekräftigen Informationen und dass sie John alles aus der Nase ziehen musste. Warum konnte er nicht einmal von alleine in langen und zusammenhängenden Sätzen mit ihr sprechen, wenn sie Bericht erstattete? Das tat er nur, wenn er etwas ins Lächerliche zog oder wenn die beiden privat miteinander sprachen.

Toni war leicht genervt, da folgte, worauf sie bereits gewartet hatte; er konnte sich sein Frotzeln einfach nicht verkneifen.

„Ich will, dass du vorsichtig bist. Frauen wie sie sind kleine Spürnasen, die das Spiel schon von Geburt an können. Muss was mit der Muttermilch zu tun haben." Es war unüberhörbar, dass ihr Chef sich lustig machte, auch wenn er von Vorsicht sprach. Er schien Victoria Wentworth trotz seiner Aussage, dass sie gut sei, für eine zweitrangige Gegnerin zu halten.

„Und ich habe bis jetzt was getan? Bin ich mit einer Tafel rumgelaufen, auf der stand ‚Ich arbeite für die anderen'?" Toni wurde sauer, wenn John so etwas zu ihr sagte, von wegen vorsichtig sein. Sie machte ihren Job schon lange genug. Das Ding hier würde sie mit Leichtigkeit schaffen, davon war sie überzeugt.

Er lachte ins Telefon. „Immer noch so schnell aufbrausend. Du weißt gar nicht, wie viel Spaß es mir manchmal bringt, dich so zu ärgern. Komm schon, Toni. Du weißt, ich nehme dich nur hoch. Lass uns zum Wesentlichen kommen. Hast du sonst noch etwas zu berichten?"

Toni überlegte, da war etwas, was sie ihm zu Isabella sagen wollte, es war da, in ihrem Hinterkopf. Aber sie kriegte es nicht mehr zusammen.

Sie war die ganze Zeit auf Victoria Wentworth konzentriert. Victoria Wentworth war Gift für sie.

Sie ist mein Kryptonit, wenn ich nicht aufpasse.

Toni wusste, dass die Anwältin anders war, nur wusste sie nicht, warum. Sie lenkte sie ab, und das mit einer erschreckenden Leichtigkeit.

Aber im Augenblick konnte sie nichts anderes machen als zu sagen: „Soweit nichts. Aber ich habe da ein Gefühl, dass ich da genauer achtgeben sollte, was ihre Assistentin so erzählt. Sie könnte eine gute Informationsquelle sein, mal abwarten."

„Okay, falls was ist, ruf an."

„Mach ich."

„Ach, und Toni. Eine wichtige Sache noch, pass gut auf deine Tarnung auf."

Johns Lachen konnte sie noch hören, als sie ihr Handy vom Ohr nahm und auflegte.

Toni nahm sich eine Flasche Wasser aus dem Kühlschrank und setzte sich wieder auf das Sofa. Sie riss den Zettel aus ihrem Notizblock und legte ihn in die Akte. Der Bildschirmschoner bekam ihre Aufmerksamkeit und sie schaute es sich eine Zeitlang an, wie verschiedene Bilder ineinander wechselten. Der Zeigefinger der linken Hand tippte eine ganze Zeit auf ihren Oberschenkel. Sie grübelte, bis sie schließlich wahllos auf die Tastatur drückte, um den Kennwortbildschirm aufzurufen.

Toni tippte ihr Passwort ein und als der Sperrbildschirm wich, sah Victoria sie an.

Das Einzige, was Toni in Erfahrung gebracht hatte, waren Google Ergebnisse, die jeder Depp gefunden hätte. Sie ging als Erstes auf die Homepage der Kanzlei und las sich die Vita ihrer Gegenspielerin durch. Natürlich war Victoria Jahrgangsbeste, das hätte Toni schon am Anfang sagen können. Denn das Foto auf der Seite zeigte genau die Person, die Toni in ihr sah. Entschlossen, kampfbereit und voller Ehrgeiz, jeden Fall zu gewinnen.

Doch ihre Augen zeigten noch etwas anderes, etwas Entscheidendes, das sie nicht durch eine Pose verstecken konnte. Die Frau war keine eiskalte Anwältin.

Sie trug zwar Leidenschaft für ihren Beruf in sich, aber da waren auch Mitgefühl und Empathie, die man entdecken konnte, wenn man sich Bilder von Victoria genau ansah. Informationen hierzu konnte man vor allem aus der Vielzahl an Informationen zu verschiedenen Fällen ziehen, über die es in der Suchmaschine zu lesen gab.

Sie unterbrach sich in ihren Gedanken an die Frau mit der verteufelten Wirkung und widmete sich ein paar ebensolcher Zeitungsartikel. Es ging um Pro–bono–Fälle. Zwar wurde das in den Artikeln kaum erwähnt, aber Toni verstand es durch die erläuterten Hintergründe sofort.

Eine alleinerziehende Mutter, die aus der Unterschicht oder Mittelschicht kam, könnte sich Victorias Verrechnungssatz gar nicht leisten. Und es waren nicht gerade wenige Berichte, über die Toni bei ihrer Recherche stolperte. Sogar einige Urteile waren für die Öffentlichkeit zugänglich gemacht worden, nachdem man sie anonymisiert hatte. Toni konnte gar nicht mehr zählen, wie oft die Worte Misshandlung, Gewalt in der Ehe und Missbrauch in den Artikeln auftauchten. Was sie las, brachte selbst Toni zur Weißglut, wenn sie darüber nachdachte, *obwohl* Victoria ja bei diesem Auftrag auf der anderen Seite stand.

Es war mehr als offensichtlich – sie kämpfte für die Schwachen und tat das aus freien Stücken, nicht des Geldes wegen. Besonders Frauen, die familiär eine Tortur hinter sich hatten, zumeist mit Kindern, konnten sich auf Victorias rechtlichen Beistand verlassen. Frauen, die sich offenbar keinen Anwalt leisten konnten, nachdem sie endlich den Mut aufgebracht und sich durchgerungen hatten, ihren Mann zu verlassen. Genau für solche Fälle war Victoria da und kämpfte.

Toni legte sich eine Strategie zurecht, wie sie am besten an Victoria rankommen könnte. Victoria war leidenschaftliche Anwältin, die gegen das Unrecht kämpfte, und Toni würde über diesen Weg versuchen, eine Vertrauensebene zu schaffen, um sie auszuhorchen.

Die Anzahl der Fälle, dazu die Zeitabstände, ließen Toni zu dem Schluss kommen, dass Victoria Wentworth eine ganz klare Strategie hatte.

Dass sie Fälle wie die von Isabella übernahm, die gutes Geld und eine gewisse Lobby in der Presse einbrachten, um sich dann den anderen Fällen zu widmen. So konnte sie es sich nicht nur leisten, die Pro–Bonos ohne Vergütung abzuhandeln, sie hatte durch die Medien auch einen gewissen Ruf, der sicher mehr als unterbewusst gegnerische Parteien unter einen gewissen Druck setzte. In dem Fall, den sie jetzt selbst betreute, war es auf eine Art ähnlich; nur arbeiteten sie für einen nicht minder gewieften Anwalt, der Charles Lawrence vertreten würde, so viel hatte sie bereits im Verlag mitbekommen.

Das waren mehr Informationen, als sie in der Regel über den Auftraggeber erfuhr, weil John solche Dinge nicht weitergab, um seine Leute zu schützen.

Je mehr Toni über Victoria nachdachte, desto mehr rückten ihre femininen Reize in den Hintergrund und Tonis Missmut gegen die offensichtlich ebenfalls durchs Ohr gebrannte Juristin wuchs stetig. Sie lehnte sich auf dem Sofa zurück und ging die Tage, die sie bisher bei Underwood Publishing erlebt hatte, noch einmal im Kopf durch.

Toni hatte sich den restlichen Tag zusammenreißen müssen, nachdem sie im Büro auf Victoria getroffen war. Dabei ging es nicht um ihren eigentlichen Auftrag und die Tatsache, dass sie Gegner waren und dem zugrunde eine naturgegebene feindliche Grundstimmung normal wäre. Toni ärgerte sich über sich selbst und die Tatsache, dass sie keine klare Trennung hinbekam, was Isabellas Anwältin anging.

In ihrer Brust schlugen zwei Herzen, die um Vorherrschaft rangen. Einerseits wollte sie ihren Auftrag zur Zufriedenheit des Auftraggebers erledigen und musste somit gegen die Anwältin sein, gegen sie agieren. Andererseits fühlte sie Bewunderung für Victorias gemeinnützige Arbeit und ihren strikten Kampf für das Gute und die Menschen, denen das Leben weit weniger gut gesonnen war als den Underwoods und Lawrences dieser Welt.

Und es ging die nächsten Tage so. Toni kopierte, holte und brachte Unterlagen, die Alice forderte, und stolperte dabei immer wieder über ihre zwiespältigen Gedanken die Juristin betreffend.

Allzu gerne stand sie in der Küche und hörte sich die Gerüchte an. Auch wenn Toni wusste, dass Gerüchteküche und Buschfunk immer mit Vorsicht zu genießen waren, so gab es hierbei doch auch immer ein paar Aspekte, an die man anknüpfen konnte. An jedem Gerücht war etwas Wahres dran, wie man so schön sagte. Und andere Chancen hatte sie derzeit nicht, um an Informationen zu kommen, wenn sie nicht Gefahr laufen wollte, aufzufliegen. Es war ein guter Einstieg bei den Ermittlungen.

Die Gedanken um Victoria Wentworth waren eine Sache, etwas anderes schürte Tonis Missmut zudem: Es war frustrierend, dass sie dermaßen nah bei der Chefin agierte, aber genauso gut irgendwo in einer Abteilung hätte arbeiten können, die gefühlt auf dem Mond ihre Büros hatte.

Sie bekam einfach keine Chance, in den Terminplaner zu sehen, auf den die Assistentin Zugriff hatte und den sie mit einem Höchstmaß an Aufmerksamkeit pflegte. Toni würde sich nicht wundern, wenn Alice jeden einzelnen Termin auswendig kannte. Das Pflegen der Daten hatte eher den Hintergrund, dass Isabella und sie jegliche Informationen und Änderungen bei Terminen oder Notizen so stets abglichen.

Sie hatte Alice unterschätzt. Dieses kleine Miststück wusste genau, was sie sagte und wie sie es sagte. Ihre fröhliche Stimmung oder das verschwörerische Gerede waren Ablenkungen von wichtigeren Themen, an deren Informationen Toni eigentlich herankommen wollte.

Na komm, ermahnte Toni sich selbst wegen ihrer Gedanken. *Das ist sie beileibe nicht!*

Bei der Wortwahl bekam Toni tatsächlich den Anflug eines schlechten Gewissens. Sie hatte zwar ihren Job zu machen und ja, Alice machte ihr diesen durch ihr Verhalten, ob bewusst oder unbewusst, nicht einfacher, aber das war kein Grund, jemanden zu beleidigen, auch nicht in stummer Betrachtung für sich alleine.

Besonders da sie Alice inzwischen kennengelernt hatte und diese von Grund auf ein netter Mensch war. Dass ihr Pflichtbewusstsein und ihre Loyalität ihr in Fleisch und Blut übergegangen waren, sprach zudem nur *für* sie, wenn Toni die gegnerische Seite Underwood für ihre Betrachtung zugrunde legte.

Zugegeben, irgendwie war Alice schon eine Marke, auf ihre Weise speziell, ohne dass ihre Eigenarten Außenstehenden sofort auffallen würden. Alice war gut in dem, was sie tat. Wenn Isabella jemandem vertrauen konnte, dann ihr. Und das hatte Toni so absolut nicht erwartet, als sie Alice zum ersten Mal getroffen hatte, aber sie erkannte es respektvoll an, auch wenn sie sich zunehmend ärgerte, nicht so einfach voranzukommen, wie sie anfänglich gedacht hatte.

Nichts im Rechner wurde aus Versehen offen gelassen, weder Dateien, wenn Toni hinter Alice stand, noch ihr Rechner, sobald sie ihren Platz verließ.

Bestimmt kann sie den Klammeraffen im Schlaf, dachte Toni einmal nörgelig, als Isabella ihre Assistentin irgendwann zu sich gerufen hatte und sie gar nicht so schnell gucken konnte, wie Alice ihren Bildschirm gesperrt hatte, bevor sie zu ihrer Chefin ins Büro ging.

Alice hatte sie ausgespielt, ohne es zu ahnen! Sie kam sich vor wie eine Anfängerin. Sie konnte nichts anderes tun, als abzuwarten und auf Fehler anderer, besonders Alices, zu hoffen. Und das machte Toni wirklich pissig.

Hinzu kam, dass Alice von nichts anderem redete als von Victoria. Was für ein toller Mensch sie sei und wie nett und höflich noch dazu.

Was Toni dabei in den Sinn kam, wenn sie an Victoria dachte, war allerdings etwas vollkommen anderes als nett und höflich. Die Juristin brachte sie nicht nur in Habacht Stellung, sie sorgte auch dafür, dass sich Tonis Puls erhöhte, ohne dass sie etwas dagegen tun konnte. Ein einfacher Blick genügte oder der Victoria eigene Hüftschwung, der sie immer zwang, der Anwältin hinterherzuschauen, und ihren Blick nicht wieder freigab.

Sie waren sich noch nicht allzu oft über den Weg gelaufen im Verlagshaus und trotzdem war Victorias Wirkung auf Toni alles andere als *normal*, das war der Ermittlerin nur zu bewusst.

Dumm nur, dass das Bewusstsein nochmals genährt wurde, als Alice die Anwältin anfasste.

Nicht in der schlichten Höflichkeit eines Händedrucks zur Begrüßung, sondern als sie ihre Hand auf Victorias Oberarm legte, vertraut, fast eine Spur intim, das nette Dreinschauen hier, ein Lächeln da. Da wäre Toni am liebsten dazwischengegangen, hätte sich neben Victoria gestellt und Alice gezeigt, dass für sie kein Platz war auf dieser ganz speziellen Ebene, in der Toni Victoria nur allzu gerne eindeutig zeigen würde, was ihre Hände anstellen könnten, wenn sie alleine wären.

Genau in dem Moment, als ihr bewusst wurde, was da bei ihr abging, schrillten sämtliche Alarmglocken in ihrem Kopf.

Toni musste sich etwas überlegen, so konnte es nicht weitergehen. Ihr ganzes Verhalten war ihr fremd. Es kam unverhofft und plötzlich, dass sie dermaßen ihren Fokus verlor. Diese ganzen Ablenkungen, von denen Alice sicher nicht wusste, dass es für Toni überhaupt Ablenkungen waren, auf die sie aber wie ein Anfänger reinfiel, nervten ungemein. Sie durfte es nicht zulassen, dass die Anwältin sie anturnte und Toni darüber alles vergaß, sowohl den Grund ihrer Anwesenheit als auch ihr Benehmen. Was war an diesen Menschen anders als bei ihren anderen Jobs? Toni wusste es nicht.

Vielleicht war es, weil sie so lange nicht mehr undercover gearbeitet hatte? Wurde sie weich? Die letzten Jahre hatte sie viel mehr verdeckt ermittelt, nicht über längere Zeiträume mit Personen zusammenarbeiten müssen, in einer Rolle Kontakte aufbauen; das hier war seit Langem tatsächlich weit umfangreicher als die meisten ihrer letzten Fälle, was zwischenmenschliche Kontakte, deren Umfänge in Dauer und Anzahl anging. Also konnte das durchaus eine Erklärung sein.

Oder lag es daran, dass ihr die Menschen, die sie bis jetzt kennenlernen durfte, außer Isabella Underwood, alle auf gewisse Weise sympathisch waren?

Das muss so was wie Reizüberflutung sein, erklärte Toni es sich selbst. Sie durfte sich nicht mehr so massiv ablenken lassen.

Als Alice jedoch die Bombe hatte platzen lassen, dass Victoria ihre Basis im Konferenzsaal aufbauen würde, musste Toni sich im ersten Reflex zusammenreißen, um nicht zu grinsen. Alice hatte sie mehr als skeptisch angesehen, als würde sie versuchen, etwas abzuschätzen. Und erst als Toni „Was?" sagte, hatte sie schmunzelnd den Kopf geschüttelt.

Das Grinsen fiel Toni allerdings schlagartig wieder aus dem Gesicht, als ihr bewusst wurde, dass nicht nur sie Alice sehen würde, sondern auch Victoria permanent. Sie hätte zumindest deutlich mehr Kontakt zu Alice. Sie wusste, sie müsste sich einen neuen Schlachtplan ausdenken, wenn sie das Spiel nach ihren Regeln spielen und gewinnen wollte. Toni verlor nie, schon gar nicht, wenn sie den Vorteil einer guten Tarnung auf ihrer Seite wusste. Sie würde alles für sich nutzen, was ihr dafür gegeben wurde.

Da sie jetzt allein in ihrer Wohnung war und niemand sehen würde, wie diebisch sie sich gerade freute, konnte sie grinsen, so viel sie wollte.

Tonis Blick ging wieder zum Bildschirm und sie musste an das Zusammentreffen mit Victoria im Fahrstuhl denken. Sie sah in dunkelbraune Augen und erinnerte sich an den erschrockenen Blick, als sie vor dem Aufzug zusammengestoßen waren. Die Entschuldigung. Die Wärme im Fahrstuhl, als sie nebeneinandergestanden und keiner von ihnen Anstalten gemacht hatte, ein wenig Platz zwischen ihnen beiden zu schaffen.

Die zarte Röte, die sich langsam bei Victoria gezeigt hatte. Es war eine so banale körperliche Reaktion, aber sie hatte Tonis Interesse noch mehr geweckt als Victoria als Frau selbst es ohnehin schon getan hatte.

Eine Sache hat Toni bis jetzt nie getan und würde es auch nie tun. mit jemandem schlafen, nur um an Informationen zu kommen. Dennoch genoss sie es, zu sehen, wie Victoria auf sie reagierte. Ihre Blicke waren sowohl verlegen als auch interessiert, sie selbst zeigte ein ambivalentes Verhalten und Toni war sich beinahe sicher, dass es Victoria auf ähnliche Weise so ging wie ihr selbst. Reiz und Neugierde wechselten sich mit Pflichtbewusstsein und Vernunft ab und es ging ihnen beiden so.

Das hat doch nicht gleich was mit Sex zu tun, sagte Toni zu sich. *Aber was spricht denn gegen ein paar heiße Flirts während der Arbeit?*

Eine Idee formte sich in ihrem Kopf. Dass sie die Anwältin täglich sehen würde, hatte entschieden mehrere Vorzüge. Sie wäre direkt an der Quelle und hätte sogar, wenn alles gut lief, die Informationen, Strategien und das Wissen der gegnerischen Partei, dazu die Möglichkeit, die Nähe einer heißen Frau zu genießen, sie ein wenig anzumachen, ohne dass es zum Äußersten kam.

Sie müsste natürlich vorsichtig bei Victoria sein. Hier ein netter Blick, Hilfsbereitschaft zeigen. Ab und zu sich über den Fall äußern, zumindest darüber, was sie offensichtlich durch ihre Mithilfe wusste. Dabei musste sie unbedingt aufpassen, nicht zu viel zu verraten von dem, was sie durch Johns Unterlagen zudem wusste.

Unbedingt ein bisschen flirten, um eine gewisse Oberflächlichkeit vorzutäuschen. Ein Blick hier oder da. Ein wissendes Lächeln im richtigen Moment, und dem Gesamtpaket könnte Victoria nicht widerstehen, dessen war die Ermittlerin sicher.

Toni würde der Anwältin zeigen, dass sie ihr vertrauen könnte, und würde so besser an die gewünschten Informationen kommen als bei den Versuchen, Alice als Informationsquelle weiter anzuzapfen und doch gegen Wände zu rennen.

Toni schaute auf das Bild Victorias auf ihrem Monitor. Jeder Mensch versteckte etwas und es war ihre Aufgabe, herauszufinden, was Victoria Wentworths Geheimnis war.

Ihr Zeigefinger berührte den Bildschirm, glitt auf der glatten Fläche über Victorias Augenbrauen, die Wange und blieb beim Mund stehen.

Tonis Blick heftete sich auf die zart rosafarbenen, vollen Lippen, als würde sie schon auf eine Antwort warten, auf die Frage, die sie erst jetzt aussprach: „Was versteckst du?"

Kapitel 9

„Guten Morgen, Alice." Toni hatte zwei Coffee–to–go–Becher in der Hand und stellte einen davon vor Alice auf den Schreibtisch.

Die Assistentin nahm den Deckel ab und atmete das Aroma ein. Sekunden später seufzte sie begeistert: „Das ist mein Lieblingskaffee! Woher wusstest du das?" Nochmals hielt sie die Nase über den Becher und sog den Duft ein. „Das ist lieb von dir, danke, Toni."

Ich bin nicht lieb! Ich werde dir jetzt mal zeigen, wie man das Info–Spiel spielt!

Toni wollte gerade anfangen, neue Netze auszulegen, indem sie augenscheinlich unverfängliche Fragen stellte, stockte aber, weil sie zusehen musste, wie die Aufmerksamkeit ihrer Gesprächspartnerin abgelenkt wurde. Alices Blick ging Richtung Fahrstuhl und mit einem Mal lächelte sie breit.

Da sie die Ersten im Büro waren, konnte man die schnellen Schritte, die das Aufsetzen der High Heels auf dem Boden hinterließ, besonders gut hören.

Tonis Herzschlag beschleunigte sich, weil sie ahnte, zu wem der staccatoartige Takt der flotten Schrittfolge gehörte, und als sie sich umdrehte, musste sie aufpassen, keine Grimasse zu ziehen. Sie setzte ein möglichst höfliches Lächeln auf und begrüßte die Chefin des Verlages: „Guten Morgen, Ms. Underwood."

Doch die Verlegerin schaute Toni nicht an, sondern marschierte an ihr vorbei, als gäbe es sie gar nicht.

Bitch!, schoss es Toni augenblicklich durch den Kopf. *Brich dir bloß keinen Zacken aus der Krone beim Einhalten irgendwelcher Umgangsformen.* Sie kochte innerlich ob Isabellas ignorantem Auftritt.

Alice machte daraufhin ein besorgtes Gesicht und wollte gerade ihrer Chefin hinterher, als sie innehielt. Sie drehte sie sich erneut zum Tisch und nahm den Kaffee, den ihr Toni zuvor mitgebracht hatte. „Danke, Toni, du bist die Rettung."

Dann ging sie eilig ins Büro ihrer Chefin und bevor sie die Tür schloss, hörte Toni sie noch sagen: „Ich hab hier deinen Lieblingskaffee, Isabella."

Toni fehlten die Worte und sie rollte mit den Augen, als sie Alice das sagen hörte, bevor sie die Tür zuschob. Sie konnte die Stimmen hinter der Tür noch wahrnehmen, aber nicht mehr verstehen, was gesagt wurde. Sie schaute sich einmal komplett im Raum der Assistentin um, sie waren immer noch die Ersten, außer ihnen und Isabella Underwood hatte noch kein weiterer Mitarbeiter die Verlagsräume betreten.

Toni setzte sich auf Alices Bürostuhl, drehte sich ein wenig hin und her und schaute sich dabei wie zufällig um.

„Verdammt!", presste sie leise zwischen den Zähnen hervor. Der Bildschirmschoner lief, also hatte Alice den Computer mal wieder schneller gesperrt, als Toni „Kennwort" hätte sagen können. Somit konnte sie es gleich vergessen, an den Rechner zu gehen. Sie wusste zu wenig über die Assistentin und hatte auch nicht genügend Zeit, um ein etwaiges Passwort zu knacken, falls es eine solche Sperre gab.

Außerdem war unklar, wie schnell sich der Bildschirmschoner bei Inaktivität aktivierte. Natürlich könnte sie sagen, sie sei versehentlich an die Maus gekommen, aber so weit im hinteren Bereich der Tischplatte, wie Tastatur und

Maus noch standen, müsste dieser *Zufall* des Mausanstupsens schon *sehr zufällig* sein.

Alice hatte an diesem Tag am Rechner augenscheinlich noch nicht allzu viel getan, maximal hochgefahren und vielleicht ein, zwei Anwendungen gestartet. Vielleicht aber auch noch nicht, dann hieße es ohnehin *Anmeldemaske*, also hakte Toni den Gedanken ab, den Rechner sporadisch zu checken.

Der Papierkorb unter dem Schreibtisch war selbstverständlich leer. Sie schaute noch ein bisschen auf dem Tisch umher, bis ihre Augen hängen blieben. Die Papierunterlage war vollgekritzelt.

Toni sah sich die verschiedenen wirren Wörter und Zahlen an und versuchte darin einen Sinn zu finden, vorerst aber vergeblich. Gekritzelte Uhrzeiten betrachtete sie genau. Bei der Stiftablage entdeckte sie eine Visitenkarte.

Die Nummer hätte man mit zwei Klicks selbst rausgefunden.

Obwohl sie sich wunderte, dass Victorias Visitenkarte so offen herumlag, anstatt die Daten darauf im Rechner einzupflegen und die Visitenkarte zu entsorgen oder korrekt abzulegen, konnte sie nicht anders, als die ganze Zeit auf die Visitenkarte zu schauen und sie schließlich in die Hand zu nehmen.

Die Karte wurde gedreht, die Rückansicht wurde begutachtet, dann wieder die Front. Toni wusste nicht, warum, aber irgendetwas hielt sie davon ab, die Karte wieder zurücklegen.

Ein Räuspern ließ Toni aufschrecken. Alice stand neben dem Schreibtisch, sie hatte ihren Kopf leicht schräg gelegt und beobachtete Toni. Ihr fragender Blick ging zu Tonis Hand.

„Ähm, ich hab nur einen Notizzettel gesucht. Und als ich mir etwas notieren wollte, habe ich die Karte gesehen, die hat von Weitem toll gewirkt, da habe ich sie mir mal näher angeguckt. Ich habe noch nie so einen edlen Druck gesehen." Mit der linken Hand griff sie nach ihrem Nacken, um

Verlegenheit auszudrücken. „Also, ich meine, wie so eine richtig teure Visitenkarte von Nahem aussieht. Du verstehst schon, oder?“

Sie legte die Karte wieder auf den Schreibtisch und blickte anschließend überall hin, nur nicht zu Alice.

„Aha“, mehr kam dazu von der Assistentin nicht. „Victoria wird bald hier sein, bring sie dann bitte ins Büro“, wies Alice sie lediglich an.

„Okay.“ Toni nickte.

Als Alice die Tür wieder hinter sich schloss, musste Toni ein Grinsen unterdrücken.

Wie einfach das doch jedes Mal ist.

Über die Naivität einiger Menschen konnte sie nur den Kopf schütteln. Sie hatte Alices Rückkehr überhaupt nicht wahrgenommen, was in dieser Situation nicht weiter schlimm war, im Gegenteil. Sie hatte soweit alles im Griff und ihrem Image einen weiteren kleinen Tollpatsch verpasst, was nach außen hin gar nicht mal so übel war; man würde sie verkennen und unterschätzen. Dennoch war sie aufgeschreckt, als Alice plötzlich auf der Bildfläche gestanden hatte, und machte sich selbst bewusst, was hätte passieren können:

Puh, das war knapp! Scheißteppich! Kann der Marmor vom Flur nicht bis zu Underwoods Büro gehen? Gut, dass ich nicht versucht habe, etwas im Rechner zu finden!

∞

Victoria parkte ihr Auto auf dem Angestellten Parkplatz, den man ihr zugewiesen hatte, und ging mit flinkem Schritt Richtung Fahrstuhl.

„Entschuldigen Sie, Miss.“ Victoria blickte in die Richtung, aus der sich angesprochen worden war. Der Security Mitarbeiter vom Vortag stand neben dem langen Tresen, hinter dem mehrere Bildschirme dem Empfangspersonal einen Überblick über verschiedenste Gebäudebereiche gaben, innen und außen war das Gebäude in allgemein zugänglichen Bereichen großteils videoüberwacht, wie sie erfahren hatte.

Er war leicht untersetzt, was Victoria seinem Job und der damit einhergehenden mangelnden Bewegung zuschrieb. Die Gewichtszunahme war anscheinend noch nicht so lange her, denn sein Uniformhemd spannte nur leicht an der Knopfleiste und zog diese etwas unförmig auseinander.

Wäre es massiver und bereits länger so, hätte man ihm sicherlich schon passende Bekleidung zugeteilt. Er war ein sympathischer Mann mit einem freundlichen Lächeln und ebensolcher Ausstrahlung. Er hielt eine Karte hoch und sagte: „Ich glaube, die brauchen Sie noch. Sonst kommen Sie nicht weiter."

Schnell ging sie zu ihm hin und nahm lächelnd die ID–Card entgegen, die man für sie hatte anfertigen lassen, nachdem sie vor Ort in der Personalabteilung mit Alice entsprechende Formalitäten geklärt und diverse Erklärungen und Auskunftsbögen ausgefüllt und unterschieben hatte.

Alice hatte ihr erklärt, dass das Gebäude neben dem Verlag auch noch einige Firmen nutzten, die weit höhere Sicherheitsauflagen hatten als U. P., denen man diesen ganzen Papierkram letztlich zu verdanken hätte. Sie kämen nicht umhin, dem beauftragten Security Unternehmen gewisse Angaben zu langzeitig beschäftigten Personen zur Verfügung zu stellen, um deren täglichen Aufwand möglichst gering zu halten. Denn durch die Tagesbesucher hatten die Kollegen bereits eine ziemliche Menge Checks. Ein Ausweis war diesen bürokratischen Aufriss also definitiv wert, denn mit dem konnte Victoria zukünftig praktisch so durch den Eingangsbereich sausen.

„Danke, Ben." Das kleine goldene Schild an seiner Brusttasche verriet ihr den Namen ihres Gegenübers. Es war in Victorias Augen nicht viel, aber die Freude, dass jemand Ben mit Namen ansprach, ihm so eine Identität zugestand, konnte sie in seinen Augen sofort sehen.

Als sich die Fahrstuhltüren schlossen, war Victoria froh, die Einzige zu dieser frühen Stunde zu sein und die Kabine für sich zu haben.

Isabellas gestriger Anruf am späten Abend war unerwartet gekommen. Und mit was für einer Wut und Verachtung sie über ihren Ex-Mann gesprochen hatte, ließ bereits nichts Gutes erahnen. Es hatte ein Aufeinandertreffen zwischen den beiden Parteien gegeben und wenn Victoria es richtig verstanden hatte, war dieses gar nicht gut verlaufen.

Ihre Klientin hatte sich am Telefon kurz gehalten. Victoria hatte eine weibliche Stimme gehört, die im Hintergrund beruhigend auf Isabella eingeredet hatte, solange, bis Isabella offensichtlich nicht mehr dem Telefonat ihre Aufmerksamkeit schenkte, sondern ihrer Gesprächspartnerin. Victoria legte allerdings nicht auf, denn sie wusste nicht, ob Isabella das Gespräch schon als beendet betrachtete, und so lauschte sie weiter der anderen Frau im Hintergrund.

Diese wusste bei ihrer Klientin offensichtlich, welche Knöpfe sie bei der aufgebrachten Verlegerin zu drücken hatte. Victoria hörte klar adressierte Bemerkungen, wie dass es nicht so schlimm sei und es sicherlich keinen Grund gäbe, dass Isabella sich so dermaßen aufregte und ihre Stimme derart erhob, dass sie gleich einen Gehörschaden bekäme, wenn sich Isabella nicht gleich einkriegte, und ihre Anwältin am Telefon sicher ebenfalls. Das ganze Aufregen sei Charles garantiert nicht wert. Schließlich fiel noch die Aussage, dass heute Abend sowieso nichts mehr gegen diesen Arsch unternommen werden könne und dass *sie* sich wehgetan hatte und nicht Isabellas Ego, Isabella sich somit endlich um wichtige Dinge kümmern sollte, nämlich um sie, was ein unbeschreiblich herzliches Lachen zur Folge hatte. Sekunden später war Isabella nach dieser äußerst *treffenden Ansage*, wie Victoria schmunzelnd dachte, am Telefon schon fast wieder ganz normal und verabschiedete sich mit wenigen Worten.

Victoria war beeindruckt, dass jemand mit ein paar Sätzen in der Lage war, jemand anderen zu beruhigen, der auf mehr als hundertachtzig unterwegs war. Victoria hatte diesbezüglich einen Verdacht, denn die Stimme kam ihr bekannt vor. Die vollständige Klärung hierzu würde später definitiv folgen.

Als der Klang des Fahrstuhl Pings ihr das Erreichen ihres Stockwerkes anzeigte und sich kurz danach die Türen öffneten, stieg Victoria mit gemischten Gefühlen aus. Sie schritt den Flur entlang, kam dann am Großraumbüro vorbei. Von Weitem sah sie in Richtung ihres kleinen Marsches bereits zu Alices Arbeitsplatz und stockte. Es war nicht Alice, die da im Vorraum zu Isabellas Büro stand und auf sie wartete.

Es war wieder die Frau aus dem Fahrstuhl, die offensichtlich auch irgendeine Position hatte, die der Assistenzstelle nah kam. Sie stand an den Schreibtisch gelehnt und ließ Victoria keinen Schritt aus den Augen, ihre ganze Aufmerksamkeit richtete sich auf Vic, während die ihren Weg fortsetzte.

Victoria verlangsamte ihr Schritttempo immer weiter, je näher sie der in Alices Büro wartenden Frau kam. Wie diese dastand und sie sie den ganzen Weg ungeniert beobachtete, seit Victoria in ihr Sichtfeld getreten war, löste ein sonderbares Gefühl in der Anwältin aus.

Sie kannte unverhohlene Blicke von Männern, die sie bewundernd beäugten. Sie waren gut fürs Ego, aber darauf anlegen tat Victoria es nicht, wenn sie sich morgens für die Arbeit, für Events oder Termine fertig machte. Es gehörte für sie einfach dazu, dem Teint mit ein wenig Tages–Make–up Gleichmäßigkeit zu verleihen oder zu anderen Gelegenheiten ein wenig akzentuierter zu betonen, was ihr von Natur aus mitgegeben worden war. Sie arbeitete nun mal in einer Kanzlei, deren Nachnamen sie trug, sie vertrat Kunden, die nicht wenig Geld besaßen, entsprechend auftraten. Und genauso souverän und mit entsprechender Klasse musste sie auch auftreten, optisch wie der fachlichen Präsentation nach. Sie musste dem Mandanten zeigen, dass sie wusste, was sie tat.

Natürlich kannte sie auch die Art von Blicken, die weniger anerkennend als despektierlich nonverbal aussagten „dich würde ich gerne flachlegen". Darauf jedoch reagierte sie nur mit einem überheblichen Blick, mehr Beachtung bekamen solche Menschen von ihr nicht.

Doch das hatte alles nichts mit dem zu tun, was hier geschah. Das hier war vollkommen anders; es lag etwas Eindeutiges in dem Blick, der sie festhielt.

Victoria konnte sich nicht helfen, die Art, wie diese Frau sie anstarrte, war geradlinig und wirkte auch ein wenig so, als würde sie beim Beobachten Victorias gerade bestimmten Fantasien freien Lauf lassen.

Sie machte nicht einmal Anstalten, ihre Aufmerksamkeit weniger offensichtlich auf Victoria zu legen.

Die Juristin ließ ihrer Wortfindung innerlich freien Lauf und suchte nach Beschreibungen, die ihre Eindrücke benennen konnten, musste sich dabei aber unverständlicherweise eingestehen, dass sie ihr partout nichts Anzügliches unterstellen würde.

Dreist, lockend, frech, faszinierend, gut aussehend, selbstherrlich, über alle Maße selbstbewusst, schon fast arrogant …

So ging es in einem fort, bis kaum noch mehr als fünf Meter zwischen ihnen lagen und Victorias Blick auf das eindeutige Funkeln in den unglaublich intensiv leuchtenden Augen der anderen Frau traf. Diese Augen hatten eine ungeahnte Tiefe und Victoria merkte am Rande ihres Verstandes, dass sie Gefahr lief, sich in diesen zu verlieren. In einem Anflug von Gegenwehr versuchte sie sich zur Ordnung zu rufen.

Was zur Hölle …

Dennoch setzte Victoria einen Fuß vor den anderen und überwand, ohne ihrerseits die andere Frau aus den Augen zu lassen, die letzten Meter, bis sie knapp eine Armeslänge vor Toni stand. Etwas an dieser dunkelhaarigen, attraktiven Person machte es ihr unmöglich, den Blick abzuwenden.

Victoria ging die Art, wie die Frau vor ihr sie ansah, durch und durch. Beinahe genauso hatte es sich bei ihren ersten beiden Begegnungen schon angefühlt, ohne dass Victoria sich erklären konnte, was da vor sich ging. Jetzt passierte es schon wieder, dass diese Person sie kirre machte auf eine Art und einer Ebene, die hier nichts zu suchen hatte; mit Sicherheit nicht!

Gut möglich, dass sie es nicht darauf anlegte, aber ihr Blick sprach Bände. Sie machte nicht ansatzweise den Versuch, die Begierde in ihren Augen zu verstecken. Und Victoria spürte, wie ihr Körper auf die unausgesprochenen Signale der anderen reagierte. Hitze breitete sich in ihr aus, wurde zu dem eindeutigen Lodern, das die Augen ihres Gegenübers widerspiegelten. Victorias Blut begann zu kochen, ohne dass sie es aufhalten konnte, ihr Schoß begann zu pochen.

Beide waren außerstande, etwas anderes zu tun, als sich anzusehen.

In Victoria begann ein Kampf, hatte sie sich doch geschworen, diesem unleugbaren körperlichen Begehren keine Bedeutung mehr beizumessen, weil es nur Schwierigkeiten brachte, das Leben verkomplizierte, Menschen unglücklich machte.

Warum konnte sie das hier und jetzt nicht beenden, sich einfach wegdrehen, um diese Mischung aus Bitte und Forderung nach mehr in den flammenden braunen Augen der Frau vor sich nicht weiter sehen zu müssen?

Sie hatte in diesem Moment nicht ansatzweise vor, dem lange im Zaum gehaltenen, ungewollten Gefühl Einhalt zu gebieten. In Gegenteil, sie spürte dem Brennen in sich nach, genoss das Ziehen, das sich entlang ihrer Nervenstränge in eindeutige Regionen bewegte und Verheißung versprach, wäre sie zur richtigen Zeit am richtigen Ort, mit der richtigen Person.

Noch ein Schritt, dann noch einer, dann stand Victoria direkt vor der Frau, deren Augen sie in den Bann zogen und Fantasien heraufbeschworen, die Vic seit Langem als *nicht relevant*, vor allem aber als *nicht richtig* verdrängt, ja, die sie sich sogar verboten hatte.

„Ich … ähm … Termin?“ Mehr bekam Victoria nicht über die Lippen.

Alices Vertreterin nickte wie in Zeitlupe, machte aber gar nicht erst den Versuch, ihr zu antworten. Einzig ein sich leicht überschlagendes Räuspern, das sich anhörte, als müsse sie einen Kloß im Hals loswerden, wobei ihr jemand die Luft abdrückte, klang kurz durch den Raum.

Die beiden standen so nah voreinander, dass Victoria die Körperwärme der anderen spüren konnte. Sie war intensiv und beinahe gleichzeitig stieg ihr wieder dieser unverwechselbare Duft in die Nase, den der Körper vor ihr verströmte.

Für einen Augenblick schloss sie die Lider und sog den unverwechselbaren Geruch tief ein. Das Parfüm und der warme Körper, gemeinsam kreierten sie ein Aroma, das Victoria unter Tausenden wiedererkennen würde. Ohne Vorzeichen stellten sich ihre Nackenhärchen auf und sie bemerkte, wie sich ein wohliger Schauer von dort den Weg über ihren Rücken suchte. Sie war kurz davor, sich genussvoll zu schütteln.

„Ich wusste gar nicht, dass du schon da bist, Vic.“ Isabellas Stimme war wie eine kalte Dusche.

Beide Frauen zuckten zurück, als wären sie ertappt worden, und Toni sah leicht verwirrt aus, wie Victoria perplex feststellte.

Oh mein Gott, was war das denn gerade? …

Für weitere Sekundenbruchteile versuchte sie das Geschehene zwischen Toni und sich zu ergründen. Dann lächelte sie ihrem Gegenüber knapp zu und merkte augenblicklich die unverkennbare Wärme auf ihren Wagen.

Ohne wegen der verräterischen Röte ihren Blick von Toni zu wenden, antwortete sie der Verlegerin endlich: „Ähm, ja. Bin gerade erst gekommen.“

Victoria machte einen weiteren Schritt zurück, wobei sie Toni schließlich aus ihrem Blick entließ. Sie lächelte Isabella freundlich an und ging vor, in deren Büro.

Als ihr Rechtsbeistand sie passierte, schaute Isabella Victoria mit zusammengezogenen Augenbrauen an, kommentierte jedoch nicht, wobei sie möglicherweise eben gestört hatte.

Im Büro angekommen, schloss die Verlagschefin die Tür, stellte sich vor ihren Schreibtisch und lehnte sich dagegen. Victoria blieb ebenfalls stehen, Isabellas Verhalten veranlasste sie dazu.

Isabellas Anspannung war so stark, dass Victoria das Gefühl hatte, davon überrollt zu werden. Alice, die Victoria bis eben nicht bemerkt hatte, sprang vom Sofa auf und verabschiedete sich.

In der Anwältin kam die Vermutung auf, dass die Assistentin ihr Erscheinen dankend als Grund nahm, um zu verschwinden.

Meine Güte, die Arme.

Victoria sah Alice hinterher, bis diese den Raum verlassen hatte, dann lag ihre Beobachtung auf ihrer Klientin.

Isabella öffnete den Mund ein paarmal, um zu erzählen, doch schloss sie ihn immer wieder, ohne dass ihr ein Wort über die Lippen gekommen war. Offensichtlich hatte sie ihre Fassungslosigkeit noch immer nicht im Griff.

Victoria versuchte einen Anfang zu machen. „So schlimm kann das nicht gewesen sein, was da gestern passiert ist, Isabella."

„Ich bin so wütend! Nicht darüber, wie er *mich* behandelte, sondern Julia."

Das war sie, die Information, die Vic von Isabella selbst haben wollte. Aber sie sagte nichts, sondern wartete ab.

„Julia Porter. Die Verlegerin vom Stone Verlag. Du hast sie neulich kurz kennengelernt."

„Ja, das habe ich." Victoria nickte bei ihrer knappen Antwort. Jetzt würde sie aus erster Hand erfahren, was sie ohnehin wissen müsste, ganz ohne dass sie Isabella nach ihrer Verbindung fragen müsste.

In der jetzigen Unterhaltung, die eigentlich keine war, da Isabella nahezu einen Monolog führte, war es vorerst Vics Aufgabe, zuzuhören, sich das Gesagte zu merken und später alles Stück für Stück noch einmal durchzugehen.

„Sie war meine Assistentin, als ich mich noch um Charity Dinge gekümmert habe und Charles den Verlag leitete. Die Organisationen sind irgendwann so umfangreich geworden, da habe ich dann entschieden, dass ich Hilfe brauche." Ein Achselzucken deutete an, dass sie solche Entscheidungen als vollkommen gängig erachtete. „Ja, das war so", schob sie etwas unnötig hinterher, als wollte sie sich selbst den Grund für Julias Anstellung unbedingt bestätigen.

Isabella wusste natürlich selbst am besten, dass das nur die halbe Wahrheit war, und so fasste sie sich ein Herz und legte Victoria gegenüber offen, was sich alles zugetragen hatte, was auch beinhaltete, dass die beiden seit geraumer Zeit ein Paar waren.

„Ich hatte sie bei der Jubiläumsfeier von Underwood Publishing kennengelernt. Sie spielte die Scheinverlobte von einem unserer Angestellten. Wenn ich heute darüber nachdenke, warum, könnte ich kotzen!" Isabellas Blick war voller Wut. „Stell dir vor, er hatte Angst vor Charles.

Mein Ex–Mann war gegen Homosexualität. Wenn er von dem Schwulsein eines männlichen Mitarbeiters erfuhr, fand immer irgendeinen fadenscheinigen Grund, ihm zu kündigen. All das habe ich erst nach Jahren mitbekommen." Mit betretener Miene schüttelte Isabella den Kopf und Victoria war sofort klar, dass ihr der Umstand, nichts von alldem gewusst zu haben, noch immer zusetzte. Sie wirkte definitiv betroffen. „Nun, sei es drum. Ich traf Julia auf besagter Feier und war sofort von ihr fasziniert." Victoria konnte zusehen, wie Isabellas Augen einen träumerischen Ausdruck annahmen. „Ich tat alles, um sie näher kennenzulernen. Sie hat geschrieben, ihr Traum war und ist es, eigene Bücher zu veröffentlichen, damals aber war sie arbeitslos und ich hatte keine Assistentin. Ich hab meine Beziehungen spielen lassen und dafür gesorgt, dass sie meine Assistentin wird." Isabella zuckte gleichgültig mit den Schultern. „Ja, ich gebe zu, ich habe meine Position ausgenutzt, vielleicht auch nicht auf ganz angebrachte Weise, aber mir war nicht zu helfen. Ich war mental und emotional wegen dieser Frau vollkommen neben der Spur!" Es gab eine bedeutungsvolle Pause, dann setzte Isabella nach: „Ich wollte sie und ich hätte alles dafür getan, ihr näherzukommen." Isabellas Wangen zeigten einen rötlichen Schimmer, aber sie stand zu dem, was sie sagte, und sah Victoria fest an. „Na ja, sie fing dann an, bei mir zu arbeiten. Sie war ausschließlich für mich und die Charity Organisation tätig. Ich begann ein für mich und meine bis dahin gelebte Identität gefährliches Spiel und wusste selbst nicht, warum ich dazu bereit war. Julia war nicht wie andere Frauen, die ich bis dahin getroffen hatte. Sie hat mich bereits fasziniert, bevor wir das erste Wort gewechselt hatten, ich hatte sie nur gesehen. Und dann passierte es ganz von alleine, ich verfiel ihr immer mehr. Sie hatte angefangen, mich in ihren Bann zu ziehen, ohne sich dessen selbst bewusst zu sein. Ich weiß heute, dass es ihr mit mir nicht anders ging. Offensichtlich hat eine höhere Macht entschieden, dass wir für einander bestimmt sind." Ein sanftes Lachen klang durchs Büro und Victoria musste schmunzeln. Die Frau vor ihr war verliebt bis über beide Ohren.

Schließlich wurde Isabella wieder ernst. „Und dann tat Julia etwas, für das ich ihr immer danken werde. Sie hat mir die Wahrheit gesagt, was für ein Mensch ich bin, was mein damaliger Mann für ein Mensch, nein, was für ein fieser Mistkerl er gewesen ist. Über so lange Jahre hab ich nicht mitbekommen, in welchem Ausmaß er die Mitarbeiter gegängelt und ausgenutzt hat. Ich *wollte* es nicht mitbekommen, war zu bequem, mich mit dem auseinanderzusetzen, habe mich lediglich im Hintergrund informieren lassen, wie es um das Kapital und den Verlag stand, um gegebenenfalls eingreifen zu können, da Charles manchmal alles andere als weitsichtig agiert hat. Sie hat mich wachgerüttelt und mir klargemacht, dass die

Menschen, die für mich arbeiten, das wahre Kapital des Verlages sind, nicht das, was zählbar auf Konten liegt.

Und dann, nachdem sie mir ungeschönt alles vor den Kopf geknallt hatte und anschließend weg war, wurde mir klar, dass aus der Faszination für diese wunderbare Frau Liebe geworden war. Erst von dem Moment an hatte ich wirklich verstanden, was heißt: ‚Man begreift den tatsächlichen Wert einer Sache oder einer Person erst, wenn man diese verliert'."

Es klopfte an der Tür und Isabella bat mit einem kurzen „Herein" die Person einzutreten.

Toni kam mit einem Tablett in der Hand herein, um beiden Frauen einen Kaffee hinzustellen. Nachdem sie zuvor in der Erzählung von Isabella versunken gewesen war und trotz des realen Dramas und der Ärgernisse jetzt die Romantik hinter deren Geschichte genossen hatte, wurde Victoria schlagartig bewusst, wo sie sich befand und was ihr selbst vor ein paar Minuten noch passiert war. Tonis unerwartete Anwesenheit zauberte ihr bei dem Gedanken eine leichte Röte auf die Wangen.

Ihre Fantasie verselbstständigte sich mit einem Schlag. Das Bild, das die Dunkelhaarige jetzt bot, passte Victoria nicht. Sie konnte sich nicht vorstellen, dass Toni jemanden bediente. Für sie war die Rollenverteilung eine eindeutig andere, wenn sie Toni beobachtete. Diese Frau würde in erster Linie bedient werden wollen, in welche Richtung auch immer dabei ihre Vorgaben gingen. Sie würde das Sagen haben, dessen war sich Victoria sicher. Tonis gesamtes Auftreten ließ in der Anwältin die Vermutung aufkeimen, dass sie beim Sex forsch war, forscher, als sie sich beim Tassenabstellen gerade gab. Sie würde ohne Frage die Zügel in die Hand nehmen. Toni dirigierte und kontrollierte Victorias Meinung nach eher. Zumindest im Privatleben dieser Fremden musste es so sein, Victoria war sich hierbei ziemlich sicher.

Das unangenehme Klappern eines unsanft auf dem Tisch abgesetzten Kaffeegedecks rief sie aus ihren Überlegungen zurück.

Victoria war beinahe dankbar für diesen kurzen Schreckmoment und schalt sich augenblicklich selbst, diese Gedanken waren mehr als unangebracht. Schnell ging sie zum Sofa in die kleine Besprechungsecke und setzte sich. Neben ihr stellte Toni das Tablett ab und schaute leicht zur Seite. Ihr Blick war auf Victorias Bein gerichtet oder vielmehr auf die zarte Haut ihres Knöchels, die durch das Überschlagen ihres Beins und das damit leichte Hochrutschen des Saumes ihrer Business Chino frei lag. Toni war die pure Neugierde anzumerken, und das verursachte noch mehr Hitze bei ihr. Victoria wagte es nicht, Toni direkt anzusehen, denn sie wusste zu gut, was in ihren Augen zu lesen wäre. Als Toni ihr einen Kaffee eingeschenkt hatte, brachte Vic schließlich nur ein raues „Danke" zustande.

Nachdem die Tür geschlossen worden war, trank sie einen Schluck Kaffee und wollte die Tasse wieder auf der Untertasse platzieren, die auf ihrem Oberschenkel ruhte.

Vollkommen unerwartet war das unverkennbare Geräusch einer zittrig abgesetzten Tasse auf deren Untertasse zu hören. Victorias Augen wurden größer, richteten sich scharf auf das Geschirrstück, als ermahne sie es, gefälligst ruhig zu sein, und wandte sich fahrig Isabella zu.

Isabella ihrerseits betrachtete Victoria mit leicht gekräuselten Lippen, machte allerdings keine Anstalten, irgendetwas zu hinterfragen oder zu kommentieren, ebenso wie vorhin, als sie die beiden im Vorzimmer vermeintlich *gestört* hatte.

Die Geschäftsfrau hatte zur Kenntnis genommen, nicht mehr, nicht weniger, und richtete sich schließlich auf.

„Wo waren wir? Ah ja, Julia. Sie ist die Verlegerin vom Stone Verlag."

Am liebsten hätte Victoria gesagt, dass man das Knistern in der Luft hatte hören können, als sie sich vorgestellt worden waren, und auch jetzt, wenn Isabella von ihrer offensichtlichen Lebensgefährtin sprach, aber sie musste professionell bleiben.

„Wir waren in dem neuen französischen Restaurant essen, das vor Kurzem an der Plaza eröffnet wurde. Charles kam irgendwann rein, sah uns auch gleich, ging aber weiter, als würde er uns nicht kennen.

Julia wollte gleich gehen, doch ich nahm ihre Hand und sagte, dass es dafür keinen Grund gebe. Ich würde mir den schönen Abend mit ihr nicht von ihm kaputt machen lassen. Wenn es ihm unangenehm wäre, uns möglicherweise über den Weg zu laufen, sollte er doch zu Hause bleiben, ich würde mich jedenfalls nicht verstecken und schon gar nicht meine wunderbare Begleitung.“ Isabella ging rüber zu Victoria und setzte sich zu ihr auf das Sofa, wobei ein zartes Lächeln ihre Lippen zierte. „Es lief gut. Julia wurde allmählich locker und wir lachten sogar irgendwann. Ihn hatten wir vergessen. Es wurde spät und der Abend verlief wundervoll, als wären wir in eine Märchenwelt eingetaucht, alles war perfekt, bis wir heimwollten. Als wir vor dem Bereich des Entrées ankamen und kurz davor waren, rauszugehen, hörten wir ihn, denn wir waren, außer Charles, inzwischen die einzigen Gäste, wie wir entgeistert feststellten.

Wirklich, wir hatten gar nicht mitbekommen, dass er noch da war.

Wir blieben stehen, frag mich heute nicht, warum wir das taten, aber wir sahen uns um und entdeckten ihn etwas abseits, alleine an einem Tisch. Man hatte ihm nicht unbedingt den besten Tisch zugewiesen, möchte ich es mal beschreiben, keine Ahnung, warum.

Jedenfalls, es war unübersehbar, wie anzüglich er Julia mal wieder beobachtete. Er leckte sich die Lippen und sagte zu ihr: ‚Wir hatten eigentlich vor, dich zu teilen. Wenn Isabella mit dir fertig gewesen wäre, sollte ich meinen Spaß mit dir haben.‘

Julia hielt mich zurück, als ich ihm eine scheuern wollte, und sagte zu mir, dass ich mir an ihm nicht die Finger schmutzig machen, sondern ihr das überlassen solle. Vic, ungelogen, ich war baff, als sie sich vollkommen lässig vor ihn hinstellte und fragte, ob er keine abkriegen würde und daher immer nehmen würde, was andere übrig ließen. Und ob er solche Komplexe hätte, dass er deswegen seine Position missbrauchen müsste. In dem Moment stieg ihm die Röte aus dem Kragen, er kochte vor Wut. Aber Julia schaute ihn nur abschätzig von unten nach oben an. Dabei lachte sie auf, sah ihm mit einem Mal fest in die Augen und sagte, die Antwort habe sie schon.

Ihm hat ihr Kommentar wohl nicht so richtig geschmeckt, denn mit einem Mal platzte ihm der Kragen. Er wurde laut, nein, eigentlich war es nur noch hasserfülltes Schreien, bei dem ihm fast der Geifer aus dem Hals lief. Er meinte, dass ich richtig zahlen werde, wenn der Richter von unserer Affäre erfährt.

Du wirst es vielleicht nicht glauben, mir fiepten von seinem Gebrüll die Ohren, aber Julia war immer noch am Lächeln, als er fertig war, und fragte ihn nur trocken, welche Affäre er denn meine.

Als wäre es ihr Genugtuung, begann sie doch tatsächlich, ihn auszuzählen.

Julia sagte unverblümt, er solle mal genau nachdenken, was er da für einen Mist von sich geben würde. Er müsste gar nicht versuchen, Geschichten zu verkaufen, denn sie würde wissen, dass Isabella und er schon längst getrennt waren.

Als das zwischen ihr und mir angefangen habe, hätte in meinem Bett endlich das stattgefunden, was ich verdiene, und sie sei unendlich stolz darauf, mir zu geben, wonach ich begehre und was mich befriedigt.

Vic, du hättest sein Gesicht sehen sollen!“ Isabella musste auflachen bei der Erinnerung an ihren Ex, wie er da zwischen Luftschnappen und Überdruckventil im roten Bereich einen vor sich hinpumpte, und erzählte erst weiter, als sie sich beruhigt hatte: „Glaub mir, sie hat keine Bemerkung gemacht, wann das zwischen uns wirklich begonnen hat. Als ich sie als Assistentin wollte, hat er sich sicher seinen Teil gedacht, aber er kann nichts beweisen.

Julia und ich haben am Anfang unserer Beziehung über sehr vieles geredet. Es sollte keine Missverständnisse mehr geben und wir wollten einen sauberen Schnitt machen.“ Der Stolz in Isabellas Stimme war unüberhörbar. Während sie über den Beginn ihrer Beziehung und über ihre Frau sprach, waren Isabellas Stolz und ihr Glück beinahe greifbar für Victoria. „Außerdem fragte sie ihn, wie er denn nun beweisen wollte, was er da so zusammenfantasiere, da sie und ich nur Kolleginnen waren, die zusammen essen gingen. Wirklich, Vic, es war so, sie tippte mit ihrem Zeigefinger gegen ihre Schläfe und fragte ihn in der Tat: ‚Los, dann mal raus damit. Wie wollen Sie beweisen, was Sie da behaupten?‘, frech und herausfordernd wie nur irgendwas. Sie war wirklich heiß, wie sie da bewusst provokativ vor ihm stand.

Er war so rot, dass ich dachte, er kriegt gleich einen Herzinfarkt. Julias Anblick war für mich in diesem Augenblick unbezahlbar, sie strahlte vor Selbstbewusstsein geradezu, nahm meine Hand und zog mich zum Ausgang.“ Isabella atmete einmal tief ein. „Als wir gerade dabei waren, rauszugehen, stand Charles inzwischen an der Garderobe und polterte lauthals hinterher, ob wir beide zusammen in den Fick Club gehen würden und ob Julia ein Halsband mit Kette tragen müsste. Julia hielt mich auf, als ich mich umdrehen wollte, schob mich zur Tür und sagte wieder, sie würde das schon machen.“ Isabellas Stimme nahm einen anderen Ton an, es war eine Mischung aus Stolz und Bewunderung. „Ich glaube, sie hat früher Fußball gespielt oder irgendetwas in dieser Richtung. Sie drehte sich um, holte mit ihrem rechten Fuß aus und trat ihm so stark zwischen die Beine, Vic, ich schwöre dir, ich habe was knacken gehört. Sie kam danach auf mich zu, gab mir einen Kuss auf die Wange und sagte: ‚Komm, Schatz. Wir haben heute noch was vor.‘ Ich weiß nicht, was danach passiert ist, aber Charles lag noch auf dem Boden, als die Tür hinter uns schloss. Ehrlich, ich rechne mit mindestens drei

Oktaven, die seine Stimme höher sein müsste seitdem. Keine Ahnung, wo die Anzeige bleibt."

Victoria konnte sich trotz der Ernsthaftigkeit dieses Trittes gen Männlichkeit von Isabellas Ex nicht mehr zurückhalten. Die Vorstellung, einen gestandenen Mann mit Minnie Mouse ähnlicher Stimme im Gerichtssaal seine Aussage machen zu hören, war zu köstlich. Sie fing lautstark an zu lachen und steckte damit Isabella an, die bis eben noch einen extrem ernsten Gesichtsausdruck gezeigt hatte.

Es dauerte ein wenig, bis sich die Gemüter wieder beruhigt hatten, dann wischte Vic ihre Tränen mit dem Zeigefinger weg, stand von ihrem Platz auf und räusperte sich.

„Also gut, jetzt kommen wir zum Geschäftlichen. Ich habe nur ein paar Fragen."

Isabella nickte auffordernd.

„Es wart nur ihr drei im Restaurant anwesend, sonst hat euch keiner gesehen, keine anderen Gäste, und die Servicekräfte waren auch alle außer Sichtweite?"

„Es war keiner da."

„Gut. Wir werden das Thema nicht von uns aus ansprechen, sollte es zu einem Schlichtungsversuch kommen. Sie werden das aus taktischen Gründen zurückhalten und später agieren.

Es wurde definitiv aufgenommen. Heißt Untersuchung, Attest, Dokumentation durch einen Arzt, damit man es später gegebenenfalls vor Gericht verwenden oder zumindest polizeilich zur Anzeige bringen kann." Victoria hob mehrmals die Augenbraune hoch. „Wir werden abwarten, aber vorbereitet sein. Wenn er nicht an dich rankommt, Isa, dann wird er es über Julia versuchen. Und das Standardverfahren wird erst einmal eine außergerichtliche Einigung sein und wenn nicht, dann heißt es Anzeige. Ich werde den Vorfall einem Kollegen überlassen, der auf dem Gebiet spezialisiert ist. Das eröffnet uns einen weiteren Kriegsnebenschauplatz, weil ein zweiter Anwalt ins Spiel kommt, der Julia vertritt. Ich glaube nicht, dass Frey das anderweitig betreuen lassen wird, dazu ist er zu selbstherrlich, wenn das, was ich über ihn weiß, alles zutrifft." Vic warf Isabella ein aufmunterndes Lächeln zu. „Und wir werden definitiv alles dafür tun, dass er diesen Vorfall nicht zu einem Bestandteil unseres Falles macht. Wir kriegen das hin, keine Sorge." Sie stand auf. „Über den Club werden wir uns auch noch unterhalten, was er damit meinte. Ich werde mich erst einmal einrichten und dann sage ich dir Bescheid, wie wir weiter vorgehen werden."

Isabella hatte sich auch erhoben. „Ich möchte Julia da raushalten, wenn es eben geht. Ich muss sie beschützen."

„Ich werde tun, was ich kann, aber ich will ehrlich sein. Ich kann es nicht versprechen." Victoria ging Richtung Tür.

„Ach, warte kurz. Ich weiß, dass du niemanden aus der Kanzlei mitgenommen hast. Aber ich habe dir eine Assistentin besorgt. Eine von uns, sie kennt hier praktisch alle und weiß, wer wo ist. Das spart sicher einiges an Zeit."

„Eigentlich ungern, Isabella. Ich verstehe deine Intention dahinter, aber wir müssen aufpassen.

Wenn es drum geht, mir schneller normales Hintergrundwissen zu holen, Dinge, die sozusagen zum Alltag gehören, über die man unter Kollegen redet, dann okay. Aber Firmen- und Personeninterna, die in erster Linie nichts mit deinem Fall zu tun haben, da müssen wir bestmöglich absehen in Bezug auf das Einbinden Unbeteiligter, um keine schlafenden Hunde zu wecken. Wir müssen extrem vorsichtig sein, denn der Buschfunk kann auch nach außerhalb dringen.

Aber ja, ich denke, eine Person aus eurer Mitte wird Zeit und Mühe sparen können. Ich werde genau darauf achten, was ich frage und wie ich sie involviere. Wann kommt sie?"

„Ach, sie ist relativ neu und noch nicht komplett eingearbeitet, aber sie ist Alice unterstellt, wenn es Fragen gibt. Sozusagen arbeitest du mit Alice zusammen, die andere ist vorerst noch eine Art Laufbursche, weil ihr sicher noch eine ganze Menge Hintergrund fehlt." Isabella schien zu überlegen. „Dir zu assistieren wird mir zeigen, wie flexibel sie ist. Ich will ehrlich sein, noch ist sie als Aushilfe über eine Agentur gebucht. Aber wer weiß, wenn sie sich gut macht, empfiehlt sie sich eventuell für mehr, das junge Talent am Autorenhimmel." Isabellas Gesichtsausdruck nahm für Sekunden einen fürsorglichen Ausdruck an. „Wir haben alle mal irgendwann angefangen, aber sei es drum. Wir sind momentan für unsere derzeitig großartige Auftragslage ziemlich unterbesetzt und ich brauche jeden Einzelnen aus meinem erfahrenen Stamm. Sie kennt sich schon ein wenig aus, wie mir versichert wurde, und für den Rest ist Alice jederzeit greifbar. Besagte Mitarbeiterin ist schon da und wartet auf dich. So könnten wir mehrere Sachen auf einmal abhaken." Isabella öffnete die Tür und Toni stand da.

Sie wirkte seltsam verunsichert und „hi" war alles, was sie über die Lippen brachte. Dennoch waren das ganze zwei Buchstaben mehr als das, was Victoria zu sagen imstande war.

Kapitel 10

Was für ein Morgen ...

Victoria stand mit einem Gefühl innerer Unruhe im Besprechungsraum. Dass Toni empfunden ziemlich dicht hinter ihr stand, half nicht gerade, um die Nerven zu beruhigen.

Warum sie heute Morgen so angespannt war, konnte sie sich selbst nicht erklären. Jetzt aber, da diese Frau wieder da war und Victoria erneut deren Auswirkung auf ihre Aufmerksamkeit bemerkte, weil sie hier im selben Raum war, konnte sie eins und eins zusammenzählen. Diese *Toni* hatte etwas an sich, eine Ausstrahlung, die Victoria einfing und sie von dem abhielt, weswegen sie hier war, und das durfte sie auf keinen Fall zulassen.

Victoria straffte die Schultern, sie war beruflich hier und es war ihr noch nicht passiert, dass sie wegen einer Person ihren Fokus verlor. *Du bist Profi, also benimm dich auch so!*, maßregelte sie sich schließlich und suchte sich ihren Platz aus. Da der Tisch, wie in Besprechungsräumen üblich, auch hier länglich war, wählte sie den Platz in der Mitte der Längsseite mit dem Rücken zum Fenster. Somit konnte sie, da die Wände nahezu komplett aus Glas waren, das Treiben im Büro beobachten und jeden, der sich zu ihr auf den Weg machte, hatte sie bereits im Auge, bevor er den Raum überhaupt betrat, was dem einen oder anderen vielleicht den ersten Umgang mit einer Anwältin erleichterte.

Sie stellte ihre Tasche ab, legte die Akte, die in den letzten Tagen bereits an Umfang zugenommen hatte, auf den Tisch und atmete einmal tief durch. Ihr Blick ging zu Toni, die sonderbar rastlos schien und von einem Fuß auf den anderen trat, was Victoria ihre eigene Unruhe erneut vor Augen führte. Sie betrachtete ihr Gegenüber einen Moment lang, schaute dem Hibbeln ihrer Füße zu und blickte dann auf. Als Toni sie im selben Augenblick ansah, war sie für einen kurzen Augenblick in diesem Braun versunken.

Hör auf damit!

Victoria unterbrach den Augenkontakt und räusperte sich. „Ich denke nicht, dass wir heute noch mit der eigentlichen Arbeit hier vor Ort anfangen können. Ich muss erst noch einmal ins Büro und weitere Unterlagen herholen, dazu noch einige Gesetzesbücher und Unterlagen zu Präzedenzfällen, in denen ich schon im Vorfeld nachschlagen wollte. Also, theoretisch könntest du erst mal das machen, was du hier eigentlich machen sollst, anstatt mir zuzuarbeiten."

„Ich komm mit", sagte Toni sofort und ließ durch ihre Reaktion keinen Platz für Widerworte.

Victoria schaute sie fragend an, denn damit hatte sie nicht gerechnet.

„Na ja, ich meine halt, weil …, wer soll das, was du offensichtlich alles brauchst, tragen? Muss doch nicht sein, dass du dich alleine abschleppst damit. Ich soll dir helfen, also helfe ich dir. Wir fahren hin, packen die Kartons und kommen wieder hierher. Ich habe sowieso nichts anderes zu tun, ich bin dir zugeteilt, soll somit für dich arbeiten." Ein freches Schmunzeln zeigte sich. „Ich soll nichts anderes tun, als dir hinterherzulaufen, dir Kaffee zu kochen und solche Dinge." Das Grinsen wurde breiter. „Wenn du es so siehst, ich habe keine andere Aufgabe, als für dich da zu sein und all deine

Wünsche zu erfüllen." Tonis warmes Lachen erklang und sie zwinkerte Victoria zu.

Victoria schluckte trocken. Sie musste sich zusammenreißen, um nicht ihrem gerne mal losen Mundwerk nachzugeben und mit einem anzüglichen Spruch zu kontern, denn dieser letzte Satz Tonis war allemal anzüglich und löste ein Kribbeln in ihrem Bauch aus, über dessen Ursache sie gar nicht weiter nachdenken wollte. Das leichte Pochen, das sie in ihren Lenden gleichzeitig fühlte, ignorierte sie bestmöglich, denn sie war schlagartig sicher, dass Toni diese Bemerkung so meinte, wie Vic sie interpretierte.

Toni bemerkte Victorias Zögern und fragte sich, ob sie vielleicht zu forsch gewesen war, schob daher ein „Okay, natürlich muss ich für Alice auf Abruf bereitstehen, aber sie hat schon gesagt, dass sie versuchen wird, möglichst viel alleine zu bewerkstelligen" zur Entschärfung ihres Spruches nach und konnte beobachten, wie die Gesichtszüge der Anwältin etwas entspannten.

„Dann lass uns los."

Victoria nahm ihre Handtasche, den Schlüssel zum Besprechungsraum und Toni hielt die Tür für sie auf. Die Nähe, in der sie an Toni vorbei ging, führte dazu, dass ihr das Parfüm von Toni wieder in die Nase stieg. Jedes Mal, wenn sie den Duft roch, gefiel er ihr noch besser als davor. Er stand Toni ungemein gut und Vic war sicher, dass sein Reiz in der ungewöhnlichen Mischung lag, die sie noch nie zuvor bei jemandem wahrgenommen hatte.

Vielleicht hat Toni sich einen persönlichen Duft kreieren lassen, kam es ihr überraschend in den Sinn. Ein kaum merklicher Blick musterte Toni, als Vic an ihr vorbeiging. *Gut möglich*, entschied sie die Parfüm Thematik für sich, wobei ihr auffiel, dass Toni irgendwie sonderbar *im Weg* stand. Nicht wirklich im Weg, aber so, wie sie vor Victoria die Tür geöffnet hatte und wo Toni dann stehen geblieben war, hatte die Anwältin tatsächlich den Eindruck, sie hätte sich absichtlich so hingestellt, dass Vic nah an ihr vorbeimusste.

Sie spielt wohl gerne kleine Spielchen. Das sollte ich schnellstens unterbinden.

Victoria trat auf den Gang, drehte sich um und bedachte Toni mit einem Schmunzeln, ihre hochgezogene Augenbraue und ein angedeutetes Kopfschütteln signalisierten Toni, dass Vic sie ertappt hatte. Toni zuckte auf diese Geste hin grinsend mit den Schultern.

„Unglaublich", kommentiert Victoria belustigt, wendete sich der Tür zu und schloss den Raum ab, denn jetzt lagerten hier bereits Dokumente, die nur für ihre Augen bestimmt waren. Nur Isabella und sie hatten einen Schlüssel für den Raum, somit war sichergestellt, dass niemand unerlaubt Zugang bekam.

Es waren keine einfachen Zimmerschlösser, kein dünnes Glas, alles hier war Hightech, die Schlösser. Spezialglas umgab abgetrennte Räume, das sowohl speziell beschichtet war, um Akustik zu schlucken, das aber auch besonderer Maßnahmen bedurfte, wenn man es zerstören wollte.

Einfach mit einem Stuhl oder einem Vorschlaghammer würde sich niemand Zutritt verschaffen können, der nicht im Besitz eines entsprechenden Schlüssels war, soviel hatte Isabella ihr unter vier Augen verraten. Alles, was den Verlag und dessen Aufträge betraf, war abgesichert. Es ging hier nicht um ein paar Dollar, sondern um Summen im siebenstelligen Bereich.

Wenn das Manuskript eines ihrer Star Autoren im Netz zu finden wäre, bevor es veröffentlicht wurde, wäre der Schaden für Isabella und Underwood Publishing beträchtlich, konnte in die Millionen gehen. Und Victoria wusste selbst zu gut, sie müssten in solch einem Fall haften, dem Autoren seinen Schaden ersetzen, was bei Fahrlässigkeit einen finanziellen Genickbruch für den Verlag bedeuten konnte. Ganz zu schweigen von der Zukunft ihrer Angestellten, wie Isabella zudem klar–machte, wenn es um das Aus des Verlages ging.

Schon sonderbar, was einem alles so wieder in den Kopf kommt, nur weil man einen Raum abgeschlossen hat, dachte die Anwältin, als sie zu den Aufzügen liefen.

Am Fahrstuhl wartete Toni, dass Victoria hineintrat, und stellte sich dann neben sie.

Aus dem Augenwinkel sah sie, dass ihre neue Interims Chefin stur auf die Aufzugstüren schaute, was ein seltsames Gefühl verursachte. Die lockere Stimmung, die eben beim Verlassen des Besprechungsraumes noch geherrscht hatte, war mit einem Mal weg, als habe Toni sich diese eingebildet. Sie fühlte sich ungleich überflüssig und nicht willkommen an Victorias Seite. Toni konnte allerdings nicht sagen, ob sie sie absichtlich ignorierte oder ob die Juristin schlicht in Gedanken war.

Auch die Autofahrt war für sie nicht angenehmer. Die Enge des Wageninneren war alles andere als zuträglich, erneut eine lockere Atmosphäre zu schaffen, und keine von ihnen machte den Versuch, ein Gespräch anzuschieben. Somit versank Toni in ihren sonderbaren Gedanken über die hübsche Frau neben sich.

Der unerwartet aufkommende Drang, Victorias Hand zu greifen, um diese während der Fahrt zu halten, brachte Toni dazu, sich zu fragen, warum sie überhaupt angeboten hatte, mitzukommen.

Um sie besser kennenzulernen und Vertrauen zu schaffen! Deswegen mache ich das.

Der Ausklang ihres gestrigen Tages hatte sie im Nachhinein selbst mehr als überrumpelt, als sie, in ihrer Badewanne liegend, der Entspannung nachspürte, die das motorisierte Helferlein ihr verschafft hatte.

Dass diese Frau neben ihr sie dermaßen angeturnt hatte, dass sie ihrer aufstauten Lust Linderung verschaffen musste, damit hatte sie morgens ganz sicher nicht gerechnet. Aber kaum, dass sie abends durch die Wohnungstür war, alles mit Schwung in die Ecke geworfen und sich ein Bad eingelassen hatte und sich schließlich in der Wanne ihrem eigenen Verlangen hingab, war diese Frau bei ihr. In ihrer Fantasie so real, hatte Victoria Besitz von ihren Gedanken ergriffen und ihr Handeln gesteuert.

Toni dachte immer wieder an Victorias Augen, ihre Lippen, ihre Bewegungen, ihren Duft. Über den Tag hinweg hatten sich all diese Details addiert und multipliziert und kamen in ihrer Auswirkung auf Tonis erotisches Empfinden so unvorhergesehen, dass Toni von ihrer Lust vollkommen überrumpelt worden war und jetzt noch immer nicht richtig verstand, was ihr gestern passiert war.

Was zur Hölle war mit ihr los? Warum setzte sie sich der Gefahr aus, ihren Verstand durch ihre Libido auszublenden? Sie hatte einen klaren Auftrag.

Obwohl eine Stimme in ihrem Kopf sie diesbezüglich erinnerte und ihr all das mehr als klar war, wollte sie eindeutig ebenso wenig, dass ein Tag mit Victoria einfach so vorbeizog.

Nicht nur der sexuelle Reiz, der von Victoria auf Toni wirkte, weckte deren Wunsch danach, Zeit an ihrer Seite zu verbringen. Da war mehr. Victoria strahlte Ruhe und Zuversicht aus, die ihr selbstbewusstes Auftreten noch verstärkte, wenn sie auch manchmal ein wenig abwesend erschien, wenn sie aufeinandertrafen. Toni mochte sich täuschen, aber sie hatte den Eindruck, dass diese Fahrigkeit oder war es ein Anflug von Nervosität, erst auftrat, wenn Victoria sie bemerkte. Sie war selbst überrascht, als es ihr bewusst wurde, aber dann wünschte sie sich sogar, *dass* es so war. Denn sie selbst hatte größte Schwierigkeiten, den Anschein zu wahren, dass es sie nicht beeinflusste, wenn Victoria in ihrer Nähe war.

Als Alice Toni erzählt hatte, dass sie woandershin versetzt würde, bekam diese zuerst Panik und suchte fieberhaft nach Argumenten, warum das nicht gut wäre.

Sie würde auch an die Informationen kommen, die sie brauchte, wenn sie nicht mehr bei Alice beschäftigt war, das wäre nicht das Problem gewesen. Aber so wäre alles einfacher gewesen, war sich Toni sicher.

Doch als Alice ausgesprochen hatte, wo ihr neues Aufgabengebiet läge, und dann Toni anschließend fragte, ob sie damit einverstanden sei, sagte diese, ohne weiter über ihre bisherigen körperlichen Reaktionen auf Victorias Person nachzudenken, sofort zu. *Jackpot!,* jubelte sie innerlich und freute sich diebisch. Genau wegen diesem Gedanken musste sie lächeln, denn sie merkte, dass sie sich beinahe wie ein Kind freute, fehlte nur, dass sie in die Hände klatschte.

Das Schmunzeln, das Alice zu verstecken versuchte, ärgerte Toni ein wenig. Doch noch bevor sie etwas sagen konnte, wurde auch schon die Tür zu Alices Büro geöffnet.

Wie Victoria da stand, in ihrem gut sitzenden Business Anzug Selbstbewusstsein und Power ausstrahlte, ließ Tonis Körper unweigerlich reagieren. Sofort fühlte sie sich, als stiege ihr die Hitze direkt aus dem Kragen. Diese Erscheinung in der geöffneten Tür war für sie pure Erotik, ließ Toni sprichwörtlich das Wasser im Munde zusammenlaufen.

Sie hatte schon immer eine Schwäche für Business Frauen gehabt, die Selbstbewusstsein und Stärke ausstrahlten.

In Victorias Ausstrahlung lag so viel Reiz, ihre Haltung war zugleich dominant und doch zurückhaltend, als würde sie bewusst damit spielen, um ihr Gegenüber zu verwirren.

Was war das nur, was sie aussandte? Wirkte es nur auf und bei Toni oder erlagen ihr Menschen reihenweise?

Toni konnte nicht anders. Sie stellte sich vor, wie es wäre, wenn sie die Kontrolle übernahm und diese Frau in ihrem Auftreten erschütterte. Wenn sie dafür sorgen würde, dass Victorias berufliche Fassade ihre Bedeutung verlor, sie einzig als sie selbst unter Tonis Berührungen verging, sich fallen ließ. Dass sie vor Begehren wimmerte und um Erlösung bat, Toni nach mehr anbettelte. Was wäre, wenn Victoria sie bitten würde, sie danach fest in den Armen zu halten und bei ihr zu bleiben? Sie musste nicht lange überlegen, sie würde es ohne zu zögern tun.

Toni erschrak über ihre Fantasie, nicht darüber, dass diese ihren Slip binnen kürzester Zeit hatte feucht werden lassen. Das war eine unweigerliche Reaktion auf ihre sexuellen Tagträume, die sie zu gerne mit Victoria ausleben wollte.

Doch diese anderen Gedanken waren neu, Zärtlichkeiten über ein erotisches Stelldichein hinaus zu teilen, die andere nicht gehen lassen zu wollen, das gehörte normalerweise so gar nicht zu Toni, verunsicherte die Ermittlerin unerwartet und sie war davon überzeugt, diese Unsicherheit konnten die anderen Anwesenden ihr ansehen.

Schnell erhob sie sich, damit die Situation nicht noch prekärer für sie wurde. Glücklicherweise wusste sie zu nutzen, dass Victoria sich morgens bei Alice persönlich anmeldete, und hechtete förmlich Richtung Gang.

Wiederkehrende Rituale hatten schon einen gewissen Vorteil, denn so wusste Toni, dass Victoria Alice morgens persönlich begrüßte, ihre Anwesenheit somit bekannt gab, dabei Toni praktisch abholte und den Startschuss für ihren gemeinsamen Arbeitstag setzte.

Als sie hinter Victoria her zum Besprechungsraum ging, musste sie sich zusammenreißen, ihr nicht nur auf den Hintern zu schauen. Allerdings war der Blick geradeaus nicht viel sinnvoller. Victoria trug wieder einen Dutt, wobei sich einzelne Strähnen wie zufällig aus der hochgesteckten Frisur gestohlen hatten, locker herabfielen und Victoria nicht ganz so streng und kühl wirkte, eher lässig sportiv. Tonis Fingerspitzen kribbelten, sie wollten diese Haare anfassen, sie durch ihre Finger gleiten lassen, fühlen, ob sie so seidig waren wie der Schimmer, der sich auf ihnen zeigte.

Plötzlich schüttelte Toni kaum sichtbar den Kopf, denn sie merkte, was da in ihrer Vorstellung wieder passierte. All diese Gedanken, das konnte doch nicht sein! Das war nicht sie selbst.

Sie hätte gestern Abend vögeln gehen sollen, mit Übernachtungsoption und sich am besten heute Morgen einen Nachschlag gegönnt, dann hätte sie jetzt nicht diesen sexuellen

Notstand und sie könnte sich auf ihre Arbeit konzentrieren. Wenn ihr Chef davon wüsste, er würde ihr gehörig den Kopf waschen, vielleicht sogar sofort einen Tausch des Ermittlers vornehmen, worüber Toni gar nicht erst nachdenken wollte.

Sie hatten die Aufzüge erreicht, konnten gleich in eine der Kabinen einsteigen und blieben die einzigen Benutzerinnen, als sich nach ihnen die Türen schlossen. Nur wenige Augenblicke später nahm Toni den unverwechselbaren Duft der Juristin wahr, als sie neben Vic stand.

Das ist ... Toni konnte es nicht richtig festmachen, was sie eigentlich wahrnahm, sie konnte den Duft Victorias nur als warm und einhüllend beschreiben, auf unbestimmte Art wie ein Nachhausekommen. Dann nahm sie die Wärme auf ihrem Oberschenkel wahr und war wieder zurück im Hier und Jetzt. Ihren Kopf drehte sie nach links und sah vollkommen unerwartet direkt in Victorias Augen. Vic schaute sie leicht schmunzelnd an, sagte aber nichts. Doch etwas passierte mit diesem wundervollen Lächeln, als Toni reflexartig auf ihre Lippen schaute. Es verschwand einfach, wich einer sonderbar konzentriert wirkenden Ausstrahlung, die die Juristin mit einem Mal umgab. Und sie konnte sehen, dass Victoria schwer schluckte.

Abrupt rückte die Anwältin von Toni ab und räusperte sich. „Wir sind da.“ Die Türen des Aufzuges öffneten sich fast lautlos und Victoria drückte sich bereits hindurch, als würde sie es kaum erwarten können, mehr Abstand zu Toni zu bekommen. Während des Aussteigens sagte sie dennoch: „Komm schon.“

Den Rest des Weges gingen sie mit genügend Abstand nebeneinander her, was dazu führte, dass Tonis Blick immer mal wieder nach unten ging, statt auf den reizvollen Körperarealen ihrer momentanen Chefin zu verweilen wie zuvor, als sie hinter ihr lief.

In Victorias Büro angekommen, fühlte sich Toni nicht fremd. Sonderbar, aber sie fühlte sich wohl. Obwohl schon einige leere Aktenkartons in einer Ecke standen, die dafür gedacht waren, benötigte Unterlagen mitzunehmen, schaute sie sich zuerst in Ruhe um.

Es gab eine klassische Einrichtung mit Schreibtisch, Regalen und Aktenschränken. Was dies Büro aber besonders machte und von so vielen Büros unterschied, die Toni bereits gesehen hatte, waren die warmen Farben und die geschmackvoll ausgewählte Dekoration.

Toni kam nicht umhin zu bemerken, dass es nicht unbedingt oft vorkam, dass ein Büro als Arbeitsplatz einen Menschen widerzuspiegeln schien. Dieser Raum jedenfalls hatte extrem viel *Victoria* in sich; für Toni spannend, sich die einzelnen Details anzusehen.

Auf dem Schreibtisch lag eine orange Unterlage, eine Vielzahl bunter Stifte, die Toni zugegebenermaßen in einem Anwaltsbüro nicht erwarten würde, die aber dennoch bei Victoria passten. Toni schrieb ihr sogar zu, dass sie bei ihren Arbeiten an und in Akten eine ganz eigene Art hatte, Notizen und Kennzeichnungen zu machen statt das klassische Post-it und bloße Notizen. *Irgendwie süß,* dachte Toni. Es zeigte eine andere Seite Victorias, wie das Büro eingerichtet und die Gebrauchsgegenstände ausgewählt waren. Nicht die selbstbewusste und sich ihrer anwaltlichen Fähigkeiten bewusste Frau, sondern eine, die Einfühlungsgabe hatte und Menschlichkeit zeigte. Etwas, das Toni bis jetzt in all den Jahren ihrer Tätigkeit und den daraus resultierenden Erfahrungen heraus noch nie bei einem Anwalt gesehen hatte.

Toni merkte, dass sie schon wieder in eine Richtung abdriftete, die hier definitiv nicht hergehörte, und schickte sich an, den Raum weiter optisch zu scannen.

Die Wanddekoration war wunderbar kombiniert. Neben interessanten Kunstdrucken mit interpretierbaren Motiven, die dennoch sehr eindrucksvoll waren, und der Urkunde zu ihrem Uni–Abschluss gab es noch Kinderbilder zu sehen.

Entweder zeigten diese drei Personen, von denen Toni sofort eine ganz bestimmte erkannte, oder es waren zwei Personen. Die Bilder zeigten immer mindestens eine erwachsene Person mit einem Kind und egal, wie naiv die Ausführung war, Victoria war auf ihnen immer zu erkennen.

An einer Zeichnung blieb sie hängen, denn auf der sah man das Kind mit besonders breitem Grinsen und mit einem Hund, den es fest umarmte. Toni ging näher ran und musste lächeln.

Victoria stand neben ihr und schaute auch auf besagtes Bild. Leise sagte sie: „Ich freue mich, wenn ich so ein Bild bekomme. Es ist für mich wertvoller als jede Urkunde oder Zeitungsausschnitte. Ich habe dann, so hoffe ich jedenfalls, einen guten Eindruck hinterlassen. Es bedeutet viel, wenn Kinder mich mit auf ein Bild malen. Das zeigt mir, ich habe eine wichtige Rolle in ihrem Leben gespielt, zwar nur kurz, aber dafür eben wichtig. Die Kinder lernen etwas. Dass es Menschen gibt, die helfen, und dass am Ende das Gute gewinnt. Vertrauen zu schaffen und ihnen nicht ihr kindliches Weltbild zu zerstören ist für die kleinen Menschen unsagbar wichtig. Sie bekommen schon viel zu früh Dinge mit, die wir Erwachsenen doch eigentlich von ihnen fernhalten sollten, so lange es geht.

Kinder sind viel sensibler, als die meisten von uns Erwachsenen offenbar annehmen. Wir vergessen zu oft, auch wenn es nicht so aussieht, sie kriegen alles mit, viel ungefilterter, weil sie noch nicht so gut selektieren oder ausblenden können. Sie zerbrechen sich ihre kleinen Köpfe über Dinge, die sie eigentlich noch gar nicht beschäftigen dürften.

Egal, wie sehr die Eltern flüstern, sich mit Wut anschauen oder einfach nur kalt zueinander sind, all das spüren Kinder. Ich behaupte sogar, dass sie durch ihren kindlichen Instinkt deutlich mehr mitkriegen, als wir Erwachsenen es uns vorstellen können. Und ihnen dann zu helfen, dass alles anders wird, was im ersten Augenblick sehr schwer für die Kinder ist, das gibt mir unsagbar viel. So oft ist es ein langer, beschwerlicher und tränenreicher Weg, auch für die kleinen Menschen, aber dass es dann irgendwann ruhiger wird und sie sehen können, dass ihre Mutter oder in selteneren Fällen ihr

Dad wieder glücklich ist, beruhigt auch meist die Kinder wieder, denn dann wissen sie, dass alles wieder gut wird."

Victoria sprach mit so einer Leidenschaft in der Stimme, dass Toni sie lächelnd ansah. Victoria wurde von ihrem Lächeln magisch angezogen und war die, die agierte. Sie war es diesmal, die auf Tonis Lippen schaute und sich langsam nach vorne beugte.

„Klopf, klopf", erklang eine Stimme aus Richtung Tür und die beiden Frauen sprangen förmlich zurück.

„Hey, Dad." Als Victoria zu Toni schaute, war deren Blick auf ihre eigenen Schuhe gerichtet. Sie gab ihm einen Kuss auf die Wange. „Darf ich vorstellen. Das ist Toni …" Fragend schaute sie zu Toni.

„Antonia Layne, Sir. Aber bitte nur *Toni*. Alles andere bin ich seit Kindesbeinen nicht gewohnt." Sie reichte ihm die Hand und lächelte ihn offen an.

„Also, Sie sind dafür verantwortlich, dass meine Kleine auszieht."

Seine tiefe Stimme hatte die gleiche Wärme wie Victorias. Und nicht nur das, auch das Äußerliche war unstrittig auf gemeinsame Gene zurückzuführen. Außer der Augenfarbe stimmte praktisch alles überein. Das Offensichtliche hatten sie gemeinsam, ebenso die gesamte Ausstrahlung. Toni mochte ihn auf Anhieb.

Doch wusste sie in diesem Augenblick nicht, wie sie auf seine Feststellung antworten sollte. Sie hatte das Gefühl, dass sie gerade dem Vater vorgestellt wurde und Victoria zu einem Date abholte. Väter hatten doch meist dieses Prüfende an sich, diese bestimmte Art, auszudrücken, ‚wehe, du behandelst meine Tochter nicht, wie es sich gehört'. Dabei ging es hier ja gar nicht um ein Date oder Ähnliches.

„Ähm … also, Sir …"

„Was hast du da?" Victoria hatte das Schauspiel beobachtet und fand es an der Zeit, das Ganze zu unterbrechen.

„Die Akte, die du wolltest."

„Und die konntest du nicht meiner Assistentin geben?"

„Nein, das wollte ich persönlich machen. Immerhin wirst du in nächster Zeit hier nicht zu sehen sein. Da muss ich doch jede Chance nutzen."

Victoria lachte. „Man könnte wirklich meinen, ich wäre noch deine kleine Tochter und würde zu Hause ausziehen."

„Das mit der Tochter stimmt aber. Und ausziehen tust du auch, zumindest temporär." Martin Wentworth setzte einen gequälten Vaterblick auf und Victoria rollte schmunzelnd mit den Augen. Er gab ihr die Akte und sagte: „Wir telefonieren. Ich möchte auf dem Laufenden gehalten werden."

„Machen wir." Victoria drehte sich um und öffnete den Aktenschrank.

Ihr Vater drehte sich zu Toni. „Passen Sie auf sie auf, Ms. Layne. Entschuldigung, Toni."

Das Einzige, was Toni darauf erwidern konnte, war ein Nicken, damit er ihre Ernsthaftigkeit darin sah. Das Komische war, dass sie es auch so meinte. Sie würde auf Victoria achtgeben.

Toni merkte unversehens, dass sie in Schwierigkeiten war. Wie sollte sie auf Victoria aufpassen, wenn sie die Person war, die sie hintergehen würde? *Ich habe ein Problem!* Toni verdrängte das schlechte Gewissen, das sie hatte, in die hinterste, dunkelste Ecke in ihrem Kopf, sie würde sich später damit befassen. In solch emotionalen Situationen war sie sehr gut darin, zu verdrängen, was sie für den Moment in Schwierigkeiten zu bringen drohte. Sonst hätte sie ihren Job nicht machen können.

Victorias Vater verabschiedete sich und ging und als er den Raum verlassen hatte, kehrten Tonis Augen zu Victoria zurück. Sie wanderten über ihre Gesichtszüge und über ihren Körper, weil Toni schlagartig wieder daran erinnert wurde, was vor Mr. Wentworths Erscheinen beinahe passiert wäre. Sie konnte ihren Blick plötzlich nicht mehr von Vics Kurven abwenden.

„Hey! Meine Augen sind hier oben."

Toni wurde ganz warm im Nacken und es war ihr unangenehm, dass sie beim Starren erwischt wurde. Sie schaute jetzt überall hin, nur nicht mehr zu Vic.

Die in der Ecke liegenden leeren Kartons waren die Lösung. Sie nahm diese und stellte sie auf den Schreibtisch. „Okay, was soll ich tun?"

„Ganz einfach, zeig mir, wie stark du bist", antwortete Vic, ohne zu zögern. Ihre Stimme hatte dabei einen Unterton, den Toni nicht so recht einordnen konnte. Darum starrte sie die Anwältin nur mit weit aufgerissenen Augen an und konnte nicht antworten.

Vic lupfte mehrfach ihre Augenbrauen und sagte: „Komm schon." Dem folgte ein kleines aufforderndes Lächeln.

Victoria hatte eindeutig ihren Spaß an Tonis Reaktionen. Sie wusste selbst nicht, was sie geritten hatte, sie mit einem mehr als doppeldeutigen Spruch aus der Reserve locken zu wollen.

Lag es daran, dass sie Toni unsicher erlebt hatte und dass sie hier ihre Chance witterte, ihr ein wenig zu zeigen, wo ihre Grenzen lagen? Oder war es die Retourkutsche, weil Toni sie ganz offen beobachtet hatte, offen und eindeutig, so *eindeutig*, dass Vic das Gefühl hatte, dass Toni sie mit ihren Blicken auszog?

War sie wirklich nervös geworden, und das durch ihren Vater? Die Frau, die unbestritten keine Probleme damit hatte, mit ihr zu flirten, wenn sie alleine waren?

Wollte Victoria vielleicht nur sehen, wie weit Toni gehen würde in ihrer Offenheit? Oder war sie selbst so forsch, weil sie auf ihrem Territorium war? Da war ein Reiz, dem sie nicht entkam. Toni hatte etwas an sich, das ihre eigenen Regeln immer weiter auszusetzen schien.

Eigentlich war es ihr egal, wo sie hier waren, ob es ihr Spielfeld war, dass die Kanzlei wie ein zweites Zuhause war. Dennoch hatte sie nicht anders gekonnt, als Toni zu locken, wenn auch nur mit einem Spruch, den nur jemand so auslegte, wie Toni es offensichtlich tat, der eben dieses Interesse verfolgte und sehr wohl Hintergedanken hatte, die alles andere als jungendfrei waren. Sie hatte sie definitiv erwischt!

Die Röte in Tonis Gesicht sprach ihre eigene Sprache. Victoria genoss die Unsicherheit dieser sonst so selbstsicheren Frau in vollen Zügen. Nicht, weil sie sich über sie lustig machen wollte, sondern weil es sie anmachte, zu sehen, was sie bei Toni auslöste. Vic mochte es tatsächlich, wie unverhohlen Toni ihrerseits Victoria mit Blicken bedachte, die eindeutiger kaum sein konnten. Dass es jetzt anders war bei Toni, dass sie offenbar überlegen musste, wie sie auf Victorias Herausforderung reagieren sollte, gab Vic ein unbeschreibliches Gefühl, verlieh ihr eine neue Machtposition, mit der sie nicht gerechnet hatte, schon gar nicht in Bezug auf die erotische Ebene. Sie konnte es nicht leugnen, obwohl sie unerwartet in diese Rolle gelangt war, genoss sie.

Irgendetwas lockte sie, Toni zu verunsichern. Möglicherweise, weil sie den Eindruck hatte, mehr von ihr zu sehen, als Toni zuließ, wenn sie ihre taffe, spitzbübische Seite zeigte, die allzu gerne flirtete.

Wirklich verstehen konnte Vic ihr eigenes Handeln nicht, denn sie mischte Berufliches und Privates normalerweise nicht. Aber diese Frau verschob ihre Grenzen, als gäbe es sie gar nicht, und Vic konnte dem Reiz nicht widerstehen. Oder *wollte* sie ihm nicht widerstehen?

Vic musste sich mit ebendieser Frage unbedingt auseinandersetzen, aber nicht jetzt, nicht hier, nicht in Tonis Nähe. Es war viel zu offensichtlich, dass sie jegliche klare Gedanken im Moment zunichte machte durch ihre bloße Anwesenheit.

Vic änderte ihren Modus wieder zurück zur Geschäftsebene, um sie beide wieder in die Spur zu bringen. „Na los, lass uns die Sachen zusammenpacken. Wir sollten zusehen, dass wir zurück in den Verlag kommen. Ich muss die kommenden Tage noch vorbereiten."

Toni sah sie kurz an, nickte und stellte Victoria dann ein paar Kartons auf den Tisch.

Wenig später machten sich die zwei wieder auf den Weg in den Verlag. Dort angekommen, brachten sie die Dokumente in den Besprechungsraum.

Während Victoria sich bereits mit den Unterlagen befasste und wenig später erste Namen von Mitarbeiterinnen und Mitarbeitern des Verlages notierte, die für Befragungen infrage kamen, entließ sie Toni für den restlichen Tag und schickte sie zurück zu Alice, was Toni mit einem Veto zu verhindern versuchte. Doch Vic ließ sie damit nicht durchkommen.

„Wirklich, Toni, heute kannst du mir nicht mehr helfen. Ich bereite für morgen einiges vor. Da brauche ich dich dann wieder."

Etwas mürrisch zog Toni sich schließlich zurück. Die Anwältin hatte entschieden und sie sollte besser nicht zu penetrant in dem Versuch sein, sie umzustimmen, andernfalls könnte Victoria doch misstrauisch werden.

„Dann bis morgen, Victoria." Toni sah von der Tür aus ein letztes Mal zurück zum Tisch und hoffte, Victorias Augen einzufangen. Ihr Blick blieb jedoch unerwidert, da Vic vollkommen in ihrer Arbeit versunken war und lediglich ein kurzes „Ja, bis morgen" entgegnete.

So *verabschiedet* zu werden, noch nicht einmal einen einzigen Blick wert zu sein, verursachte in Tonis Bauch ein ungutes Gefühl, als wäre sie soeben abserviert worden.

Auch wenn ihre Reaktion für jemand anderen möglicherweise überzogen gewesen wäre, das hier war etwas, das sie nicht kannte. Ausgerechnet von Victoria so behandelt zu werden, machte es umso schlimmer, weil Toni trotz der kurzen Zeit, in der sie jetzt offiziell mit Vic zu tun hatte, nicht damit gerechnet hatte. Ihre Ermittler Ehre bekam gerade einen ziemlich deutlichen Knacks.

Kapitel 11

Seit einer Woche arbeiteten sie nun zusammen und außer dem, was in Victorias Büro abgelaufen war, gab es keine weiteren Zeichen für offene Flirts. Toni bemerkte, dass sie beobachtet wurde, sah Victorias Blick in der Verglasung der Wandelemente, doch mehr passierte nicht.

In ihren Träumen passierte dafür umso mehr. Fantasien wachsender erotischer Momente, die sie mit Victoria ausleben wollte, machten ihre Nächte zu wahren Erlebnistrips, die sie so niemals erwartet hätte. Toni hatte unbestritten ein lebhaftes Vorstellungsvermögen und genoss sexuellen Ideenreichtum, besonders, wenn sich ihre Partnerin ebenso einbrachte – was konnte reizvoller sein?

Sie träumte oft davon, dass Victoria im Büro an der Fensterscheibe stand, ihren Gedanken nachhängend rausschaute und sie beim Betreten des Raumes nicht bemerkte. Toni sah sich in ihren Träumen außerstande, sich nach dem Eintreten von Vic fernzuhalten, und sah sich zu Vic gehen, um sie zu küssen. Ihre Träume offenbarten wiederkehrend eine ihrer geheimen Fantasien, wie sie die Frau ihrer Begierde zum langen Besprechungstisch schob, wo sie ihr den Rock hochschob, bevor sie sie hochhob, um sie auf die Tischplatte zu setzen.

Das Stöhnen, das Victorias Kehle entkam, als Tonis Hand über ihren Oberschenkel streifte, verursachte bei dieser sogar im Wachzustand eine Gänsehaut, wenn sie tags daran dachte. Dazu die Feuchtigkeit an ihren Fingerspitzen, die sie in ihren Träumen spürte, wenn sie zwischen Victorias Schamlippen glitt, ohne aber in sie einzudringen ...

Toni wachte in diesen Momenten meistens auf, wusste dann nicht, ob sie lachen, weinen oder es sich erst einmal selbst besorgen sollte, weil das Geträumte sie unfassbar erregt hatte und sie sowieso nur noch Sekunden brauchte, um zum Höhepunkt zu kommen. Sicherlich ein wunderbarer Start in den Morgen, allerdings auch ein Stück weit frustrierend, weil sie immer alleine war, statt mit der Frau aus ihren Träumen gemeinsam zu kommen.

Wenn Toni Victoria dann morgens im Büro sah, kamen ihr immer die Bilder in den Kopf, die sie inzwischen Nacht für Nacht beherrschten.

Doch Victoria war in Wirklichkeit anders, als es sie Tonis Träume glauben lassen wollten. Sie war seit Tagen äußerst professionell und in ihrem Element.

Die lockere Art und der flotte Flirt, als sie in Victorias Büro deren Sachen holten, war anscheinend doch nur eine einmalige Angelegenheit gewesen. Kein lockerer Spruch verließ mehr Victorias Lippen, von denen Toni sich nichts sehnlicher wünschte, als diese zu küssen. Doch Victoria war im vollen Arbeitsmodus. Sie war fokussiert, konzentriert und wenn sie mit anderen telefonierte und etwas wollte, war sie in ihrer Welt des Rechts.

Victoria lebte und liebte die Welt ihrer Paragrafen und strahlte absolutes Selbstbewusstsein aus, wenn sie sich in ihr bewegen konnte. Toni konnte es kaum fassen, wie sich ihr Verhalten änderte, sobald sie sich mit Fakten auseinandersetzte. Die Selbstsicherheit, die in den wenigen Momenten des Schäkerns zwischen ihnen einer gewissen Verlegenheit wich, glich sie auf einen Schlag doppelt aus, wenn sie den Schalter auf *Anwältin* stellte. Dann war ihre Aura unglaublich einnehmend, sie hatte etwas Cooles, oder war es eher Strenge, die Toni anzog?

Offensichtlich konnte Victoria komplett ausblenden, was zwischen ihnen beiden passiert war, abseits des juristischen Spielfelds und ihrer beider Jobs.

Toni turnte Victorias Selbstbeherrschung an und sie meinte tatsächlich, dass sie dafür eine Auszeichnung verdient hätte, sich so gar nicht anmerken zu lassen, dass etwas zwischen ihnen brodelte.

Vic war einerseits distanziert, zugleich dennoch klar bestimmend, wenn es um die Aufgaben ging, für die sie Toni brauchte, was eine eigene Dominanz vermittelte. Sie wusste genau, wann sie was auf welche Weise adressierte, damit Toni das Gewollte zu ihrer Zufriedenheit erledigte, ohne jedoch nochmals anderes zu vermitteln, das über den beruflichen Kontakt hinausging.

Andererseits war sie wach wie ein Luchs, nahm jede Kleinigkeit auf und Toni bildete sich ein, dass dieses *Sammeln von Eindrücken und Fakten* wiederum über ihren Job hinausging und sie sehr wohl genau darauf achtete, was Toni tat, das nicht ihre Aufgaben betraf.

Und diese Telefonate erst! Telefonate waren die reinste Folter. Wenn Victoria wüsste, was mit ihr passierte, wenn ihr Blick während des Gesprächs auf Tonis traf, sie dabei dem Klang ihrer Stimme lauschte, diese Entschlossenheit in ihren Augen. Ihre Aufgabe, Informationen zu sammeln, wurde dann in der Umsetzung beinahe unmöglich, denn Victorias Augen kurbelten sofort wieder Tonis erotische Fantasie an, was sie kaum noch in den Griff bekam.

Die Tage zogen sich wie Kaugummi und jedes Mal war sie mehr als feucht, wenn sie nach Feierabend in ihre Wohnung kam. Dann schmiss sie ihre Tasche in die Ecke, riss sich beinahe die Klamotten vom Leib und verschwand in Schlafzimmer, Bad oder im Wohnzimmer, um dem Druck in ihren Lenden Erleichterung zu verschaffen.

Was war bloß mit ihr los? Noch nie hatte sie sich so oft innerhalb weniger Tage selbst befriedigt, nur weil eine Frau ihr gefiel. Natürlich liebte sie Sex und machte es sich selbst, wenn sie Lust hatte und keine Frau mit denselben Gelüsten in der Nähe war. Warum auch nicht? Aber nahezu jeden Abend? Seit einer Woche? Das war schon ungewöhnlich; wobei auch scharf, wie Toni sich eingestehen musste.

Sie stellte sich immer wieder vor, wie es wäre, diese Dominanz, die Victoria im Büro an den Tag legte, im Schlafzimmer zu haben.

Der erotische Kampf, wer sich durchsetzen würde, heizte ihre eigene Libido zusehends an; vermutlich war das der Auslöser, warum Toni den Hormonen erlag.

Aber Toni war sich, wenn sie eingehender darüber nachdachte, recht sicher, dass sie es wäre, die bei einer gemeinsamen Nacht den Ton angeben würde. Victoria war dominant im Beruf, aber vermutlich devot im Bett. Sie würde Toni vertrauen, sich ihr hingeben und Toni würde auskosten, was Victoria bereit wäre zuzulassen. Sie würde mit ihr machen, was sie wollte, ihr neue Wege und Möglichkeiten zeigen, von denen sie sicher war, dass Victoria diese bisher verborgen geblieben waren, was ihr Liebesleben oder zumindest ihre sexuellen Erfahrungen anging.

Toni würde ihr vermitteln, wie nah Reiz, leidvolle Lust und lustvolles Leiden beieinanderlagen, nicht ohne dabei gewissenhaft und voller Hingabe auf Victoria einzugehen. Ging es doch in Wirklichkeit darum, der eigenen Lust in der Befriedigung der anderen Nahrung zu geben und den eigenen Hunger ebenfalls zu stillen. Der schmale Grat zwischen Lust und Schmerz galt für sie ebenso und sie würde alles auskosten, was Victoria zugleich zu geben und zu ertragen bereit wäre.

Ihr Wunsch war es, Victoria zu nehmen und sie sich unterwerfen, ohne sie zu erniedrigen; darum ging es Toni nicht.

Sie würde das Spiel auskosten, bis Vic an nichts anderes denken könnte als an Toni, bis sie nichts anderes mehr wollte, als sich Toni hinzugeben, unter ihren Händen, ihren Lippen, ihrer Zunge immer wieder zu kommen, bis ihr Körper und ihr

Geist befriedigt wären und sie Toni bat, sie in die Arme zu nehmen, in denen sie einschlafen würde, um neue Kräfte zu sammeln.

Sie stellte sich immer wieder vor, was sie in bestimmtem Situationen getan hätte oder hätte passieren können, abends nach Feierabend. Jede noch so unschuldige Situation hätte sie in etwas anderes verwandelt, wenn Toni den Hauch einer Chance gewittert hätte. Etwas, das beiden Lust bescheren würde, das sie beide genießen und begierig annehmen würden. Was auch immer Victoria sich wünschte, sie würde es ihr geben und Toni würde ihr noch mehr geben, wenn sie es zuließ.

Sie wollte Victoria, denn die Begierde, die sie in ihr geweckt hatte, wuchs von Tag zu Tag; schon nach ihrem ersten Aufeinandertreffen bekam sie sie nicht mehr aus ihrem Kopf. Und es wurde immer stärker, das Verlangen danach, sie anzufassen, sie zu berühren, mit ihren Händen, mit ihrer Zunge, mit ihrem Körper. Nach jeder Fantasie, nach jedem Traum wollte sie diese Frau noch mehr. Ihre Besessenheit war unglaublich, es kam fast schon einer Sucht gleich, was da in Toni nach Befriedigung schrie.

Doch Toni wollte nicht stumpf mit ihr in die Kiste, um ihre sexuelle Spannung abzureagieren. Zwar war es das, worum es ging, sie wollte mit Victoria schlafen, aber sie wusste eines ganz sicher: Im Schlafzimmer, da würde sie sich Zeit lassen.

Der Fantasie, es wild in Victorias Wohnung zu treiben, verwehrte sie sich selbst. Würde sie je die Gelegenheit bekommen, dann wollte sie das erste Mal erleben und mit allen Sinnen auskosten. Alles sehen, alles in sich aufnehmen, sehen, wer Victoria war, wie sie auf Tonis Berührungen reagierte, um hierauf noch besser eingehen zu können.

Ihren Körper zu erforschen erregte sie so ungemein, dass es beinahe schon wehtat. Sie würde sich Zeit zum Erkunden lassen, würde es genießen, Victoria zu erfühlen, ihr Geräusche zu entlocken und zu wissen, dass sie für diese verantwortlich wäre, für jede Bewegung und jeden Laut, den Vic von sich geben würde.

Es turnte Toni ungemein an, wenn sie daran dachte, dass sie die Kontrolle hätte, diese Frau zum Orgasmus zu bringen oder aber ihren Höhepunkt hinauszuzögern, bis sie um Erlösung bat.

Womöglich sogar im selben Moment mit ihr zu kommen, ohne selbst groß körperlich berührt zu werden, nur weil sie Victoria spürte, unter ihren Fingern, ihrer Zunge, wobei Victoria wiederum sie beobachtete und die Geilheit in ihren Augen Toni ebenso erregte, als würde Victoria es ihr direkt besorgen.

Toni drehte fast durch, sie tat sich mit diesen Gedanken keinen Gefallen.

Solche Gedanken zu haben, sich etwas vorzustellen, wonach sie sich verzehrte, und dann Victoria so nah zu sein, sie aber doch nicht berühren zu dürfen, trieb sie fast in den Wahnsinn.

Es war Folter und Verheißung gleichermaßen, eine grausame Qual, die sie mehr als genoss, obwohl sie sich jedes Mal nur alleine ihrer Lust hingeben konnte.

Da Toni nach dem Feierabend nicht viel zu tun hatte, abgesehen davon, ihren Hormonen zumindest soweit zu ihrem Recht zu verhelfen, dass ihre Lust in halbwegs erträgliche Sphären zurückkehrte, hatte sie abends genügend Zeit, um nachzudenken.

Was sie auch versuchte, um sich abzulenken, jeder Gedanke drehte sich letztlich um Victoria.

Jedes Mal, wenn Victoria sie mit einem Lächeln anschaute, strahlte sie eine unglaubliche Wärme aus, die Toni magisch anzog, in der sie sich unerklärlich geborgen fühlte.

Und dieses Gefühl war inzwischen sogar da, wenn sie wie jetzt mit dem Fahrstuhl ins Büro hinauffuhr und bloß an Victorias Lächeln dachte, denn das hieß, sie würde es wieder real zu sehen bekommen.

Als Toni ausstieg, stand Alice auf einmal neben ihr mit einem Kaffeebecher in der Hand und einer Akte unter dem Arm, als habe sie Toni abfangen wollen, was kaum sein konnte.

„Und? Was gibt es Neues?“, fragte Alice in lockerem Plauderton.

„Wenn ich das wüsste.“ Beide gingen in die gleiche Richtung.

„Wie? Willst du mir erzählen, dass du keine Ahnung von dem hast, was du tust?“

„Ganz genau.“ Toni blieb vor dem umfunktionierten Besprechungsraum stehen.

Alice schaute einmal zu Victoria, die heute bereits in ihre Unterlagen vertieft war, statt Toni zum Arbeitsbeginn einzusammeln. Toni hatte Victoria im Raum entdeckt und war irritiert, was deutlich ihrem Gesicht anzusehen war, als Alices Blick wieder zu Toni gewandert war. „Komm schon, lass dich nicht so schnell unterkriegen. Geh rein und hol dir das, was du willst.“ Sie gab ihr mit der Faust einen leichten Schlag auf den Oberarm. Danach drehte sich Alice um und ging.

„Alice?“, rief Toni ihr hinterher. Sie wartete, bis Alice stehen blieb und sich wieder zu ihr umdrehte. „Wir reden hier doch von der Arbeit?“

„Ja.“ Sie zwinkerte Toni zu. „Von der auch.“

Toni konnte nur den Kopf schütteln und musste dabei lächeln. Wann war der Moment gewesen, an dem sie beide ein freundschaftliches Verhältnis aufgebaut hatten? Irgendwie hatte sie diesen offensichtlich verpasst.

Unstrittig war die Freundschaft da, aber vielleicht war es ja gar nicht so plötzlich gewesen, sondern hatte sich angeschlichen und eingenistet, einfach so. Wie auch immer, für Toni fühlte es sich großartig an. Sie freute sich sehr darüber, dass Alice sich auf tiefgehendere Weise um Tonis Person Gedanken zu machen schien; nicht nur als Kollegin, sondern als der Mensch dahinter.

„Wer ist denn für das Grinsen verantwortlich?", erklang Victorias Stimme, als Toni die Glastür öffnete und eintrat.

Du! Doch statt des ersten Gedankens auf diese Frage sagte Toni wahrheitsgemäß: „Alice. Ich habe manchmal echt keine Ahnung, was sie mit einigen Sachen meint."

Victoria antwortete darauf mit einem knappen „Mhm", als habe sie eine andere Aussage erwartet, und ergänzte: „Gut, dass du da bist."

Toni stellte ihr einen Coffee–to–go–Becher hin und sah sie abwartend an.

Victoria nahm einen Schluck und schloss die Augen. „Oh Gott! Genau das, was ich gerade brauche!"

Und du machst da genau das, was ich gerade überhaupt nicht brauchen kann!

„Danke, Toni."

Das Lächeln, das den Dank begleitete, war für Toni neu. Nicht das Lächeln an sich, sondern sehen zu können, wie sich Menschen, insbesondere Vic, über Kleinigkeiten so sehr freuen konnten. Das „Danke" war nicht gestellt oder aus Höflichkeit gefallen, es war echt, Victoria freute sich wirklich über diesen einfachen Koffein Kick.

Es faszinierte Toni sofort wieder, wie Victorias Augen leuchteten, besonders, weil es auf der Hand lag, dass *sie* der Grund dafür war.

Wie gerne würde sie noch für weitere Gründe sorgen.

Victoria riss Toni aus ihren erneut einsetzenden Träumereien: „Okay, dann fangen wir mal an." Und so machte sie sich nach Victorias Aufgabenzuteilung an ihre Arbeit und versuchte irgendwie ihre Gedanken und ihre rebellische Libido im Zaum zu halten.

Stunden später, der offizielle Bürotag neigte sich dem Ende zu, ohne dass Victoria Anstalten machte, ebenfalls in den Feierabend zu gehen, streckte Toni ihre Arme nach oben und drückte ihren Rücken durch. „Ich kann nicht glauben, dass du das tagtäglich machst."

Vic schaute Toni fragend über den Rand ihrer Brille an. „Was meinst du?“

„Na. den ganzen Tag lang sitzen und lesen.“ Toni stand auf. „Ich spüre meinen Hintern nicht mehr.“ Dabei drehte sie ihre Hüfte in die eine Richtung und ihren Kopf in die entgegengesetzte und schaute auf ihren Po.

„Der sieht noch genauso gut aus wie heute Morgen.“ Sekundenbruchteil, nachdem Victoria das ausgesprochen hatte, war ihr Blick wieder auf die Akte gerichtet und der obere Rand der Ohrmuscheln glühte tiefrot.

Toni entschied sich, darüber zu schmunzeln, die Bemerkung aber unkommentiert stehen zu lassen. Sie wusste, dass diese Victoria ungeplant rausgerutscht war, und hätte darauf reagieren können, sie sah aber, wie unangenehm es Vic war, und ließ es sein.

Seit wann nehme ich bei der Chance auf einen Flirt Rücksicht auf andere? Eine weitere Reaktion, die sie von sich nicht kannte. Toni verspürte sonderbarerweise nicht den Drang, Victoria zu necken, indem sie ihrerseits etwas Freches nachlegte.

Stattdessen wechselte sie das Thema: „Ich bestelle uns jetzt erst einmal eine Pizza. Ich weiß nicht, wann ich das letzte Mal etwas gegessen habe, und genau aus diesem Grund ist es an der Zeit, genau *das* zu tun, zu essen.“

Kurze Zeit später kam sie mit der Speisekarte eines italienischen Restaurants mit Lieferservice wieder und wedelte kurz damit in der Luft. „Der hier, mein Lieblingsitaliener. Klein und wirklich fein. Ein echter Geheimtipp.“

Toni ging auf die Tischseite von Victoria und lehnte sich mit etwas Abstand zu ihr an die Tischplatte, um ihr die Karte zu reichen. „Ich nehme eine Coke und eine Margarita. Und du?“

Victoria war ganz in ihre Arbeit vertieft und sagte knapp: „Ich nehme irgendwas.“

Toni griff wieder nach der Karte, die unangetastet neben Victoria lag. „Okay, dann lass mich mal schauen. Oh! Das wäre etwas für dich …“ Ihr Blick ging von der Speisekarte zu

Victoria. Ein leichtes Grinsen konnte sie nicht unterdrücken. „Nerd Pizza." Toni fand die Brille, die Victoria zum Lesen benutzen musste, zu niedlich. Genau deswegen musste sie sie damit einfach aufziehen, denn sie hatte große Gläser, eingefasst von einem markanten schwarzen Gestell.

Mit diesem Modell *Nerd*, wie Toni es schon vor Tagen heimlich getauft hatte, sah die Anwältin in der Tat eher aus wie ein computerverrückter Mensch denn wie eine studierte Juristin, die Paragrafen jagte, statt aus Nullen und Einsen programmierte Bilder. Zumindest nährte ihre Erscheinung Tonis Vorurteil, das sie gesellschaftlichen Vorgaben gemäß pflegte, wie unzählige Leute auch. Aber ohne Frage, die Brille machte Victoria für Toni ungemein sexy.

Der Kugelschreiber, der eben noch etwas notiert hatte, verharrte in der Bewegung. Victoria schaute zu Toni. „Ehrlich? Etwas Besseres ist dir nicht eingefallen? Nerd Pizza?"

Auffordernd schaute Toni sie an. „*Bibliothekarin Pizza* wollte ich nicht sagen. Zwar bist du manchmal ziemlich schüchtern, wirkst etwas zugeknöpft und deine Haare …" Sie deutete mit dem Zeigefinger auf Victorias Dutt. „Aber *Nerd* fand ich besser." Toni zeigte auf Vics Lesebrille. „Deswegen." Toni versuchte schnell abzuwiegeln: „Ich hab gar nicht damit gerechnet, dass du den *Nerd* überhaupt mitbekommst, so konzentriert, wie du warst."

Victoria ließ ohne Vorzeichen den Kugelschreiber los, der auf den Papieren darunter liegen blieb, und stand auf. Mit zwei Schritten stand sie vor Toni, machte einen weiteren kleinen Schritt nach vorne, worauf Toni die Beine ein wenig auseinandermachte und Victoria wie ganz selbstverständlich dazwischentrat. Sie sah Toni fest in die Augen, schob ihren Kopf leicht nach und sagte herausfordernd: „Schüchtern?"

Sie hatte keine Ahnung, warum sie das tat, woher der Mut kam. Aber das war ihr in dieser Sekunde auch nicht wichtig. Vic genoss den Augenblick; für den Moment die Oberhand zu haben. Flüsternd fragte sie noch mal: „Schüchtern?"

Tonis Blick lag nun auf ihren Lippen.

„Immer noch schüchtern?“ Ein kleines Stück beugte sie sich weiter vor. Ihre Lippen waren nur noch ganz leicht voneinander entfernt.

Das Knallen eines Staubsaugers gegen eine Wandecke oder einen Schreibtisch ließ die beiden auseinanderspringen.

Toni nahm ihr Handy, räusperte sich und machte zwei Schritte zur Seite. „Ich … ich geh dann mal bestellen“, brachte sie mit belegter Stimme hervor und ging schnell aus dem Raum.

Victoria ließ sich wieder in den Sitz fallen, die Ellenbogen auf den Tisch, breitete die Unterarme vor sich aus und legte ihre Stirn darauf ab. „Wow.“ Sie wusste nicht, was sie dazu gebracht hatte, so zu handeln, aber sie stellte fest und ihr Grinsen verdeutlichte es, dass es ihr nicht wirklich leidtat.

Toni ließ sich sehr viel Zeit bei der Bestellung, und das amüsierte Victoria. Dass die manchmal so gefasste und kontrollierte Person sich mehr als leicht aus dem Gleichgewicht bringen ließ und praktisch vor ihr flüchtete, gefiel der Juristin ungemein.

Tonis Verhalten hatte eine faszinierende Mischung aus straight und tough, hatte gleichzeitig aber auch etwas Spielerisches, das sie ab und an etwas nervös und unerfahren wirken ließ, als habe es bestimmte Situationen so für sie noch nicht gegeben und sie müsse überlegen, wie sie agieren sollte. Das Zusammenwirken ihrer Charaktereigenschaften war für Victoria ungemein reizvoll, denn Toni war charmant, aber auch auf attraktive Weise forsch.

Vielleicht waren es diese speziellen Attribute, die Victorias Aufmerksamkeit kitzelten und sie Dinge tun ließen, wie zum Beispiel der Flirt gerade, was sie sonst niemals auf der Arbeit getan hätte.

Toni kam wieder in den Raum, setzte sich hin, ohne Victoria anzugucken, und murmelte: „In zwanzig Minuten sind sie da.“

Victoria fragte sich, was ihr Toni bestellt hatte, wollte sie darauf ansprechen, um die Atmosphäre von eben nochmals zu genießen, aber sie unterließ es schließlich. Vic beschloss, dass sie Toni besser in Ruhe ließ und ganz normal mit ihrer Arbeit weitermachte. Der Moment des Flirtens war vorbei, etwas nachträglich zu versuchen wäre für beide mehr als merkwürdig.

„Ich versteh nicht, wie du so spät Cola trinken kannst."

Toni schluckte noch den Rest Pizza runter und spülte mit einem Grinsen im Gesicht mit Cola nach. „Ich bin das gewohnt. Ich fahr nachher in meine Wohnung und werde trotzdem schlafen wie ein Stein."

Victoria hingegen nahm sich ihre Wasserflasche. „Das könnte ich nicht. Ich wäre die ganze Nacht wach, hibbelig, und wüsste nicht, wohin mit meiner Energie."

Sie sah das Funkeln in Tonis Augen und zeigte mit dem Zeigefinger auf sie. „Ich warne dich. Hast du aus dem vorhin gar nichts gelernt?"

Gelernt habe ich, dass ich dich nicht unterschätzen sollte. Und was ist, wenn ich es noch einmal will, aber diesmal mit einem anderen Ausgang? Noch einmal lasse ich mich nicht überrumpeln. Was sie dachte, würde Toni so natürlich nicht aussprechen, also tat sie, als würde sie einlenken, und wechselte das Thema: „Okay, okay, schon kapiert." Tonis Blick veränderte sich entsprechend, doch blieb ein kleiner Schalk offensichtlich. „Dann beantworte mir nur eine Frage." Victoria schaute sie skeptisch an, nickte jedoch. „Warum ist so ein lieber und hilfsbereiter Mensch Scheidungsanwältin geworden? Ein Job, bei dem besonders die schlechten, wenn nicht eine der schlimmsten Seiten eines Menschen zum Vorschein kommen kann, wenn es um Trennungen geht? Du weißt ja zu Beginn nie, welche dunklen Mächte in deinen Klienten schlummern. Warum hast du dich dafür entschieden?"

Victoria wischte sich die Hände an einer Serviette ab. Ihr Blick war nachdenklich und geradeaus gerichtet. „Mh, so leicht zu beantworten ist das gar nicht. Denn es ist nicht *nur* eine Frage, auf die es eine *einfache* Antwort gibt, Toni. Es gibt unglaublich viele Menschen, für die die Bezeichnung ‚schlechter Mensch' eigentlich noch viel zu harmlos ist.

Und dennoch gibt es das Gute im Menschen, das mich motiviert, da zu sein, wenn eben diese ‚guten Menschen' selbst nicht mehr weiterwissen oder ohne rechtliche Hilfe Gefahr laufen, ihr Leben unglücklich führen zu müssen. Sie kämpfen für etwas, für jemanden, nicht selten für ihre Kinder.

Das ist einer meiner Beweggründe. Ich wäre nicht dabei und würde mein Bestes geben, wenn ich nicht immer wieder genau das sehen könnte, wieder und wieder.

Ich habe auch Fälle verloren und konnte nicht helfen." Ihre Augen nahmen einen traurigen Ausdruck an. „Es wäre falsch, das auszublenden." Als sie weitersprach, meinte Toni sogar so etwas wie ein feuchtes Schimmern in ihren Augen zu entdecken. Doch verschwand es gleich wieder. Vielleich war es nur eine optische Täuschung durch das Licht. „Seitdem ich mich erinnern kann, wollte ich Anwältin werden. Ist auch nicht wirklich eine Überraschung bei der Familientradition. Mein Vater ist und bleibt mein Held.

Wenn er mir manchmal von Fällen erzählte, wie sie ausgegangen waren, strahlte er voller Stolz. Das ganze System war für mich unfehlbar.

Wie du dir denken kannst, war ich auf einer Privatschule. Da lernte ich Lisa kennen. Wir sind sehr gute Freunde geworden, nicht die besten, aber wir hatten zusammen unseren Spaß.

Lisa war sehr begabt und hatte ein Stipendium bekommen, sodass sie mit mir auf dieselbe Schule gehen konnte. Sie hatte mir erzählt, dass ihre Eltern ständig miteinander stritten. Bis sie mir irgendwann erzählte, dass ihr Vater ausgezogen war. Der eigentlich normale Gang, würde man meinen." Victoria lehnte sich zurück und erzählte weiter. „Bis ihr Vater das alleinige Sorgerecht beantragte. Er tat es nur, um ihre Mutter zu verletzen. Sie erkannte ihren Vater nicht mehr wieder oder besser gesagt, der Mensch, zu dem er geworden war, war ihr vollkommen fremd. Er hatte Geld gespart oder es sich geliehen, das wusste sie nicht. Aber er konnte sich einen guten Anwalt leisten. Nicht nur, dass er das Sorgerecht wollte, er wollte auch keinen Unterhalt für ihre Mutter zahlen." Victoria schüttelte bei den Erinnerungen daran den Kopf. „Menschen können richtig böse werden. Ihre Mutter konnte sich keinen Anwalt leisten. In einer Beratungsstelle sagten sie ihr, dass die Anwälte, die für diese Einrichtung arbeiteten, vorher schon über Monate hinweg ausgebucht waren und dass es sehr schlecht für sie aussah ohne Rechtsbeistand, dass man aber eben nichts tun könnte.

Ich bin heulend nach Hause gelaufen und unsere Haushälterin hat gleich meinen Vater angerufen, als sie mich total fertig zu Hause in Empfang nahm. Er ließ in der Kanzlei alles stehen und liegen, setzte sich ins Auto, kam sofort heim und war für mich da. Aber wer war für Lisa da?

Unter Tränen habe ich ihm davon erzählt und wenn er nicht schon mein Held war, wäre er es ab diesem Tag für mich gewesen. Er hat sich des Falles angenommen und ist mit voller Breitseite gekommen. Und er hat sich darum gekümmert, dass für Lisa und ihre Mum alles gut wird. Wir haben immer noch Kontakt, Lisa und ich. Ein paarmal im Jahr telefonieren wir."

Vic atmete einmal durch. „Und dann kapierte ich es. Es geht nicht darum, wer schuldig ist und wer nicht. Sondern darum, wie gut dein Anwalt ist. Das hatte ich gelernt. Lisa und Schicksale wie ihres gab es in hundertfacher Ausführung. Mitzuerleben, was ihr hätte passieren können und wie es schließlich verhindert wurde, das war der Moment, in dem ich eine Entscheidung traf. Ich wollte helfen. Ich wollte mein Bestes für Menschen tun, die es sich nicht leisten können, einen der besten Anwälte zu *kaufen* und damit ihr Recht durchzusetzen. Ich weiß, ich kann nicht alle retten, aber ich kann meinen Beitrag dazu leisten."

„Und deswegen die ganzen Pro–bono–Fälle."

„Woher weißt du das?" Skeptisch schaute sie Toni an.

„Leichte Röte bildete sich an Tonis Wangen. „Google."

„Dann fühle ich mich mal geehrt. Ein Stalking der sympathischen Art." Ein zartes Lächeln legte sich auf Victorias Lippen. „Was ist mit dir? Was ist deine Geschichte? Woher kommst du?" Für einen kurzen Augenblick sah sie Bedauern in Tonis Augen.

„Texas", war die knappe Antwort.

Victoria spürte, dass sie jetzt keine Frage stellen sollte. Sie würde Toni dazu zwingen, zu antworten. Doch wusste sie nicht, ob diese ihr dann die Wahrheit sagen oder, was wahrscheinlicher war, sie anlügen würde und zurückzog, was Victoria definitiv bedauern würde. Etwas sagte ihr, sie solle Toni Zeit geben. Vic konnte eindeutig sehen, wie es hinter der Stirn der Dunkelhaarigen arbeitete.

„Meine Eltern …", Toni atmete einmal tief ein, „waren halt meine Eltern."

Waren? Victoria nahm die Beschreibung sofort auf, schwieg aber weiter.

„Es wäre egal gewesen, wer von ihnen sich einen Anwalt hätte leisten können und wer nicht. Denn getrennt wären sie besser dran gewesen."

Und du? Was ist mit dir? Victoria wurde innerlich schlagartig unruhig und biss sich auf die Zunge, um den Mund zu halten. Sie musste Toni allein ihre Geschichte erzählen lassen.

Toni zuckte gleichgültig mit den Schultern. „Mir wäre es egal gewesen, zu wem ich gemusst hätte. Alles wäre besser gewesen als die beiden zusammen zu erleben. Es war diese auf Hass basierende Beziehung, wo sie nicht ohneeinander können, aber auch nicht miteinander. Dazu noch ein paar Bierchen, und die Hölle brach los. Ich hatte Glück, wenn ich nachts ein paar Stunden schlafen konnte. Mit achtzehn bin ich dann weg und nie mehr zu einem von ihnen zurückgekehrt." Ihr Blick ging zu Victoria, den Schmerz konnte sie nicht verstecken. „Tja, und jetzt bin ich ganz zufrieden, wo ich angekommen bin. Ein falsch eingeschlagener Weg, ein falscher Abbieger, und ich wäre woanders gelandet."

„Dann wärst du nicht als angehende Schriftstellerin in einem Verlagshaus gelandet."

„Ja, das kommt auch noch dazu. Aber ich würde nicht hier mit einer wundervollen Frau sitzen, spätabends in einem Besprechungsraum mit ihr Pizza essen und einen der schönsten Abende genießen können, die ich jemals im Leben hatte. Ich kann mich glücklich schätzen."

Victoria sah in Tonis Augen die Ehrlichkeit, die in diesem Satz steckte.

„Ja, stimmt, jetzt sitzen wir hier." Vic wusste in dem Moment, dass sie eine neue Ebene der Vertrautheit miteinander gefunden hatten, und es gefiel ihr.

Zum ersten Mal sah sie Toni anders lächeln, ein richtiges Lächeln, nicht verstellt oder halbherzig. Dieses erreichte ihre Augen, durch die Toni sie direkt in ihre Seele blicken ließ, und Victoria hatte das Gefühl, dass Toni es kaum jemandem zeigte, was sie hier zu sehen bekam.

Davon, dass Tonis Gewissen sie fast verbrannte, weil sie in ihre Lebensgeschichte die Lüge ihrer Anwesenheit, die Posse, sie sei angehende Autorin, einbauen musste, davon ahnte Victoria zu diesem Zeitpunkt nichts.

Kapitel 12

Isabella stand vor ihrem Schreibtisch und lehnte sich dagegen. „Immer wieder frage ich mich, warum er das macht. Und ich finde keine Antwort." Die Müdigkeit in den traurigen Augen der Verlegerin war nicht zu übersehen. Selbst das gut aufgelegte Make–up ließ die Augenringe nicht ganz verschwinden.

Der Kampfgeist, der am Anfang noch da war, war derzeit kaum noch wahrzunehmen. Es zerrte an den Nerven ihrer Mandantin, nicht zu wissen, was als Nächstes käme, und Victoria fragte sich, ob bald der Moment kam, in dem sie bereit wäre, seinen Forderungen nachzugeben, nur um endlich Ruhe zu haben.

Solche Momente kamen und gingen, so oft hatte sie das in ihrer juristischen Kariere bei Klienten schon miterlebt. Nur wenn Vic es richtig anging, an Isabellas Durchhaltevermögen zu appellieren, würde deren Bereitschaft, aufzugeben, noch in weiter Ferne liegen. Aber unbestritten, auch diese Frau mit so viel Biss und eigenem Fokus, nicht aufzugeben, hatte zunehmend schwache Momente, was die Situation und die Streitigkeiten um und mit Charles Lawrence anging. Vic wusste, Isabella wollte einfach nur einen Haken hinter all das setzen und ihre Zukunft leben, mit Julia und ihren Verlagshäusern, wie auch immer sich die Umfänge dann gestalten würden.

Insbesondere wollte sie Julia schützen und verhindern, dass diese nicht allzu sehr mit in den Rosenkrieg hineingezogen wurde. Isabella wollte nicht mehr, als mit ihr in Ruhe die neu gewonnene Zweisamkeit zu genießen.

Wie gefüllt das Bankkonto nach dem Streit mit Lawrence noch wäre, das war ihr definitiv egal. Isabella würde einen Weg finden, um Julia und sich ein angenehmes Leben zu ermöglichen, selbst wenn Frey ihr per Gerichtsurteil nahezu alles nahm; aber so weit waren sie noch lange nicht und Victoria würde vorher alles in ihrer Macht Stehende tun, damit es nicht zum Äußersten käme.

Victoria sah noch einmal kurz auf ihre Notizen. Es war nur noch eine davon mit einem großen roten Ausrufezeichen markiert.

„Entweder ist sein Ego so verletzt, dass es ihm egal ist, was an die Öffentlichkeit kommt, oder er hat schon etwas in der Hinterhand, bei dem es egal ist, was seinem Namen anhängt. Ich kann es nicht sagen. Aber eins weiß ich, ist der eigene Ruf ruiniert, dann sind die meisten Menschen unberechenbar. Wenn sie untergehen, nehmen sie so viele mit, wie es nur geht, mindestens aber die, die sie für ihre Misere verantwortlich machen, und in diesem Fall bist es du, Isabella.

Wenn seine Vorgehensweise schuld daran ist, dass der Verlag zerstört wird, Dutzende Leute ihren Job verlieren und von alldem praktisch nichts mehr übrigbleibt außer Gerede um einen Rosenkrieg und schmutzige Wäsche? Das ist etwas, das ich mir nicht unbedingt würde nachsagen lassen wollen.

Möglich, dass er so an deiner Vorgehensweise zu knabbern hat, dass er inzwischen selbst auf seinen eigenen Ruf pfeifen würde, der ja eigentlich in Kennerkreisen ohnehin durch ist." Victoria sprach ihre Gedanken weiter frei aus: „Vielleicht sieht er seine persönliche Abrechnung einzig und allein im Zerschlagen deines Erbes, ohne Rücksicht auf jeglichen Verlust etwaiger Werte, die bei einer Übernahme durch Interessenten zumindest noch Geld einbringen könnten, wovon ich aber nicht ausgehe, denn materielle Güter scheinen ihm am wichtigsten zu sein. Er weiß, die Immobilien haben Werte. Das Verlagsgebäude allein, mit seinen anderen Pächtern, den Mieteinnahmen. Er weiß, dass das Gebäude der

Underwood Immo gehört, also zum Hauptteil deinen Eltern. Du bist ja derzeit nur mit zehn Prozent an der Immobiliengesellschaft beteiligt. Aber Fakt ist, es geht in dein Erbe über, damit auch das Kapital dahinter.

Selbst wenn Summen, die er einzuklagen versucht, über das Verlagskapital nicht gezahlt werden können, sei dir dessen sicher, er wird alle gebundenen Kapitalanlagen mit in Erwähnung bringen, egal ob in der Rechtsform zwischen den Firmen eine Verbindung besteht oder nicht, du bist als Geschäftsführerin in der Haftung, auch mit deinem Privatvermögen.

Wenn er es clever anstellt, musst du für weitere Abfindungen womöglich einiges verkaufen, was jederzeit möglich ist, Immobilien sind gefragte Anlagen, damit täte er dir also nur bedingt weh. Deswegen denke ich, dass die Abfindung neu zu verhandeln oder eine angemessene Entschädigungssumme, wie er es nennt, nur ein vorgeschobener Grund ist. Sein einziger wahrer Antrieb ist es, deinen Ruf zu zerstören, dein Leben, alles das, was dir etwas bedeutet."

Vic entschied, dass der Moment jetzt gekommen war, bildlich gesprochen an Isabellas Gegenwehr, nein, besser an *ihre* Rachegedanken zu appellieren. Sie brauchte Isabella wach und kampfbereit, weswegen sie nochmals unmissverständlich formulierte: „Es ist nicht nur das Geld, an das er kommen will, Isabella. Du bekommst die Rachegelüste eines Egomanen zu spüren. Die Kreise, in denen du verkehrst, da werden sich die Mäuler zerrissen, auch ohne solche Scheidungsdramen. Darauf spekulieren sie, Frey und dein Ex.

Die Gerüchte, die negative Presse und der Imageverlust des Verlages, was dazu führen kann, dass deine Star Autoren abspringen. Darauf wollen sie hinaus. Sie wollen dir zeigen, wozu sie in der Lage sind, dass sie dich in der Hand haben.

Wenn er untergeht, nimmt er dich mit. Ihm ist es egal, er hat sein Geld und sie wissen, wie wichtig dir dein Verlag mit all den Menschen dahinter ist. Es geht ihm nur darum, *dich* zu zerstören. Er schert sich einen Dreck darum, ob mehr Menschen außer dir darunter leiden oder was *deine* Familie mit dem Verlag aus dem Nichts aufgebaut hat."

„Ich glaube, du hast recht. Es ist nicht nur mein Leben, um das es hier geht. Es geht um die Leben aller hier im Verlagshaus, um deren Existenzen." Isabella schaute zu der Tür. „An einem Angestellten, einem Menschen, der für uns arbeitet, hängt eine ganze Familie mit allen Wünschen, Träumen und Verpflichtungen, die ein gesichertes Gehalt unverzichtbar machen. Ich muss mir um meine Zukunft keine Sorgen machen, ich hatte schon vor meiner Geburt ausgesorgt, dank meiner Großeltern und Eltern. Aber für meine Mitarbeiter trage ich die Verantwortung. Ich fühle mich verpflichtet, dafür zu sorgen, dass es ihnen gut geht. Denn ohne alle, die für mich arbeiten, wären der Verlag und ich nicht dort, wo wir heute sind. Schon gar nicht nach dem, was Charles sich geleistet und wohin er den Verlag damit gebracht hat."

Isabella lächelte, als sie wieder zu Vic schaute. „Das hat mir Julia klargemacht. Wenn ich nicht Julia an meiner Seite hätte, wüsste ich nicht, wo ich jetzt wäre. Sie sagt immer wieder, ich soll gefälligst nicht nachgeben, das höre ich jedes Mal, wenn ich einen Durchhänger habe. Sie fängt mich auf, sie hört mir zu, sie ist einfach immer für mich da, verstehst du?"

Bedingungslose Liebe, bedingungsloses Vertrauen, geisterte es der Anwältin durch den Kopf.

Was Isabella da in schönsten Farben des romantischen Zusammenlebens und einer harmonischen, sich gegenseitig Halt gebenden Beziehung beschrieb, war ihr durch ihre Mutter und deren Verhalten ihrem Dad gegenüber allzu fremd geworden.

Victoria freute sich für Isabella, aber wirklich nachvollziehbar wollte sich nicht anfühlen, was sie und Julia hatten.

Sie erinnerte sich plötzlich an Tonis lächelndes Gesicht vor drei Tagen, als sie Pizza zusammen gegessen hatten, und fragte sich, was Toni über dieses Thema denken würde.

Sie behielt den unerwarteten Gedanken aber selbstverständlich für sich und widmete sich wieder dem eigentlichen Thema ihres Treffens.

„Charles hat schon alles verloren, was ihm wichtig war, vor allem aber sein Ansehen. Einige Klagen konnten sie verhindern, da Frey mit seiner schmierigen Art und Weise einige überzeugen konnte, ihre Anzeigen zurückzuziehen. Wie er es erreicht hat, lässt sich nur erahnen. Aber da sind noch genügend Klagen wegen der sexuellen Belästigung, die noch in Vorbereitung sind, weil es so viele Details zu sichern gilt. Gerüchte darüber sind dummerweise bereits an die Öffentlichkeit gelangt, verallgemeinernde Aussagen, die U.P. in ein ungünstiges Licht rücken, besonders die Geschäftsleitung und den Mann ganz oben, nämlich Charles. Ärgerlich, dass die Leitung dich nicht ausschließt, auch wenn es bisher so nicht gesagt wurde, der Beigeschmack ist da. Das ist ein wichtiger Punkt, Dinge, mit denen du hoffentlich nichts zu tun hast, zumindest nachweislich nicht mit Fakten zu widerlegen. Wir müssen behutsam vorgehen und absolut sicher sein, dass wir beweisen können, was wir sagen, dass du von Charles` Machenschaften rein gar nichts wusstest! Es muss absolut klar sein, dass es hier einzig und allein um Charles und dich geht. Eure Scheidung ist eure Privatangelegenheit. Presse und Öffentlichkeit, alle müssen möglichst schnell überzeugt sein, dass die Vorwürfe der sexuellen Belästigung, des Missbrauchs seiner Position, des jahrelangen Gängelns seiner Angestellten, des Bossings und so weiter ganz allein Charles anzulasten sind. Das nähme eine gewisse Fahrt auf und würde helfen. Auch Richter lesen Zeitungen.“ Vic schmunzelte kurz zwinkernd, wurde aber gleich wieder ernst. „Wenn die Klagen laufen, werden sich bestimmt andere Opfer an die Öffentlichkeit trauen. Sie gehen ein großes Risiko ein, um uns zu zeigen, dass sie weniger zu verlieren haben als du. Und genau das haben sie sich gedacht. Es ist ein sehr gefährliches Spiel." Victoria stand auf und stellte sich vor Isabella. „Isabella, es ist nichts anderes als eine Erpressung, versteckt und geschützt durch Paragrafen."

Isabella schaute sie fragend an, woraufhin Vic mit den Schultern zuckte. „Es ist die Wahrheit."

Innerlich triumphierte sie, als sie sah, dass ihre Erklärungen Isabellas Kampfgeist wiederbelebten. Kaum zu glauben, dass es so wenigem bedurfte, die aufkeimenden Zweifel der Verlegerin zurückzudrängen, aber umso besser für Victoria.

„Dann lass uns anfangen." Isabella setzte sich hinter ihren Schreibtisch und in dem Moment legte sich ein Schalter um. Das Familienerbstück, das seit Gründungstagen des Verlages zum Inventar gehörte, war wie ein Anker, es gab ihr Kraft, wenn sie daran Platz nahm. Sie war sich dann besonders in unruhigen Zeiten immer schnell wieder ihrer Herkunft und Stellung bewusst und würde diese nicht kampflos aufgeben.

Victoria setzte sich auf den Besucherstuhl. „Was ich noch fragen muss: Was genau ist das für ein Club, von dem sie erzählen?" Diese kleine Lüge war ihr mehr als unangenehm. Sie hatte von diesem Club gehört und auch eine Mitgliedschaft war ihr selbst bereits angeboten worden, doch sie hatte dankend abgelehnt. Erstens war sie überzeugt, dass es nichts für sie war, dubiose Etablissements, wo Frauen Frauen kennenlernen und abschleppen konnten, die sich gesellschaftlich nicht outen wollten, die aber sehr wohl eindeutig auf Sex mit dem gleichen Geschlecht abfuhren. Für Vic war der Gedanke sonderbar, die dunkelsten Fantasien ausleben zu wollen und gleichzeitig die Sicherheit zu haben, dass nichts an die Öffentlichkeit kam. Es lag nicht am Sex, SM hatte sicher viele reizvolle Varianten und vielleicht würde sich für sie auch die ein oder andere Spielart als interessant herausstellen, wenn sie sich dem Thema widmen würde.

Zweitens wollte sie nicht zu ebendieser Art Society–Frauen gehören, sie wollte sich nicht verstecken.

Aber insgeheim fragte sie sich natürlich hin und wieder, ob sie nicht etwas verpasst hatte, Neugierde war nun mal menschlich. Was hätte passieren können, wenn sie dort vielleicht sogar auf Isabella getroffen wäre? Wäre es die Isabella gewesen, die sie bei ihrem ersten Kennenlernen kurz zu sehen bekommen hatte, oder die kühle, unnahbare Isabella, die unnachgiebig war und auf ihre Weise Gehorsam verlangte? Oder mehr den Menschen, die Frau, die sie mit der Zeit kennengelernt hatte?

Victoria wurde bewusst, dass das Kopfkino gerade mehr als unangebracht war. Besonders ihr Körper sollte sich für die Reaktion gerade schämen, der sich Vic schlagartig durch das Pulsieren in ihrem Schritt bewusst wurde. Dabei ging es nicht um die Person Isabella, die außerordentlich reizvoll war, zugegeben, aber sie war inzwischen als Freundin so wichtig und glücklich vergeben, dass alles andere für Victoria ein Tabu war.

Es passierte mehr als unerwartet, die aus Vermutungen und Fantasie keimenden Tagträume und Vorstellungen über den Club und das, was dort geschah, machten Vic doch scharf, was sie verlegen zu ignorieren versuchte. Ihre rötliche Gesichtsfärbung war allerdings unübersehbar.

Isabella schmunzelte. „Du weißt von dem Club, Vic, tu nicht so. Es ist genau *der* Club.“ Isabella zeigte auf ihre Nase und meinte damit die Röte Victorias.

Am liebsten wäre Vic im Erdboden versunken und konnte letztlich nicht leugnen, dass sie vom Club Kenntnis hatte. Es reizte sie ungemein, diesen Ort irgendwann mal zu sehen, schließlich hatte sie das ein oder andere gehört, wusste, dass der Laden alles andere als eine Flirtbar war. Ihr war klar, dass es dort anders zur Sache ging, denn ihr wurde zugetragen, dass man dort vielerlei Dinge ausprobieren und seine Vorlieben in jegliche Richtung ausleben konnte. Von zart bis hart, alles war vertreten, man würde angeblich immer jemand Gleichgesinnten dort finden.

Doch die Vorstellung, dass es ihr vielleicht gefallen würde, was sie dort entdecken könnte, hatte damals, als man sie einlud, Teil des Ganzen zu werden, ein unbeschreibliches Schamgefühl hervorgerufen, das mächtiger war als der Mut, den sie aufbringen müsste, um ihrer Neugierde nachzugehen.

Vic hatte sich bis dahin nie eingehender mit den vielfältigen Spielvarianten sexueller Ausrichtungen befasst. Sex hatte einen gewissen Stellenwert, das unbestritten, aber bisher hatte ihr Repertoire nach ihrem Dafürhalten stets beiden Seiten Spaß und Befriedigung beschert, und das hatte bei ihr keinen Anlass zu hinterfragen gegeben.

Vic wusste um *ihren* persönlichen Hintergrund natürlich zu genau, aber dass Isabella sie so zweifelsfrei und direkt darauf ansprach, kam in diesem Moment mehr als überraschend, was sie für sich behielt. Vielleicht würde sie ja gleich erfahren, aus welcher Quelle deren Wissen stammte.

Kaum war der Gedanke zu Ende gedacht, erzählte Isabella, warum sie so sicher war, dass Victoria thematisch involviert war: „Du und Jennifer Bennett wart doch mal zusammen essen. Ich weiß davon und auch, dass sie dich an dem Abend eingeladen hatte. Damals, als sie und ich uns nach eurem Essen im Club trafen, erzählte sie empört, dass du die Mitgliedschaft für den *Club* abgelehnt hättest. Sie war so wütend, denn das hatte bis dahin keine gewagt und du hättest dich glücklich schätzen sollen, dass du zu den auserwählten Frauen gehörtest, die Zugang bekommen hätten.“ Isabella rollte mit den Augen. „Ich musste sie beruhigen. Sie schaukelte sich richtiggehend in Rage in ihren Erzählungen, kam gar nicht drüber hinweg, denn das hatte bis dahin *keine* gewagt.“ Isabella feixte: „Das arme Ding.“

„Tja, was soll ich sagen. Ich bin halt nicht *irgendeine*“, sagte Vic und zuckte ganz locker mit den Schultern.

Ein angedeutetes Lächeln formte Isabellas Lippen. „Ich weiß“, antwortete sie schlicht und ihr Gesicht veränderte sich mit einem Mal. Ihre Züge bekamen etwas Herausforderndes, ihre Augen funkelten, als sie mit leicht verruchter Stimme sagte: „Ich denke, ich verstehe deinen Beweggrund, warum du damals abgelehnt hast. Aber glaub mir, du wärst dort wie eine Königin behandelt worden, da würde ich jede Wette eingehen.“

Diesmal war es Vic, die mit dem Finger auf Isabella zeigte. „Das, was du da eben gemacht hast, mit deiner Stimme und deinem Blick, da hätte ich damals garantiert überlegt, ob ich mal reinschauen soll.“

Beide fingen an zu lachen, was die angespannte Stimmung weichen ließ. Es tat gut, einen Moment lang Leichtigkeit zuzulassen. Nur hielt diese nicht allzu lange an, denn die Lage war noch immer nicht komplett gesichert.

Vic drückte mehrfach den Knopf auf ihrem Kugelschreiber, was ein klickendes Geräusch im Raum hörbar machte.

Nachdenklich vor sich hinstarrend, wiederholte sie diese Aktion, bis sie Isabella vollkommen ernst fragte: „Werden sie Beweise haben?“

Isabella schüttelte verneinend ihren Kopf. „Ich gehöre dort zur Mittelschicht. Es gibt noch viel mächtigere Frauen im Club, die die beiden zerstören könnten, wenn dieses Etablissement bekannt würde. Ich mag mir gar nicht ausmalen, was für Konsequenzen das haben könnte. Nicht für die Frauen, sondern für Frey und Charles.

So weit zu gehen, werden sie sich nicht trauen, glaube ich.“ Isabella hielt kurz inne, als denke sie über Gesagtes selbst noch mal nach und male sich aus, was die geouteten Society–Ladies aktivieren würden oder besser wen, um Frey das Leben zur Hölle zu machen.

Doch so weit, dessen war sie sicher, würden ihr Ex und sein Anwalt nicht gehen, weil sie auf Granit beißen würden, wenn es um das Belegen von Fakten ginge. „Nein, Vic, sie werden dafür keine Beweise haben. Kein einziges Mitglied würde etwas verraten, niemand würde öffentlich zugeben, dass es diesen Treffpunkt überhaupt gab. Sollte jemand Externes es doch wider Erwarten beweisen können, dass es ihn gab, und eines der Mitglieder enttarnt werden, glaub mir, so würde sich niemand erinnern, jemand anderes dort jemals gesehen zu haben. Den Club gibt es schon sehr lange. Er wurde gegründet, da war ich noch nicht einmal geboren. Alle Mitglieder, aktive und ehemalige, ebenso die Angestellten dort, wissen, dass sie nichts preisgeben dürfen, denn es würde Konsequenzen haben für ihr gesamtes gesellschaftliches Leben. Niemand will etwas riskieren, dessen Ausmaß er nicht abschätzen kann, wenn du verstehst. Die beiden haben keine Beweise."

„Genau das habe ich mir gedacht. Sie werden auch keine Beweise bekommen, möchte ich annehmen, allein schon aufgrund der gründlichen Absicherung des Clubs, die du beschrieben hast. Das ist offenbar ein zweites Fort Knox, nur auf einer etwas speziellen Ebene." Victoria stand auf und bewegte sich Richtung Tür. „Gut, das war erst einmal alles. Ich melde mich, sobald ich alles fertig habe." Isabella begleitete sie zur Tür. „Ach, bevor ich es vergesse, ich brauch noch deine Akte mit deinen Notizen. Dann kann ich alles abgleichen und gegebenenfalls neue Informationen notieren."

„Ich mach das fertig und dann wird Alice sie dir bringen."

∞

Toni war noch in ihrer kleinen *Abstellkammer* gewesen, wie sie ihr zugewiesenes Büro nannte, und hatte gerade die Tür geschlossen, um sich in den wohlverdienten Feierabend zu begeben.

„Oh, gut, dass ich dich noch erwische", kam eine unerwartete Ansprache von hinten. Toni sprang beinahe zur Seite und schaute Alice fassungslos an.

Die Augenbrauen der Assistentin zogen sich zusammen. „Was ist los?"

Toni hatte ihre Hand flach auf der Brust liegen. „Was ist das hier mit euch? Hast du das von deiner Chefin? Diese Anschleicherei ist ja nicht zum Aushalten!"

Alice rollte mit den Augen. „Also wenn, dann hat *sie* das von *mir*." Sie hob einen geschlossenen Umschlag hoch. „Ich muss dich um einen Gefallen bitten. Der hier", sie wedelte mit der braunen Hülle vor Tonis Nase herum, „muss sofort ausgeliefert werden". Sie hob den Zeigefinger, ihr Blick wurde eindringlich, ihre Züge ernst. „Das hier sind äußerst wichtige Unterlagen, die heute noch weggebracht werden müssen!"

„Ich weiß schon, was ein geschlossener Umschlag zu bedeuten hat, auf dem *Eilt* mit drei Ausrufungszeichen dahinter steht. Danke für dein Vertrauen."

„Mein Vertrauen in dich beweise ich gerade, indem ich dich bitte, den Umschlag zu jemandem zu bringen." Alices Blick bekam die Note Hundeblick und Wimpernklimpern. „Ich weiß, du hast eigentlich Schluss, aber es ist wirklich wichtig. Und ich kann nicht, ich habe einen Notfall zu Hause."

Toni hob die Hände, beide Handflächen zeigten zu Alice. „Okay, okay. Ich mach das schon. Kein Problem."

„Super." Alice schaute sich um, ging zu einem leeren Schreibtisch. Zu dieser späten Stunde waren fast alle Arbeitsplätze nicht mehr besetzt. Sie kritzelte etwas auf einen Zettel und übergab diesen zusammen mit dem Umschlag an Toni, hielt jedoch inne, bevor diese danach greifen konnte, und erklärte: „Das ist Victorias Adresse, der Umschlag ist für sie, irgendwelche Notizen und Unterlagen von Isabella. Sie erwartet eigentlich mich. Nenn dem Portier einfach meinen Namen, ich bin entsprechend am Empfang angemeldet." Sie drückte Toni die Unterlagen endgültig in die Hand und verschwand urplötzlich um die nächste Ecke.

Sie scheint es wirklich eilig zu haben, dachte Toni bei sich.

Achtsam nahm sie den Adresszettel und studierte ihn.

„Bist du immer noch hier?"

Toni drehte sich erschrocken zu der Stimme um. „Willst du, dass ich in meinen jungen Jahren schon einen Herzinfarkt kriege?“

„Junge Jahre? Toni!“ Mehr sagte Alice nicht und sauste jetzt in die andere Richtung an ihr vorbei.

„Ich bin schon unterwegs.“ Den Kopf schüttelnd, ging Toni zum Fahrstuhl und murmelte dabei: „Die Frauen hier sind echt gefährlich. Pirschen sich ran wie Raubkatzen.“

Ich fühle mich hier wie ein Amateur, wie machen die das bloß? Die Ermittlerin war in der Tat verblüfft. *Aber lustig ist es allemal.*

Während die Aufzugskabine nach unten fuhr, fragte sich die Dunkelhaarige, ob die Fähigkeit des Anschleichens wohl ein Einstellungskriterium war, und lächelte bei dieser Vorstellung.

Was auch immer es war, das die Verlagsleute mit einer derartigen Fähigkeit ausstattete, Toni war sich aus unbestimmtem Grund sicher, dass Victoria gleich ähnlich verdattert gucken würde wie sie bei ihren Schreckmomenten der letzten Tage, weil Toni plötzlich vor ihr stand und nicht Alice.

Der Gedanke gefiel ihr, Victoria in ihrem privaten Umfeld zu sehen, hoffentlich für beide Seiten eine angenehme Überraschung zu Feierabend; wie sie wohl reagieren würde, wenn sie Toni sah?

In Gedanken malte sie sich Victorias Reaktionen detailliert aus und wurde unsagbar kribbelig, fast schon nervös, wenn sie daran dachte, dass sie ihr in Kürze allein gegenüberstehen würde.

Toni musste ihrer Fantasie Einhalt gebieten, denn was da in ihren Hirnwindungen abging, würde unweigerlich dazu führen, dass sie versuchen würde, Victoria anzumachen.

Sie musste vorsichtig sein bei dem, was sie tat, denn sie hatte einen Auftrag zu erledigen! Eine Affäre mit der Anwältin der Gegenseite könnte ungeahnte Komplikationen mit sich bringen und ihren Fall gefährden, und das durfte sie nicht riskieren.

Kapitel 13

Toni konnte nicht fassen, dass der Security Mitarbeiter des Apartmentkomplexes, in dem Victoria ihre Wohnung hatte, noch nicht einmal ihren Ausweis sehen wollte, als sie bei ihm Alices Namen angab. Wäre sie langjährige Bewohnerin, wäre es etwas anderes, aber sie als Besucherin so passieren zu lassen, fand sie definitiv leichtfertig, wenn man bedachte, in welcher Preisliga das Ganze hier spielte.

Sie nahm sich vor, darüber mit Victoria zu reden. Ein freundliches Lächeln, eine Begrüßungsfloskel, und man war durch.

Toni war wütend über eine derartige Schlamperei, denn Victoria war Anwältin, besser gesagt Scheidungsanwältin, und da gab es genügend Gründe, dass man etwas gegen sie hatte. Wegen solch einer Achtlosigkeit in Gefahr zu geraten, da fehlten ihr die Worte.

Der Mann am Empfang hatte lediglich bei der Juristin durchgeklingelt und ihre Ankunft angekündigt, sozusagen auf Zuruf eines Namens.

Wenn Victoria etwas passieren würde, weil eben derart lax mit dem Sicherheitskonzept hier am Objekt umgegangen wurde, nein, das wollte sie sich nicht vorstellen. Sie musste sich an dieser Stelle auch verbieten, weiter über das Ganze nachzudenken, denn dann würde Toni womöglich etwas

Unüberlegtes tun und den Security Mitarbeiter zusammenstauchen, was ihr wohl kaum zustand.

Es war nicht ihre Aufgabe, Victorias Sicherheit zu gewährleisten, das musste sie sich an dieser Stelle bewusst machen.

„Aber was sagen, das darf ich", murmelte sie sich in den Bart, als sie zu den Aufzügen ging.

Die Fahrstuhltüren öffneten sich, nachdem der Lift die Ermittlerin in gewünschtes Stockwerk gebracht hatte, und als Toni hinaustrat, stand Victoria bereits im Eingang ihres Apartments.

Weiße Sneakers, graue Yoga Hose, ein lockeres T-Shirt, das farblich zur Hose passte. Die Arme hatte sie vor der Brust verschränkt und es zeichnete sich unter dem luftigen Material ihres Oberteils deutlich ab, dass Victoria keinen BH trug. Der leichte Abdruck der Brustwarzen unter dem dünnen Stoff ließ Toni augenblicklich heiß werden. Sie musste sich zusammenreißen, dass ihr kein begehrliches Stöhnen entwich. Ebenso schnell, wie sich ihre Körpertemperatur binnen Sekunden um gefühlte tausend Grad erhöht hatte, lief ihr spürbar das Wasser im Munde zusammen.

Die offenen braunen Haare, die glänzend auf Victorias Schultern lagen und darüber hinwegglitten, erinnerten sie an einen Fluss aus Schokolade. Selten waren Toni Frauen aufgefallen, bei denen Haare sie derart faszinierten, eine Wirkung auf sie hatten, die ihr beinahe den Atem raubte. Sie hatte schon so oft in den vergangenen Tagen ihre Finger langsam durch eben jenes Haar fahren lassen wollen, das sonst immer hochgesteckt gebändigt war, dem man dennoch ansah, wie weich und gepflegt es war. Sie wollte diese Weichheit zu gerne spüren, und das immer wieder.

Victoria so zu sehen, vollkommen sie selbst, in Wohlfühl–Outfit und außerhalb jeglicher beruflicher Regularien, ließ Toni verharren, um den Anblick aufzunehmen. Diese andere Seite kennenlernen zu dürfen war bestimmt nicht vielen Menschen vergönnt. Zumindest ging Toni davon aus, dass Victoria versuchte, ihr Privatleben strikt von der Arbeit zu trennen, besonders ihr Zuhause nicht jedem zugänglich zu machen. Vic hatte kein einziges Mal über etwas Privates geredet oder von etwas erzählt, das mehr Rückschlüsse auf sie als Privatperson zuließ, und genau dies untermauerte Tonis Theorie.

Auch wenn es eigentlich kein geplanter Besuch Tonis oder gar eine Einladung Victorias an ihre Person war, so war Toni dennoch stolz und unerklärlich aufgeregt, dass sie hier sein konnte, und dankte innerlich Alices außerplanmäßigem *Familienproblem*.

Ohne sich davon abhalten zu können, wanderte Tonis Blick zu Victorias vollen Lippen, verweilte dort, beobachtete, wie die rosafarbene Zungenspitze unerwartet hervorlugte und wie aus einem Reflex heraus selbige Lippen befeuchtete. Tonis Augen klebten förmlich auf der beinahe unscheinbaren Bewegung und in ihrem Unterbewusstsein keimte die Frage, ob es Nervosität war, die Victoria zu einer derartigen Übersprunghandlung veranlasste; oder war es Berechnung? Wusste sie, was sie mit dieser auf den ersten Blick unschuldigen Geste bei Toni auslöste?

Dann sah sie auf zu Victorias Augen. Erstaunen und Irritation darin waren unübersehbar. Sie stand dort in der Tat vollkommen überrascht im Türrahmen, denn mit Toni hatte sie ja aufgrund Alices Namensangabe durch den Wachdienst nicht gerechnet. Sie hatte sich auf Tonis Auftauchen nicht vorbereiten können. Die Verwirrung wich aus Victorias Blick, doch spiegelte er Verblüffung wider, dazu noch etwas anderes.

Victoria stand dort sozusagen ohne den Schutz der beruflichen Distanz vor ihr, niemand anderes war da, keine Personen, die einen zwangen, auf die eigene Körpersprache, auf Blicke oder Gesten achtzugeben.

In dem Moment verstand Toni. Genau das war es, was Victoria plötzlich ausstrahlte, was Toni auf diese Weise im Büro noch nie zu sehen bekommen, von dem sie aber dennoch das Gefühl gehabt hatte, dass da mehr zwischen ihnen war, diese Augen waren von Leidenschaft erfüllt. Und es war diesmal nicht die Leidenschaft für ihren Job, die man ihr jeden Tag ansehen konnte, wenn man mit ihr zu tun hatte.

Toni erkannte Begehren, eine Spur Aufregung, vielleicht war es auch Erregung, jedenfalls schienen kleine Funken in Victorias Augen zu tanzen, als würden sie Toni locken wollen. Sie sprühten kleine Irrlichter, denen Toni willig folgte.

Das hier war unbestritten eine Seite von Victoria, die ihr viel besser gefiel. Nicht gefangen in ihrem juristischen Businesskorsett, das ihr Benehmen und Auftreten in gewissen Bahnen hielt.

Toni war mit einem Mal vollends davon überzeugt, dass in Victoria ein Vulkan brodelte, den die Anwältin gezwungenermaßen unter Kontrolle hielt, wenn sie ihrem Beruf nachging. Möglich, dass es dafür auch andere Gründe gab, aber Toni führte Victorias überlegtes und stets gefasstes Agieren genau hierauf zurück.

Die wenigen Momente, in denen sie schäkerten, waren ein Indiz, dass die Anwältin auch anders konnte, und doch überschritt sie eine gewisse Grenze nie.

Sie nun dort stehen zu sehen, auf Toni wartend, obwohl sie doch gar nicht auf *sie* wartete. Was ihr Körper für Signale sandte, da konnte Toni nicht anders, als direkt auf Victoria zuzugehen, ohne auch nur ein einziges Wort zu verlieren.

Victorias Augenbrauen zogen sich fragend zusammen, mit jedem Schritt, den ihre vermeintliche Assistentin näherkam, ein wenig mehr. Sie öffnete den Mund, um etwas zu sagen, und wie durch ein Startsignal war Toni angespornt, sie zu erreichen, noch bevor ein Wort ihre Lippen verlassen konnte.

Toni versuchte so einer Äußerung zuvorzukommen, die vielleicht den ganzen Moment zerstörte. Wer wusste schon, ob Gesagtes ihnen jede weitere Möglichkeit nehmen würde, das zu bekommen, wonach Toni in schwachen Momenten begehrte, die es in den letzten Tagen zunehmend gab, und sie beinahe schon nach Erfüllung gierte.

Sie sah in Victorias Augen die Erkenntnis aufblitzen. Ohne Zweifel wusste sie, was Toni vorhatte und was gleich zwischen ihnen passieren würde, erhob dennoch keine Widerworte.

Tonis eigene Verwunderung wich aufgeregter Freude, denn sie hatte nicht wirklich erwartet, dass Victoria dies *zulassen* würde. Unbestritten, bei ihr loderte das gleiche unübersehbare Verlangen, wie es Toni selbst ausstrahlte.

Ihre Körper berührten sich fast, so dicht blieb Toni schließlich vor ihr stehen. Mit beiden Händen umfasste sie Victorias Gesicht. Die Akte, die sie sich kurzerhand zwischen die Finger geklemmt hatte, verdeckte sie beide auf der Seite, die zum Fahrstuhl zeigte, wie eine Mauer. Sie nutzte sie, um ihre beiden Gesichter abzuschirmen.

Toni spürte Victorias Anspannung, sah die schnell pochende Schlagader an ihrem Hals und gab ihr Zeit, sich zu entscheiden. Die Freude in dem Moment, als sich Victoria kaum merklich nach vorne lehnte, ließ sie sanft lächeln.

Beide wussten, dass es jetzt kein Zurück mehr gab und sie sich endlich das nehmen konnten, was sie doch die ganze Zeit über gewollt hatten, ohne es irgendwie zuzugeben, weder offen noch sich selbst gegenüber. Doch jetzt gab es daran keine Zweifel mehr, beide erlagen der Anziehung der anderen, als habe jemand einen Schalter umgelegt.

Wen interessierte schon morgen, wenn sie wieder im Büro sein würden und praktisch unter Beobachtung standen? Mancher Mitarbeiter schaute genauer hin, Alice zum Beispiel, vielleicht sogar Isabella. Doch die waren hier und jetzt vergessen. Alle Bedenken, jegliche Zurückhaltung löste sich in Luft auf, es gab keinen Raum für diese Gedanken.

Als sich ihre Lippen zum ersten Mal berührten, dachte Toni, dass sie den Himmel auf Erden gefunden hatte. Die Hitze, die Victorias Körper ausstrahlte, ihre weichen Lippen und ihr Parfüm, all das umgab Toni, hüllte sie ein und benebelte ihre Sinne. Victoria war überall, sie konnte sie fühlen, hören, riechen und schmecken und alles fühlte sich unbeschreiblich gut an. Besser, als Toni es sich je in ihren kühnsten Träumen hätte ausmalen können. Die Selbstbeherrschung, die sie mit aller Kraft aufgebracht hatte, um Victoria nicht zu verschrecken, sich nicht ungehemmt zu nehmen, wonach sie sich verzehrte, all das brach zusammen, als Victorias Hand nach Tonis T-Shirt griff. Ihre Finger schlossen sich und bildeten eine Faust, die den Stoff des Kleidungsstückes unnachgiebig festhielt. Mit einer halben Drehung ihres Unterarmes drehte sich der Stoff nochmals fester um Victorias Faust und plötzlich zog sie Toni stärker an sich heran. Der einem ersehnten Aufprall gleichende, heftige Kontakt ihrer Körper und dass Victoria Tonis Zunge gewähren ließ, zuließ, dass sie spielerisch und fordernd zugleich zwischen ihre Lippen drang, brachte beide dazu, im selben Moment vor Erregung aufzustöhnen. Victoria ließ Tonis Oberteil los und zog ihr das T-Shirt aus dem Hosenbund. Mit ihren Fingernägeln strich Victoria über Tonis flachen Bauch, spürte das Zittern, mit dem Tonis Körper antwortete, unter ihren Fingerspitzen.

Tonis Hand glitt im selben Moment über Victorias Haare, die zwischen ihren Fingern in der Realität genauso weich waren, wie sie es sich jedes Mal vorgestellt hatte, wenn sie Victoria beobachtet hatte und die andere es nicht mitbekam, dass sie betrachtet wurde. Toni ließ ihre Finger in Victorias Nacken gleiten, während ihre Zunge über die der anderen strich.

Victoria konnte nicht anders, als darauf zu reagieren und Toni das zu geben, was sie verlangte, sich dem Kuss vollkommen zu ergeben und ihn zugleich mit aller Leidenschaft zu erwidern.

Als die Frauen sich schließlich aus ihrem leidenschaftlichen Kuss lösten, mussten beide nach Luft schnappen. Schweigen umfing sie, einzig das schnelle Atmen der beiden war im Flur zu hören. Sie brauchten keine Worte, ihre Körper sprachen das aus, was Worte hier nur bedingt hätten ausdrücken können.

Toni sah in Victorias Augen die Leidenschaft für den Moment brennen. Sie wusste, dass sie jetzt, in der Hitze des

Augenblicks, das von Victoria bekommen würde, was sie verlangte. Doch etwas hielt sie zurück, hielt sie ab, sich einfach in den Sex zu stürzen, die Gedanken auszuschalten und einfach zu vögeln.

Das, was sie vor einigen Tage bereits mit Erstaunen als Reaktion auf eine ihrer Fantasien tief in sich wahrgenommen hatte, fühlte sie jetzt erneut. Tatsächlich wollte Toni zum ersten Mal nicht einfach eine Frau ficken, die sie heiß fand, um sexuellen Druck abzubauen und für sich befriedigt nach Hause gehen.

Bei Victoria war es anders. Sie fand sie *heiß*, unbestritten, aber sie wollte Victoria nicht beherrschen, nicht nehmen, was sie wollte, ohne dass die andere es auf ihre Weise geben wollte. Nein, sie wollte teilen, was sich sexuell an Spannung und Sehnsüchten in ihr aufgestaut hatte, wollte mit ihr zusammen erleben, wie die Dämme brachen und sich die unsägliche Anspannung entlud. Nehmen, was Victoria freiwillig gab, ein kleines bisschen mehr fordern, aber sie ebenso gewähren lassen, wenn sie nicht weitergehen wollte.

Toni hatte definitiv vor, sie zur Ekstase zu bringen, ihr zu zeigen, dass man seine sich selbst gesetzten Grenzen überschreiten, mehrere Ebenen durchleben kann, wenn es um Erfüllung geht. Doch sie würde ihr nichts vorgeben mit dem ausschließlichen Hintergrund, selbst durch Orgasmen körperlich befriedigt aus dem Bett zu steigen, wie so oft schon bei One–Night–Stands oder einer Vielzahl ihrer Affären.

Tief in ihrem Inneren sagte eine Stimme ihr, dass sie vielmehr auf Victoria reagieren würde, einsteigen auf das, was sie zuließ. Abzuwarten, um dann auf das einzugehen, wozu Victoria bereit wäre; es zu nutzen, um die Lust zu verstärken, sie zu Höhepunkten zu führen und sie danach aufzufangen und für sie da zu sein.

Jeder Blick, jede Berührung, jeder erhöhte Pulsschlag, den Toni durch Victoria seit Wochen erlebte; alles schien nur dazu gedient zu haben, sie beide hierherzuführen und das zu erleben, was sie sich beide sehnlichst wünschten.

Toni war bereits am Limit ihrer Selbstbeherrschung angelangt, wenn sie ehrlich war, schon längst darüber hinaus, als sie einen Schritt zurücktrat und Victoria Raum gab zu entscheiden, wie es weitergehen sollte.

Dieser Rückzug hatte sie alle nur erdenkliche Mühe gekostet, sich gegen ihre Lust zu entscheiden, ihr nicht nachzugeben, sondern abzuwarten. Doch war ihr Rückzug unnötig, denn Victoria machte den gleichen Schritt wie Toni, aber sie folgte ihr in dieselbe Richtung, die Toni für ihren Rückzug gewählt hatte. Sie nahm Tonis Hand und zog sie mit in ihre Wohnung und ließ sie wieder los, um die Tür schließen. Als sie sich anschließend umdrehte, war Toni ihr zugewandt, stand dennoch außerhalb der Reichweite ihrer Hände.

Mit zwei schnellen Schritten stand Victoria vor ihr. Sie sagte nichts, das laute Atmen drückte aus, was in ihr vorging, und füllte den Raum.

Victoria lächelte zaghaft, was Tonis Herzschlag automatisch beschleunigte. Mit ihrem Zeigefinger griff Vic nach der Gürtelschnalle, hakte sich dort ein und zog Toni an sich heran, um sie zu küssen. Ohne zu warten, bahnte sich Tonis Zunge erneut den Weg in Victorias Mund. Das einzige Wort, das Toni gerade noch rausbekam, bevor sich ihre Lippen erneut getroffen hatten, war „Schlafzimmer", was dazu führte, dass Victoria die Führung übernahm. Besser gesagt, schob sie sie in die geforderte Richtung.

Die Hände, die bereits mit Tonis Hosenbund beschäftigt waren, halfen ihr nicht gerade dabei, nicht zu stürzen. Immer wieder unterbrach Victoria den Kuss, um sie beide auf dem gewünschten Weg zu halten.

Als Toni die Matratze an ihren Beinen spürte, griff sie nach Victorias Händen, die gerade damit beschäftigt waren, den Reißverschluss ihrer Hose zu öffnen, und hielt sie davon ab. Sie wechselte den Griff zu Victorias Handgelenken und hielt sie fest, woraufhin diese mit einem fragenden Blick zu ihr aufsah.

Toni zog Vic näher an sich und betrachtete Victoria ganz genau im diffusen Licht, das aus dem Flur ins Zimmer schien. Mit der Hand streifte sie einmal durch ihr Haar, umfasste Victorias Wange und sah zu, wie sie ihre Augen schloss, ihren Kopf leicht zur Seite neigte und sich so an Tonis warme Handfläche schmiegte.

Sie küsste sie daraufhin langsam und zärtlich, umfasste ihre Hüfte und zog sie an sich. Ihre rechte Hand wanderte unter das T-Shirt und als sie endlich die hitzige Haut von Victorias Brust unter ihren Fingern spürte und sie umfasste, drückte Victoria ihren Oberkörper nach vorne. Sie wollte Toni intensiver auf ihrem Körper fühlen. Tonis Linke ging nun ebenfalls unter das Shirt, begann jedoch, den Stoff nach oben zu schieben, woraufhin Victoria beide Arme nach oben hob, als sie bemerkte, was Toni vorhatte.

Toni musste schwer schlucken, als sie die Schönheit von Victorias nacktem Oberkörper endlich unverhüllt sah. Das schnelle Heben und Senken des Brustkorbes der Frau vor ihr und ihre Augen, die erwartungsvoll auf Tonis nächstes Handeln zu warten schienen, sie beobachteten, brachten Toni fast um den Verstand. Sie erschien Toni zerbrechlich und stark zugleich und sie wollte mehr von ihr, viel mehr. Doch zuerst musste sie sie erneut küssen, Victoria zeigen, wie sehr ihr gefiel, was sie sehen durfte, ihre Lippen genießen, dann zum Kinn und weiter zum Hals wandern, um dort zu verweilen.

Toni suchte den sensiblen Punkt zwischen Victorias Ohr und Nacken, auf den sie selbst unbeschreiblich intensiv reagierte, wenn eine Frau sie hier berührte. Erst als sie zufrieden das Erzittern Victorias wahrnahm, machte sie sich auf den Weg, deren Brust mit Lippen, Zunge und Zähnen zu verwöhnen.

Ihren rechten Arm legte sie um Victorias Hüfte und hielt sie fest. Sie drehte sich mit Victoria im Arm um, sodass Victoria nun mit dem Rücken zum Bett stand. Toni unterbracht ihr reizvolles Tun und zog sich schnell das eigene Shirt über den Kopf und warf es achtlos hinter sich. Und noch bevor Victoria irgendetwas hätte tun können, legten sich ihre Lippen wieder auf Victorias erhitzte Haut, umfingen eine Brust, begannen sie zu necken, ihre Knospe zu reizen, bis sie sich ihr hart entgegenreckte, was dazu führte, dass beide Frauen laut aufstöhnten.

Das Gefühl von Victorias Brustwarze auf der Zunge war für Toni unbeschreiblich. Sie hatte das Gefühl, allein schon dieser Kontakt würde ihren eigenen Körper mit einer Ekstase fluten, die sie vor dieser Frau noch nicht erlebt hatte. Was war das nur, was von ihr ausging?

Tonis Kopf streikte beim Versuch, irgendetwas verstehen zu wollen, das mit ihren Reaktionen auf Victoria zu tun hatte. Sie musste sie fühlen, sie riechen, sie schmecken. Jetzt! Die Hände, welche die ganze Zeit über ihren Rücken strichen, die kratzenden Fingernägel, die leichte Spuren zogen, ohne dass es schmerzte, brachten sie dazu, dass sie nicht länger warten konnte.

Sie wollte Victoria anfassen, sie berühren und streicheln, bis diese nichts anderes konnte, als Tonis Namen zu rufen und sie endlich zum Höhepunkt zu bringen. Sie wollte etwas Unvergessliches schaffen mit, vor allem aber *für* Victoria.

So stark wie bei ihr hatte sie das Verlangen noch nicht gehabt, etwas zu geben, sich nur auf die Frau vor sich zu konzentrieren, ohne dabei auf sich und ihre eigene Befriedigung aus zu sein. Sie genoss ihre Position unglaublich. Die Macht über diesen Moment und über diesen Körper unter ihren Händen, ihren Lippen, ihrer Zunge zu haben. Zu entscheiden, was als Nächstes passierte, war das, was Toni am meisten anturnte, und sie wollte Victoria geben, was sie bei Toni bereits in so vielen Träumen ausgelöst hatte. Sie würde versuchen, sie in eine Welt aus Verlangen und Hingabe zu entführen, ungeachtet dessen, was ihr sonstiger Weg war. Es ging Toni nur darum, Victoria Freude und Befriedigung zu verschaffen, ungeachtet ihrer eigenen, was für sie mehr als ungewöhnlich war.

Mit leichtem Druck schob sie Victoria auf das Bett und als diese darauf lag, zog Toni an ihrem Hosenbund, um das letzte Stück hinderlichen Stoffes zu beseitigen. Victoria hob ihr Becken an und als Toni ihr mit einem kräftigen Ruck die Yoga Hose auszog, musste sie lachen. Ihre Augen leuchteten Toni an wie funkelnde Sterne. Der Anblick ging Toni durch Mark und Bein und ließ sie trocken schlucken. Der Anblick dieser Frau, ihr leuchtendes Strahlen waren atemberaubend schön.

Toni entledigte sich binnen kürzester Zeit ihrer restlichen Kleidung und folgte der Anwältin, die sie hierbei beobachtet hatte, aufs Bett. Victoria hielt ihren Blick fest, rutschte jedoch langsam im Bett nach oben bis hinauf zu den Kopfkissen, was Toni ihr schließlich in gleichem Tempo nachtat. Victoria machte einen Zug und der von Toni folgte gleichzeitig, der Abstand zwischen ihnen blieb immer gleich, ohne dass sie sich berührten. Bis Victoria am Kopfende angelangt war, ihre Beine leicht öffnete und Toni mit ihrem Körper dazwischenglitt.

Sie arbeitete sich immer langsamer nach oben, denn noch war sie nicht auf selber Höhe angelangt, um Victoria erneut küssen zu können. Sie nutzte den Reiz dieses Kontaktes ihres Körpers, ihrer Schenkel, indem sie durch winzige Bewegungen Victorias Scham berührte, immer wieder, nur wie ein Hauch, ohne jeglichen Druck, was beide immer wieder genießerisch aufstöhnen ließ. Schier jede Berührung erzeugte kehlige Geräusche bei einer von ihnen, die Reizflut brauchte ihr Ventil und beide ließen den Lauten ihrer Erregung freien Lauf.

Das schnelle Auf und Ab von Tonis Brustkorb lotste Victorias Augen auf deren Brüste, die sie mit beiden Händen umfasste und sanft und kraftvoll zugleich begann, sie zu massieren.

Toni beugte sich vor und küsste Victoria mit der gleichen Gier, die sie bei ihr spürte. Doch Toni musste den Kuss schlagartig unterbrechen. Sie drückte ihr Kreuz durch und keuchte, als kurze Fingernägel hart über ihren Rücken gingen und diesen fraglos mit Striemen zeichneten.

Als sie runterschaute, sah sie ein aufforderndes Lächeln in Victorias Gesicht und wie diese in harmloser Geste ihre Hände ergebend in Tonis Sichtfeld neben ihren Schultern zeigte.

Toni grinste schelmisch, veränderte ihre Position so, dass sie nun neben Victorias Beinen kniete, nahm ihre Hände und schob sie über deren Kopf. Der folgende Kuss war nur kurz, aber bestimmend, bis sich Toni auf den Weg machte, Victorias Körper mit den Lippen zu erkunden.

Während sie mit den Brüsten beschäftigt war, wanderte ihre rechte Hand hinab zum Oberschenkel der Geliebten. Victoria winkelte daraufhin sofort das Bein an, zeigte so eindeutig, wo sie Toni spüren wollte. Doch die ließ sich nicht hetzen, streichelte mit der Hand die Außenseite des Oberschenkels und weiter hinunter zum Unterschenkel, mal zart, dann wieder druckvoll, fest zupackend.

Als sie beim Knöchel ankam, schickte sie ihre Finger auf den Weg zurück, aber diesmal auf der Beininnenseite.

Sie selbst rutschte weiter nach unten, während ihre Fingerspitzen ihre Bahnen auf Victorias Schenkeln zogen, ihre Hand über die Haut fuhr, sie drückte, dann wieder abließ und Tonis Fingernägel die Haut weiter verzierten. Mit dem Mund wanderte sie weiter oben über die erhitzte Haut, küsste Victorias Bauch, der eine kleine weiche Wölbung hatte, die Toni zusätzlich anturnte. Sie genoss es, sich jedem Millimeter der weiblichen Rundungen unter ihren Händen und ihren Lippen zu widmen.

Und da war er, der unverwechselbare Duft einer Frau, die bereit war, ihrer Lust nachzugeben. Toni atmete tief ein, nahm ihn in sich auf, als wolle sie das Aroma in sich speichern, und merkte, wie ihr das Wasser im Mund zusammenlief.

Wie gerne würde sie schon jetzt ihren Kopf zwischen Victoria Schenkel senken, ihren Mund auf deren Schamlippen legen, ihre Zunge tun lassen, was Victoria ohne Frage zulassen würde. Doch Toni wollte das Ganze noch weiter ausreizen, genießen, was sie bekam. Geben, was die andere bereit war anzunehmen.

Diese Frau unter ihr war so unbeschreiblich schön, kraftvoll und weich gleichermaßen, ein fleischgewordener Traum, den Toni erkunden durfte, was sie mit jeder Faser, jeder Zelle, jedem Stück ihres Körpers, ihres Bewusstseins tun würde.

Toni hob ihren Kopf ein wenig an, machte ihrer Hand Platz und als sie die feuchte Scham berührte, schloss sie genießerisch die Augen. Das sich unruhig bewegende Becken Victorias ließ Toni aufschauen. In ihren Augen brannte ein Verlangen, das Toni seit so langer Zeit nicht mehr bei einer Frau gesehen hatte und auch niemals erwartet hätte, es bei Victoria zu sehen. Da brannte pure Lust, es war Victorias Lust auf Toni.

Sie löste ihren Blick von Victorias und betrachtete bewundernd das rosa pochende Fleisch zwischen ihren Beinen, während sie mit den Fingern durch Victorias feuchte Hitze glitt, die daraufhin ein kehliges Brummen von sich gab. Toni liebte es, zu sehen, wie ihre feuchten Finger in Victorias Vagina eindrangen, es machte sie unbeschreiblich an und sie konnte augenblicklich fühlen, wie es unverwechselbar zwischen ihren eigenen Beinen zuckte.

Würde Victoria sie jetzt berühren, würde Toni in einem Orgasmus explodieren, so heiß war sie selbst. Gut, dass Vic hiervon offensichtlich nur wenig mitbekam, sich stattdessen ihren Empfindungen hingab, die Toni in ihr auslöste.

Toni sah erneut auf, Victorias Augen waren jetzt halb geschlossen und beobachteten Toni dennoch, was ein leicht arrogantes Lächeln bei ihr heraufbeschwor. Ihr Kopf ging weiter runter, Stück für Stück, ohne den Blick von Victoria abzuwenden, bis ihr Mund schließlich auf die heiße Nässe traf, die sie so lange schon hatte schmecken wollen. Ihr Geschmack war unvergleichlich, süß und salzig zugleich, eine Mischung, die ihresgleichen suchte.

Hatte sie eine Frau schon je so intensiv geschmeckt? Tonis vernebelter Geist vermochte es nicht zu sagen, aber sie wusste eines – sie wollte mehr, sie wollte alles.

Als Toni mit ihren Lippen die Klit umschlossen hatte, drückte Victoria ihren Rücken durch und forderte mehr Kontakt.

Mit ihrem Kopf zwischen Victorias Schenkeln fühlte es sich für Toni anders an als je zuvor. Das hier war kein einfacher Fick, kein One–Night–Stand. Das *Ganze* mit Victoria *war anders*, es fühlte sich warm und vertraut an, in allem; auch jetzt. Besonders *jetzt*.

Tonis Zunge wurde immer schneller und ihre Finger passten sich dem Rhythmus an, den Victorias Becken vorgab. Das immer schnellere Keuchen Victorias ließ Toni selbst in einen Rausch verfallen. Für sie zählte nur noch diese Frau und als Victoria mit einem lauten Schrei kam, fand Toni ihre eigene Erfüllung.

Sie wusste nicht, wie lange sie zwischen Vics Beinen lag, aber das leichte Zupfen an ihren Haaren ließ sie aufblicken.

„Ist es gemütlich genug?“, fragte Victoria mit einem zufriedenen Grinsen.

Toni betrachtete sie. Sie sah nicht nur befriedigt aus, sie wirkte glücklich und Toni merkte, dass ihr Herz bei dem Anblick einen Schlag aussetzte. *So wunderschön*, ging es ihr durch den Kopf. Doch ohne etwas zu sagen, nickte sie nur langsam und rutschte dann doch nach oben.

Sie blickte ihr in die Augen und merkte auf einmal, dass sie ein Problem hatte, das hier und was bisher passiert war, bedeutete ihr viel mehr als jede andere Begegnung, die sie mit einer Frau gehabt hatte.

Dennoch hielt sie das unerwartete Erkennen ihrer emotionalen Verwicklung nicht davon ab, zu verweilen, um wahrhaft aufzunehmen und zu verstehen, was sie hier mit Victoria erlebte.

Sie schob eines ihrer Beine langsam zwischen Victorias Schenkel, küsste Victoria, dieses Mal behutsam und weich. Dabei merkte sie, wie die Frau unter ihr zu lächeln begann, ohne dass Toni die Augen öffnen musste.

Plötzlich begriff sie, warum. Zwar berührte ihr Bein Vics Mitte, aber diese stellte überraschend das eigene Bein an und stellte so intensivsten Druck auf Tonis gesamten Schambereich her, was diese mit einem tiefen, erregten Seufzen in Victorias Mund dankte, während sie sich des angewinkelten Oberschenkels annahm und begann, ihren Unterleib zu bewegen.

Sie spürte, wie Victoria ihren Bewegungen den passenden Gegendruck verlieh, wie sie ihren Rhythmus annahm und sie antrieb. Tonis Lust war derartig hochgepeitscht, dass sie nicht lange brauchte, bis sich ihre Körperspannung änderte, was Victoria aufnahm und den Oberschenkel anspannte, um sie, begleitet von einem „Komm … für mich …“ endlich zu erlösen.

Das ganze Vorspiel, die ganzen Momente, Victorias Aufforderung, all das war zu viel für Toni und sie folgte ihr mit einem schnellen, harten Orgasmus.

Kapitel 14

Der warme Körper, der an sie geschmiegt war, sie festhielt und beschützte, brachte Victoria dazu, einen zufriedenen Seufzer von sich zu geben. Sie wollte nicht aufstehen, um alles in der Welt hätte sie das verhindern wollen. Doch ihr Körper war anderer Meinung und forderte sein Recht.

Genervt stand sie notgedrungen auf mit der Absicht, schnellstens wieder ins Bett zurückzukehren.

Als sie sich nur wenig später im Badezimmerspiegel anschaute, musste sie lächeln. Sie fühlte sich gut und ihre Augen strahlten dieses Empfinden auch aus. Ihr Herz flatterte, wenn sie an den vergangenen Abend zurückdachte, an die Nacht und besonders an Tonis Verlangen nach ihr.

Dass sie begehrt wurde, zeigte man ihr des Öfteren, dass sie angeschaut wurde, das war ihr vollkommen klar, denn häufig genug kam sie sich vor wie auf dem Präsentierteller, wenn sie, entsprechend zurechtgemacht, an offiziellen Terminen wie High-Society-Parties oder Galas teilnahm. Sie war beileibe keine dieser Frauen, die sich Stunden von Make-up Artists bearbeiten ließen, sie kümmerte sich meist selbst um ihr Styling, sah man zu entsprechenden Events von einem Besuch beim Friseur dann und wann ab. Obwohl sie die Hilfe von Beautyspezialisten also eher sporadisch in Anspruch nahm und es im persönlichen Styling auch eher nach dem Motto „weniger ist mehr" hielt, war Vic ein Blickfang.

Nur waren es Blicke von Menschen, die sie bisher nicht über ein gewisses Maß hinaus interessiert hatten.

Mit Toni jedoch war es unerwartet anders. Victoria war dieses Gefühl, auf solch begehrliche Weise angesehen und behandelt zu werden, vollkommen unbekannt, sie konnte sich nicht daran erinnern, mit einem derart offenen Begehren betrachtet zu werden, sei es in ihrer Zweisamkeit oder auch, wenn sie nicht alleine waren. Toni beobachtete sie, wann immer es möglich war, schien Victorias Regungen, ihr Tun in sich aufsaugen zu wollen und es gefiel ihr, dass es Toni war, die sie so anschaute.

Victoria hatte die vergangenen Tage und Wochen natürlich wahrgenommen, dass Toni sie offensichtlich anziehend fand, hatte aber versucht, dem nicht allzu viel Bedeutung beizumessen, um sich nicht zu sehr ablenken zu lassen. Blöd nur, dass es ihr in Bezug auf Toni von Tag zu Tag weniger gelang, gewisse eigene Empfindungen und Sehnsüchte zu unterdrücken. Victoria ertappte sich selbst inzwischen viel zu oft dabei, dass sie Toni entweder selbst beobachtete, ihren Fantasien nachhing oder dass sie, wenn sie alleine war, zumindest vor sich hinstarrend selbiges tat – sich vorzustellen, was diese nahezu Fremde mit ihr anstellen würde.

Von ihr ging ein unglaublicher Reiz aus, dem Victoria sich schon lange nicht mehr erlaubt hatte nachzusinnen, aus verschiedenen Gründen. Es war wie eine Sucht geworden, der sie gestern Abend schließlich hatte nachgeben müssen. Sie wollte endlich *nachgeben*, immer wieder, bis sie beide erschöpft eingeschlafen waren.

Auf dem Weg zurück zum Bett bemerkte sie das Licht, das aus dem Flur ins Zimmer fiel.

Victoria zog sich ein Shirt an und musste grinsen, als sie sich ihre Yoga Hose überzog. Wie schnell sie diese doch losgeworden war vor wenigen Stunden.

Sie ging in den Flur, um das Licht auszumachen, entschied sich aber dafür, noch einen Rundgang durch ihre Wohnung zu machen, wie sie es sonst allabendlich tat, bevor sie schlafen ging.

Sie schloss die Eingangstür ab und ging anschließend ins Wohnzimmer, um nach den Terrassentüren zu sehen. Auf dem Boden lag vor dem Eingang zum Wohnraum noch die Akte, mit der Toni aus dem Fahrstuhl gekommen war. Victoria wäre eigentlich ohnehin am nächsten Tag ins Büro gefahren, um sich die Akte zu holen, doch Alice hatte darauf bestanden, ihr die Unterlagen noch zu bringen.

Nach Alices nachdrücklich angekündigter Botentour hatte Vic darauf verzichtet, Isabellas Assistentin davon abhalten zu wollen. Umso überraschter war sie dann aber gewesen, dass Toni aus dem Fahrstuhl kam, nicht Alice. Weiter kamen ihre Gedanken nicht. Victoria spürte die Hitze, die sich augenblicklich wieder in ihr ausbreitete, als sie an diese Sekunde der *Erleuchtung* zurückdachte, und spürte die Röte, die sich dazu passend auf ihren Wangen bildete.

Alles hatte sich überschlagen, sie wollte Toni, Toni wollte sie. Alles war so eindeutig gewesen, so klar. Die ganze Zeit über schon, oder doch nicht?

Dieses Gefühl, dass sie begehrt wurde und Toni begehrte, war unbeschreiblich schön. Es waren die Gedanken, die Reaktionen ihres Körpers auf Toni, denen sie nicht traute, nicht nachgeben wollte. Aber alldem, was sie fühlte, was sie sich wünschte, dann doch nachzugeben, während sie an einem wichtigen Fall arbeitete, war so untypisch. Nur hatte Victoria sich nicht mehr wehren können. Dass Toni dazu sozusagen ihre Untergebene war, mit der sie tatsächlich geschlafen hatte, war etwas vollkommen Fremdes gewesen bis dahin.

Den Gedanken und Fantasien hatte sie freien Lauf lassen können, immer wieder, zu jeder erdenklichen Zeit, in jeder Situation, und keiner wäre je dahinterkommen. Vic war sich sicher gewesen, alles im Griff zu haben, während der Dauer der Zusammenarbeit ihrem Verlangen nicht zu erliegen und ihm schon gar nicht nachzugeben. Aber der Moment, als Toni auf sie zugekommen war, hatte alles verändert, von da an war sie machtlos gewesen.

Victoria fühlte sich für einen kurzen Moment durch ihre eigenen Reaktionen und das Geschehen paralysiert.

Doch verging dieses Gefühl und wich sinnlicher Wollust. Sie spürte bereits wieder die eindeutige Feuchtigkeit zwischen ihren Beinen und den vor Aufregung steigenden Puls.

Was machte Toni bloß mit ihr, was machte sie *aus* ihr?

So viele Nächte schon hatte sich Toni in ihre Träume geschlichen, hatte sie verführt, ihr auf vielfältigste Weise Befriedigung verschafft, ohne dass sie leibhaftig da gewesen wäre. Doch was heute Nacht passiert war, sprengte den Rahmen ihrer Träume um ein Vielfaches und sie musste es sich gerade eingestehen, sie könnte schon wieder mit dieser Frau schlafen. Allein der Gedanke daran, Tonis Berührungen auf sich zu spüren, ihre heiße Haut auf der eigenen zu fühlen, machte sie kirre.

Victoria verbat sich jedoch, den Weg ins Schlafzimmer zu nehmen, wo Toni schlief. Toni hatte sich unbeschreiblich um Victoria bemüht, ihr lustvolle Befriedigung geschenkt, auf mehr als nur eine Art und mehr als nur einmal. Victoria wollte ihr die Zeit geben, sich zu erholen, und sich selbst, um zu verstehen, was da zwischen ihnen passierte, nicht nur heute Nacht.

Sie hob die Akte vom Boden auf und legte sie auf den Esstisch, der Wohnzimmer und Küche, abgesehen von einem kleinen Küchentresen, trennte. Mit den Fingern klopfte sie auf dem Aktendeckel herum und überlegte.

Vielleicht könnte sie ihre Gedanken um Toni ordnen, indem sie etwas anderes machte. Ein wenig Arbeit würde ihren Fokus komplett ablenken, zumindest hoffte sie darauf.

Sie machte sich auf den Weg in ihr Arbeitszimmer und lief am Schlafzimmer vorbei. Als sie das Licht im Flur ausmachen wollte, fiel ihr Blick auf Tonis nackten Körper. Ein verträumtes Seufzen verließ unaufhaltsam Victorias Lippen, denn die nur spärlich mit einem dünnen Laken bedeckte Frau in ihrem Bett sah im fahlen Licht der Flurbeleuchtung geradezu göttlich aus.

Sie ist so sexy, sprach Victoria in Gedanken mit sich selbst und ließ ihre Augen noch für eine Weile über die entblößten Kurven und die samtige Haut streifen, als wären es ihre Finger, die diese wundervolle Weiblichkeit erkundeten.

Auch ohne die körperliche Berührung war es der pure Genuss, Toni so daliegen zu sehen.

Minuten vergingen auf diese Weise. Victoria ermahnte sich schließlich tief durchatmend und machte sich auf den Weg zu ihrem Arbeitszimmer, wo ihre Lesebrille lag, die sie holen wollte.

Sie wollte aber nicht in ihrem Büro arbeiten. Falls Toni aufwachte und sie suchte, würde sie sie am Esstisch sofort entdecken. Zudem ließ es sich dort ebenso gut lesen wie am Schreibtisch. Was sie noch brauchte, waren ein Block und ein Stift, damit sie sich Notizen machen konnte. Dazu ein paar ihrer eigenen Unterlagen, die sie zusammensammelte und mit in den Wohnraum nahm, wo sie sich setzte, die Akte öffnete und zu lesen begann.

Ihr steifer Nacken ließ Victoria nach einiger Zeit auf die Uhr schauen. Es war bereits vier Uhr morgens. Sie legte die Brille zur Seite und fasste sich an die Nasenwurzel.

Was sie gelesen hatte, schockierte sie über alle Maßen. Konnte das alles wirklich wahr sein? Isabellas Notizen deuteten darauf hin, dass sie lange Zeit nichts von den Machenschaften ihres *Göttergatten* gewusst hatte, zumindest nicht von den Dingen, die seinen Umgang mit den Angestellten anging. Seine menschlichen Verfehlungen, die offensichtlich erst herausgekommen waren, weil Isabella sich zu ihrer Rückkehr in die Geschäftsführung entschieden hatte, hatte er unfassbarerweise bestens geheim gehalten, davon abgelenkt oder wie auch immer man es nennen wollte. Er war unerklärlich gut darin, *Probleme* verschwinden zu lassen.

Konnte es wirklich sein, dass all das so lange nicht ans Tageslicht kam?

Was hatte dieser Mann für eine Atmosphäre der Angst schaffen können, die die Betroffenen davon abgehalten hatte, gegen ihn zu agieren?

Was genau hatten die Firmenanwälte gewusst? War von seinen Handlungen nichts bekannt geworden oder hatten sie in Kauf genommen, dass Mitarbeiter genötigt, gebosst oder gekündigt wurden?

Nein, das kann nicht sein! Wenn sie es gewusst hätten, hätten sie Isabella früher informieren müssen!

Auch die eingestellten Verfahren wegen sexueller Nötigung wunderten sie. Offenbar, wie sie aus Isabellas Notizen entnehmen konnte, waren die Informationen hierzu erst durch Nachforschungen der Underwood Anwälte überhaupt ans Licht gekommen, wie andere Dinge auch. Charles hatte alles in dieser Richtung komplett neutral vertreten lassen und stets Mittel und Wege gefunden, seinen Kopf aus der Schlinge zu ziehen und gleichzeitig dafür zu sorgen, dass nichts publik wurde. Wie er das geschafft hatte, müsste sie erst noch herausfinden. Sie war sicher, dass er hier dubios agiert hatte. Nur mussten dafür Beweise her.

Inwieweit waren Menschen käuflich, damit ein Verfahren eingestellt wurde? Was war passiert, dass sie die Anzeige zurückgezogen hatten?

War es aus Scham passiert oder aus Angst, keinen Job mehr zu bekommen? Victoria bekam ein ungutes Gefühl bei dem Gedanken daran, was es für Charles Lawrence hieß, seine Beziehungen spielen zu lassen, und war in diesem Moment tatsächlich froh, mit dem Mann beruflich nichts zu tun gehabt zu haben; schon gar nicht als Angestellte.

Manche Verfahren liefen noch nicht einmal, weil der Anwalt Simon Frey Aufschub erbat, Gegenklagen erhob, Ermittlungen verhinderte, alles tat, um die Verfahrensdauer in die Länge zu ziehen. Damit sie selbst genug Zeit hatten, um Dreck über die andere Person zu finden.

Oder um die anderen zu zermürben, bis die Nerven blank lagen oder die Kläger nicht mehr genug Geld hatten, um ihre Anwälte bezahlen zu können. Jede Aktion erforderte eine Reaktion, jedes Schreiben ein Gegenschreiben, all das kostete jedes Mal Geld.

Es war ein Psychospiel, in dem Frey sehr gut war. Er war dafür in entsprechenden Kreisen auch bekannt und Victoria war sich sicher, dass Lawrence Frey nicht ohne Grund als seinen juristischen Beistand ausgewählt hatte.

Isabellas Ex-Mann musste so von seinem Hass verblendet sein, dass ihm alles egal war. So sollte es zumindest den Eindruck machen. Der Ruf seines schmierigen Rechtsbeistandes schien ihn definitiv nicht zu interessieren, er setzte wohl eher auf dessen hohe *Erfolgsquote,* wie auch immer man *Erfolg* auslegte.

Victoria wurde eines klar, nachdem sie sich diesen Überblick verschafft hatte – auch sie müssten um jeden Preis zeigen, dass sie bereit wären, weit zu gehen, *sehr weit*!

Die meisten Kämpfe wurden nicht vor Gericht gekämpft, sondern bereits vor den eigentlichen Terminen in den Verhandlungssälen. Es gab Angebote, Gegenangebote, Vereinbarungen, Absprachen, und mit den Ergebnissen würde man dann zum Richter gehen, um bestenfalls außergerichtliche Einigungen zu erzielen.

Diesmal allerdings würde es nicht um eine Einigung gehen. Isabella wollte um den Verlag kämpfen, die Zukunft ihrer Mitarbeiter, ebenso aber auch um ihre eigene Zukunft. Und die von Julia, die sie offensichtlich sehr liebte und für die sich in Isabellas Welt jeder Kampf zu lohnen schien.

Isabella hatte die finanziellen Mittel, um gegen ihn anzugehen. Ihr Verantwortungsbewusstsein allen Menschen gegenüber, die für sie arbeiteten, aber auch gegenüber denen, die ihr persönlich noch näherstanden, ihr Kampfgeist und die noch gegebene finanzielle Sicherheit waren eigentlich eine perfekte Kombination, um die Gegenpartei fertigzumachen.

Es dürfte nur kein Kampf werden, der ins Unendliche ging, denn Isabella wollte ihr Leben leben, endlich genießen. Ein ewiges juristisches Hin und Her voller Missgunst, Lügen, Trickserereien und alldem würde ihr irgendwann an die Nieren gehen. Das durfte Victoria nicht zulassen.

Es würde nicht einfach werden, denn ihr Ex-Mann würde sich niemals einfach so *ergeben* und das Schlachtfeld freiwillig verlassen. Er wollte seine Ex-Frau leiden sehen, ihren Ruf diskreditieren, den Verlag ebenfalls ausbluten lassen. Dazu wollte er Julias Leben ebenfalls zerstören, denn damit würde er Isabella mehr treffen als mit allem anderen.

Doch er würde sich verdammt warm anziehen müssen. Isabella zog ihrerseits mit Victorias Unterstützung in den Kampf, in dem Charles Lawrence vernichtet werden sollte, damit er nie wieder Schaden anrichten könnte. Einfach so würden Isabella und sie sich nicht kampflos ergeben, schon gar nicht, wenn einer mit dreckigen Tricks agierte.

Ich werde mit dir kämpfen, Isabella, schwor Victoria ihrer Klientin stillschweigend und klappte den Pappdeckel der Unterlagenmappe vor sich zu.

Bei dem Wort *Kampf* musste Victoria unerwartet grinsen, denn sie musste automatisch an Toni denken; bei ihr hatte sie sich gerne ergeben.

Als sie aufstand und ins Schlafzimmer ging, fiel ihr Blick wieder auf die Frau in den Laken. Toni hatte sich im Schlaf von ihrer Bettseite weggedreht und lag auf der Seite. Ihre kurzen dunkelbraunen Haare waren ziemlich durcheinander. Röte machte sich in Victorias Gesicht breit, wusste sie doch, dass es ihre Finger gewesen waren, die in diese Haare gegriffen und fest zugepackt hatten, um Toni noch intensiver zwischen ihren Schenkeln zu spüren. So etwas war ihr lange nicht passiert, wenn derart intensiv überhaupt schon, und Victoria hoffte, dass sie ihr nicht wehgetan hatte. Aber sie konnte sich einfach nicht zurückhalten, als Tonis Zunge sie verwöhnt und beinahe in den Wahnsinn getrieben hatte.

Mit einem warmen Gefühl im Bauch zog sie sich schnell wieder aus und hob die Decke an, um darunterzuschlüpfen. Victoria zog scharf die Luft ein, als sie die Striemen auf Tonis Rücken sah.

Sie hatte sie in ihrer Ekstase offensichtlich ziemlich zugerichtet, aber jetzt war es nicht mehr zu ändern. Trotzdem blieb das schlechte Gewissen.

Sie konnte nur darauf hoffen, dass sie Toni nicht allzu sehr wehgetan hatte. Ein Lächeln stahl sich auf ihre Lippen, denn sie würde es bei Toni zu gerne wiedergutmachen, wenn diese darauf bestand, und nicht nur dann ...

Sie legte sich auf ihre bevorzugte Seite, auf der sie am besten einschlafen konnte, und war so mit dem Rücken Toni zugewandt, als sie die Augen schloss, und war gerade im Begriff, ins Land der Träume zu gleiten, da spürte sie eine Bewegung auf der Matratze. Toni drehte sich um und rutschte ganz nah an sie heran. Im Halbschlaf drückte sie sich an ihre Rückseite und legte den Arm über sie, sodass ihre Hand zart auf Victorias Brust zu liegen kam.

Die Wärme von Tonis Fingern auf ihrer nackten Haut fühlte sich unbeschreiblich gut an und ließ Victoria mit einem wohligen Seufzer einschlafen.

Das Erste, was Toni wahrnahm, war ein Duft, der ihr bekannt vorkam. Nur konnte sie sich im Halbschlaf

einfach nicht daran erinnern, woher sie den Duft kannte. Sie merkte aber augenblicklich, dass dieser eine ungeahnte Wärme in ihrem Inneren verursachte. Dem Duft folgte ein weiterer Sinneseindruck, ein Körper, der sich gut anfühlte in ihren Armen, und das himmlische Gefühl, diesen festzuhalten. *Victoria!*

Toni wollte am liebsten ihre Augen geschlossen lassen und sie einfach nur festhalten. Doch ihre Libido hatte anderes vor. Plötzlich war sie selbst hellwach und öffnete die Lider, um mit einem zufriedenen Lächeln auf den Lippen die Frau vor sich zu beobachten.

Langsam zog Toni die Bettdecke ein bisschen nach unten. Sie musste sich schon zurückhalten, die freigelegte Schulter nicht zu küssen, die weichen Rundungen nicht mit dem Zeigefinger zu berühren.

Sie würde den Weg weiter nach unten nehmen, um mit der Fingerspitze die Weichheit der Haut aufzunehmen, die sie berührte.

Sie würde mit der Hand über die Hüfte gleiten, die Fingerspitzen mit dem Körper spielen lassen, bis Victoria sie bat, mit ihr zu schlafen.

Doch sie hielt sich zurück und würde warten, bis Vic von alleine aufwachte, um dann zu beobachten, wie genussvoll sie im halb wachen Zustand auf Tonis Berührungen einging, wie sie darunter lebendiger wurde, wacher, fordernder.

Es gab für Toni nichts Schöneres und Sinnlicheres, als Haut und die Kurven einer Frau unter den eigenen Fingerspitzen zu spüren, sie zu berühren. Zu hören und mitzuerleben, wie die andere unter ihren Berührungen reagierte. Atmung, die sich veränderte, das Begehren nach mehr und die wachsende Ekstase.

Für sie war ein Frauenkörper wie die Vielschichtigkeit einer emotionsgeladenen Ballade auf einem Klavier.

Es war so unglaublich schwer, die Hand auf dem Oberschenkel liegen zu lassen, sich nicht vorzubeugen und das Schulterblatt zu küssen.

Doch sie musste sich nicht weiter zurückhalten, denn im gleichen Moment, als Toni noch mit sich rang, die Anwältin schlafen zu lassen, bis sie von selbst aufwachte, hob Victoria ihren Oberschenkel leicht an und winkelte das Bein an. Tonis Hand wanderte auf diese Einladung hin nach vorne.

Ohne jegliches Vorspiel reagierte Victorias Körper sofort. Direkt als Toni ihr Ziel erreicht hatte, war Victorias schneller werdende Atmung als eindeutiges Signal ihrer Lust zu hören, was Toni fast durchdrehen ließ.

Sie spürte die Erregung von Victoria direkt an ihren Fingern.

Ihre heiße Nässe zu fühlen ging Toni durch und durch und ihre Augenlider wurden schwer, sodass sie sie schloss und die Stirn auf Victorias Schulterblatt legte, der leichte Duft ihres Parfüms, den Victorias Haut auch nach dieser intensiven Nacht noch trug, erregte Toni zusehends. Sie genoss jede Regung, jedes Winden Victorias, das sie aufforderte, weiterzugehen, sie zu berühren.

Toni rückte noch eine Spur näher an sie heran, als wolle sie mit ihr verschmelzen, um so noch mehr von Victoria mitzubekommen, wenn sie ihre durch die Erregung geschwollene Klitoris berührte. Sie nahm Victorias Atmung intensiver wahr, hörte das lustvolle Stöhnen, das tief aus ihrer Kehle zu kommen schien, und spürte nicht nur die zunehmende Feuchtigkeit zwischen Victorias Beinen. Auch der ihrer Lust geschuldete Schweißfilm zwischen ihren Leibern fühlte sich unglaublich gut an und heizte ihren eigenen Rausch zusehends an. Toni musste sich tatsächlich zusammenreißen, ihr nicht in die Schulter zu beißen.

Victorias Atmung wurde immer schneller und Toni passte sich dem Rhythmus ihres Körpers an, bis sie einen weiteren besonderen Moment miterleben durfte, in dem Victoria sich vollkommen in die kraftvollen Wogen eines erlösenden Orgasmus fallen ließ.

Noch lange, nachdem Victoria mit einem tiefen Stöhnen ihren Höhepunkt erlebt hatte, lagen sie zusammen einfach nur da.

„So wacht man doch gerne auf", erklang irgendwann Victorias von den Lustschreien und erregtem Stöhnen der letzten Stunden rau gewordene Stimme.

Toni konnte nur zustimmend brummen. Sie hob den Kopf und küsste Victorias Schulter, ihre Halsbeuge und als sie sich auf ihren Unterarm abstützte und sich nach vorne gebeugt hatte, auch endlich Victorias Mund.

Toni hatte eigentlich mehr im Sinn, als beide den Kuss unterbrachen. Aber ihr Blick fiel auf den Wecker, der auf dem Nachttisch stand, und hielt sie auf.

„Oh, shit! Wir müssen bald im Büro sein."

Victoria drehte sich, bis sie beide Angesicht zu Angesicht lagen. „Und was ist, wenn wir …", ein Grinsen machte sich auf ihren Lippen breit, „uns krankmelden?"

Toni küsste sie kurz auf den Mund. „Dagegen hätte ich nichts. Das wärst aber nicht du. Sich einfach krankmelden nach einer wunderbaren Nacht voller Sex? Das kann ich mir bei dir so gar nicht vorstellen." Toni schmunzelte frech. „Und dann wir beide gleichzeitig? Gerüchteküche? So gesehen bist du meine Chefin, ich die Angestellte." Kaum dass die Wort ihren Mund verlassen hatten, sah sie, wie auf einen Schlag die Farbe aus Victorias Gesicht fiel.

Tonis Gesichtsausdruck wurde binnen eines Wimpernschlages ernst. „Oh Gott. Nein, Vic! An so etwas darfst du nicht denken. Das Ganze war einvernehmlich, du hast mich zu nichts gedrängt." Tonis Miene wechselte von Ernst zu kurzzeitiger Unsicherheit, dann zu einem schelmischen Blick. „Das war eher umgekehrt. *Du* könntest *mich* wegen sexueller Belästigung kündigen lassen. Ich konnte nicht anders, als dich zu verführen, als ich dich in der Tür habe stehen sehen. Du warst, nein, du bist so verdammt sexy, Vic." Doch auch der kleine Witz vermochte die Situation nicht mehr aufzulockern. Toni merkte sofort, was bei Victoria im Kopf abging, und versuchte weiter zu beschwichtigen, indem sie auf den Punkt brachte, was Victoria gerade offensichtlich das Blut in den Adern hatte gefrieren lassen: „Ich unterschreibe dir alles, um dich abzusichern, wenn du darauf bestehst. Du musst mir da vertrauen, Victoria. Ich würde dir niemals absichtlich schaden. Ich will dir nicht wehtun. Ich will nur *dich*." Die Emotionen, die sie auf ihre Erklärungen hin in Victorias Augen sah, ließen Toni zu dem Entschluss kommen, dass das, was sie gesagt hatte, angekommen war.

Toni beugte sich vor und gab ihr zum Unterstreichen ihrer Aussagen einen weiteren Kuss, in den sie all die Emotionen legte, die Victoria in ihr hervorrief. Er schien eine kleine Ewigkeit zu dauern und die Frauen lösten sich nur widerwillig voneinander. Doch sie wussten beide, dass Blaumachen keine Option war, besonders nicht nach diesem kleinen Schockmoment.

„Und jetzt geh duschen. Wir werden zusammen frühstücken, danach nehme ich die Bahn und fahre in meine Wohnung."

Endlich!, schoss es Toni durch den Kopf. Victoria lächelte sie wieder an, drückte ihr einen zarten Kuss auf die Lippen, dann stand sie auf. Toni wurde ganz warm, als sie Victorias nackte Rückseite sah, während diese ins Badezimmer ging.

Toni stand ebenfalls auf und suchte schnell ihre Sachen zusammen.

Wie doof bist du eigentlich, dass du den Moment mit deinem Gerede kaputt gemacht hast? Sie hätte sich ohrfeigen mögen ob ihrer Unüberlegtheit.

Zielgerichtet ging sie in die Küche und schmiss die Kaffeemaschine an. Erst jetzt sah sie Victorias Wohnung so richtig.

Der erste Eindruck von der Wohnung war klar und gemütlich zugleich und sie fühlte sich sichtlich wohl. Die Wohnung war für Victorias Verhältnisse recht klein, schien aber für eine Person aus dem normalem Leben, eine einfache Angestellte zum Beispiel, mit Sicherheit zu teuer, um sich diese leisten zu können. Zu Victoria passte diese Wohnung ohne Frage und sie würde sich ihre vier Wände zweifelsohne auch ohne Probleme leisten können.

Sie lauschte dem typischen Geräusch der Kaffeemaschine und ließ den Blick über die Einbauschränke und Wände wandern. Die Küche schien neu zu sein. Warme Farben beherrschten den Raum überwiegend. In der Spüle lag buntes Geschirr.

Offensichtlich mag Vic es in ihrem Privatleben bunt, ging es schelmisch durch Tonis Hirnwindungen. Der Gedanke ließ sie schmunzeln, denn sie musste sofort an die Regenbogenfarben der Community denken.

Ob sich Victoria hier engagierte, eventuell unter Menschen aus dieser ebenfalls einen Namen hatte? *Ich werde sie bei Gelegenheit fragen*, nahm die dunkelhaarige Frau sich vor.

Toni ließ ihren Blick weiter schweifen. Ein Tresen trennte die Küche vom Rest der Wohnung, der sicher bestens als Theke für Brunch genutzt werden konnte, wenn man Platz für ein üppiges Büfett brauchte.

Sofort gingen die Pferde mit Toni durch, denn ihre Fantasie zeigte sie und Victoria, wie sie sich gegenseitig mit vielerlei Leckereien fütterten, sie Victoria Honig aus ihrem Dekolleté leckte, den sie ihr zuvor auf die Haut geträufelt und beobachtet hatte, wie sich das gelbliche Bienengold seinen Weg nach unten suchte. Immer schneller, je wärmer er durch Victorias erhitzten Körper wurde. Sie sah förmlich, wie sich daraufhin eine Gänsehaut auf Victorias Körper bildete und sich ihre Brustwarzen erregt zusammenzogen … Toni musste sich verbieten, den Gedanken weiter freien Lauf zu lassen, sonst würde sie gleich ins Bad stürmen, um erneut mit Victoria zu schlafen.

Der Kaffee war fertig und Toni trank gerade einen kleinen Schluck, als der Esstisch erneut in ihr Blickfeld fiel.

Unterlagen waren darauf ausgebreitet, die ihre Aufmerksamkeit auf sich lenkten. Ihre Augenbrauen zogen sich zusammen, als sie die Akte wiedererkannte, die sie Victoria so dringend hatte vorbeibringen sollen. Sie schaute Richtung Schlafzimmer und hörte noch immer das Rauschen der Dusche.

Mit schnellen Schritten war sie am Tisch und öffnete den Mappendeckel. Es waren Informationen über ihren Klienten. Sie nahm ihr Handy und machte von den relevanten Angaben einige Fotos. Sie hörte auf zu fotografieren, als sie anfing, die Zeilen intensiver zu lesen.

Was ...?

Toni blätterte um und las weiter. Sie konnte kaum fassen, was auf den Seiten stand.

„Was tust du da?"

Ihr Herzschlag setzte aus, das Blut gefror praktisch in ihren Adern und Toni drehte sich blitzschnell zu Victoria um, die plötzlich hinter ihr stand. Dann erstarrte sie vor deren Augen binnen Sekundenbruchteilen. So unfähig ihr Körper auch war, sich zu bewegen, so rasend überschlugen sich Tonis Gedanken. *Woher ... Das kann nicht ... Nein ... Verdammt*, raste es durch ihren Kopf.

Sie hatte Vic nicht kommen hören, diesmal allerdings hatte es nicht an einem dicken Teppich gelegen wie im Verlag, wo sich zuvor wiederholt ähnliche Szenen abgespielt hatten, die sich doch vollkommen von dem unterschieden, was hier gerade passierte.

Toni wünschte sich augenblicklich, unsichtbar zu sein oder sich in Luft auflösen zu können, was natürlich absurd war. Sie konnte nichts anderes tun, als ihr Gegenüber anzusehen.

Victorias Haare waren noch nass und ihr Blick war unnachgiebig auf Toni gerichtet. Offensichtlich hatte sie sich nur Jeans und T-Shirt angezogen, um schnell wieder bei Toni zu sein.

Der Ermittlerin wurde schlagartig anders. Die brennende Wut in Victorias Augen sprach eine Sprache, die allzu deutlich war. Sie ahnte, was Victoria dachte.

„Ich habe dich etwas gefragt, Toni!"

Kapitel 15

Toni tat das Einzige, was ihr einfiel, sie zeigte mit dem Zeigefinger auf die Akte und Victoria blickte aufgrund dieser Geste ebenfalls kurz dorthin.

„Ist das alles über Isabellas Ex-Mann?", fragte Toni, während sie ihr Handy langsam unauffällig in der hinteren Hosentasche verschwinden ließ. Dabei hoffte sie, dass ihre Stimme einfach nur neugierig klang, ohne dass Victoria ihre Nervosität wahrnahm.

Während Victoria auf Toni zuging, antwortete sie: „Das geht dich nichts an", stellte sich neben Toni und klappte die Mappe zu. Vic war enttäuscht und wütend, auch über Tonis Verhalten, aber mehr noch über sich selbst, dass sie so einen Fehler begangen hatte und nicht auf Nummer sicher gegangen war, indem sie die Akte vor dem Schlafengehen wieder in ihr Büro gebracht hatte.

Toni wurde unvermittelt ihrerseits wütend. „Dann hättest du es nicht offen liegen lassen sollen!" Die Situation, die sie durch ihre Unachtsamkeit selbst heraufbeschworen hatte, überforderte sie und sie wusste sich nicht anders zu helfen, als wie ein Terrier, den man in die Ecke gedrängt hatte, bissig zu reagieren. „Sorry, aber ich kann nichts dafür, dass du die Unterlagen hier so hast rumliegen lassen. Ich habe mir nichts

dabei gedacht, weißt du? Aber hätte ich gewusst, dass das so geheim ist, hätte ich sie natürlich nicht gelesen."
Sie schnaufte durch. „Nein, das ist so nicht richtig. Wenn ich es gewusst hätte, hätte ich Alice den Weg nicht abgenommen. Dann wäre das alles hier gar nicht erst passiert!" Die Aussage war mehr als doppeldeutig, obwohl Toni nicht wusste, ob Victoria es so überhaupt verstand.

„Ja, genau", erwiderte Victoria schnippisch. „*Du* solltest auch gar nicht kommen."

„Nicht kommen? *Ich* sollte nicht kommen? Das hat sich letzte Nacht für mich aber anders dargestellt." Toni verfluchte sich, weil ihr die Situation entglitt. Trotzdem konnte sie plötzlich nicht anders, als Victoria direkt ihre gemeinsame Nacht unter die Nase zu reiben, die für sie auf allen Ebenen mehr als erfüllend gewesen war. Sie wusste, dass es nicht das war, was Victoria meinte, und es schmerzte sie, die leidenschaftlichen Stunden zwischen ihnen derart zu reduzieren, sie sogar zu missbrauchen, um von ihrem Fehler abzulenken. „Ich bin gekommen, genau wie du, nicht nur einmal! Und es war unglaublich. Davon abgesehen, ich habe keine Ahnung, was du mir jetzt vorwirfst! Ich war schon lange in deinem Bett, als du die Akte anscheinend gelesen hast, ich lag dort", sie zeigte in Richtung Schlafzimmer, „schlafend, wenn du dich erinnerst. Und ich kann mich nicht daran erinnern, sie dir gegeben zu haben, bevor wir miteinander geschlafen haben. Wir haben über deren Wichtigkeit und *Geheimhaltungsstatus* auch keine Silbe verloren!" Trotzig schaute sie Victoria an, die eine leichte Röte im Gesicht hatte.

„Ist das jetzt gerade dein Ernst? Du weißt genauso gut wie ich, dass du sie nicht hättest lesen dürfen. Sagt dir das Wort ‚vertraulich' in Verbindung mit meinem Beruf ‚Anwältin' etwas? Außerdem weißt du, worum es hier geht und dass es vertrauliche Informationen sind, die man mir zukommen lässt. Alice wird mir garantiert keine Urlaubstipps von Isabella auf diese Weise weiterleiten." Victorias Stimme spiegelte ihre Empörung eindeutig wider.

„Und selbst dann, wenn du es nicht gewusst hättest, dann hättest du das aus Anstand nicht lesen sollen. Wirklich, jetzt kommt von dir diese Ausrede?" Victoria schüttelte ungläubig den Kopf. „Toni, ich hätte mehr von dir erwartet als eine billige Ausrede, dir nichts dabei gedacht zu haben."

Toni fühlte sich gerade wie ein kleines Kind, das eine Lektion erteilt bekam.

„Ich sollte wohl besser gehen." Sie stellte ihre Kaffeetasse ab und ging zur Tür, dort drehte sie sich um und sagte: „Ich habe noch etwas vergessen." Sie marschierte wieder zu Victoria. Vor ihr blieb sie stehen, legte eine Hand um ihre Hüfte und zog sie an sich. Diese hob aus Reflex beide Hände und legte sie auf Tonis Schultern, um sie zu stoppen. Doch sie war nicht schnell genug.

Tonis Kuss war forsch und hart und erst, als sie spürte, wie sich Victoria entspannte, bat sie mit ihrer Zunge um Einlass zwischen Victorias Lippen. Diese stöhnte kurz auf und als sie ihre Hände um Tonis Nacken legte, unterbrach die Dunkelhaarige den Kuss, um sich der Anwältin zu entziehen.

„Ich habe immer das letzte Wort, Vic. Egal in welcher Situation."

Das Nächste, was Victoria mitbekam, war, dass die Tür ins Schloss fiel.

∞

Toni war so wütend auf sich selbst. Nicht, weil sie erwischt worden war, sondern weil sie ein, nein, mehrere Gebote gebrochen hatte, selbst auferlegte, aber auch Regeln ihres Arbeitgebers: Vögle niemals mit jemandem, den du ausspionieren musst. Misch dich nicht ein und interessiere dich nicht für die Menschen, über die du Informationen sammeln sollst.

In ihrer Wohnung angekommen, lief sie die ganze Zeit auf und ab.

„Warum habe ich es gelesen? Nur kurz überfliegen, sehen, was wichtig ist, fotografieren, später kurz auswerten, ob gesicherte Informationen wirklich Relevanz haben, und ab."

Warum war das hier anders? Warum habe ich die Akte gelesen, statt erst mal nur zu sichern und später noch mal zu gucken, was wir nutzen können?

Sie wusste, dass genau das der Grund gewesen war, dass sie Vic nicht bemerkt hatte – sie war vollkommen in die Informationen versunken, von denen eine unfassbarer war als die andere.

Warum kann ich mich davon nicht distanzieren? Warum ist es nicht mehr einfach nur ein Job?

Es war doch immer alles klar – Abstand halten, am besten unsichtbar sein. Informationen sammeln, nicht mehr, nicht weniger. Sich nicht mehr für den Ausgang des Auftrages interessieren.

Was passierte, wenn ihr Job erledigt war, war irrelevant, jegliche Emotionalität fehl am Platz. Alles, was folgte, ging sie nichts mehr an, dafür wurde sie nicht bezahlt. Schon gar nicht für Einmischung, die persönlichen Eindrücken oder Meinungen entsprang.

Die Abläufe waren immer gleich, die Regeln eindeutig, bei jedem Auftrag. Doch als sie anfing Victorias Unterlagen zu lesen, ließen sie einige Wörter stutzen, zogen ihre Aufmerksamkeit wie ein Magnet an, zwangen sie förmlich, genauer hinzusehen. Sie wollte aus unerklärlichen Gründen mehr wissen, nur weil Worte es schafften, ihre Neugierde zu kitzeln; die Art Neugierde, die gefährlich werden konnte ...

Lag es daran, dass sie die andere Seite in Wirklichkeit mochte? Wollte sie darum wissen, gegen wen Victoria kämpfte. Wenn ja, warum?

Und was sollte das überhaupt mit dem Kuss am Ende ihres Treffens, was wollte sie damit beweisen?

„Argh!" Toni raufte sich die Haare. „Diese Frau treibt mich in den Wahnsinn. Was macht sie mit mir?"

Ihr Blick fiel auf die Uhr an der Wand und ließ sie sofort abwinken, zu hetzen brauchte sie jetzt auch nicht mehr. „Ich komme sowieso schon zu spät." Kopfschüttelnd ging sie ins Schlafzimmer, um sich frische Sachen zu holen und sich fertig zu machen.

Im Schlafzimmer entschied sie sich dann aber doch, sich eine Dusche zu gönnen in der Hoffnung, ihr aufgewühltes Inneres zu beruhigen.

Unter der Dusche ließ Toni ihren Kopf hängen und wartete auf ein wenig Entspannung durch das heiße Wasser, das ihr prasselnd den Nacken massierte. Es floss vom Kopf über den Rücken hinab zum Po und über die Rückseiten ihrer Schenkel schließlich den Fliesen der ebenerdigen Duschkabine entgegen. Doch anstatt innerer Ruhe, die zurückkehrte, kamen die Erinnerungen an die letzten Stunden zurück.

Toni sah Victoria erneut vor sich, wie sie an ihrer Wohnungstür perplex auf Tonis Erscheinen reagierte und wie sich die Situation zusehends binnen weniger Augenblicke veränderte. Sie so sehen zu dürfen, in ihrem privaten Umfeld, war etwas, das sich in Toni festgebrannt hatte, etwas, von dem sie unerklärlicherweise hoffte, es öfter sehen zu können.

Sie öfter sehen zu können, Victoria, und diese neue Seite an ihr. Die funkelnden Augen, die sie lockten, ihre gesamte Erscheinung, die nichts mehr mit der Anwältin zu tun hatte, die an Tonis Seite in den letzten Tagen ihrer Arbeit nachgegangen war.

Sie hatte die Seite einer begehrenden, hingebungsvollen Frau sehen dürfen und sie hatte mit ihr geschlafen. Toni hatte noch in der Nacht gewusst, dass sie hiervon mehr wollte. Sie wollte Vic nicht nur einmalig in dieser Nacht, sie wollte die Frau und genau diese Seite, auf die sie sich freuen würde, wenn sie abends zu ihr nach Hause käme.

Was …?

Für einen Sekundenbruchteil stockte sie, als sich dieser Gedanke zeigte. Aber die Wärme, die Toni so eindeutig in ihrem Inneren spürte, wenn sie daran dachte, Victoria vielleicht wirklich öfter privat sehen zu können, sie dabei näher kennenzulernen, brachte jeden Zweifel zum Erliegen. Sie hatte sich genau das bereits gestern Abend gewünscht, noch bevor sie Sex hatten, und wünschte es sich trotz des vermaledeiten Umstandes, dass Vic sie beim Spionieren erwischt hatte, noch immer.

Die straighte Anwältin mit ihrer Power, ihrer fokussierten Art, die dann und wann aufblitzte, hatte eine unbeschreibliche Anziehungskraft auf sie, dessen war sich Toni nur allzu bewusst und ihre Gedanken schweiften weiter, derweil das Wasser ihren Körper unaufhaltsam hinablief.

Wie es wohl wäre, Victoria im Gerichtssaal in Aktion zu erleben? Zu sehen, wie unnachgiebig sie sein konnte, weil sie das Recht auf ihrer Seite wusste. Die leidenschaftliche Anwältin, die unnachgiebig für ihre Klienten kämpfte. Toni war sicher, dass in Verhandlungen vor ihr eine vollkommen andere Person stehen würde, als es gestern Abend der Fall war, und genau diese Vorstellung reizte sie.

Den Kontrast zu der Person zu sehen, die Toni kennenlernen durfte, weil sie ihr zuarbeitete, würde auf vielfache Weise spannend werden. Auch wenn sie im Verlag sicher nicht allzu viel von ihrer Persönlichkeit preisgab, so blitzten dann und wann Spuren ihrer wahren Natur auf. Das hatte ihr die Frau offenbart, die sie an ihrer Wohnungstür überrascht hatte.

Die Mischung aus dem Ganzen, was für Victoria stand, war für Tonis eigenes Empfinden perfekt. Selbstbewusst, mit beiden Beinen im Leben, extrem sexy, nicht nur in ihrer Rolle als Frau, sondern auch, weil sie bereit war, sexuell gleichermaßen zu nehmen und zu geben, wonach ihr der Sinn stand. Toni hatte gehofft, dass es so kommen würde, daran geglaubt hatte sie erst, als Victoria sich ihr vorbehaltlos hingegeben hatte. Toni war überzeugt gewesen, Vic hätte noch viel mehr zugelassen und ausprobieren wollen, aber hierfür war diese Nacht nicht die richtige.

Sie war dafür geschaffen, sich auf eine Art kennenzulernen, die eine Basis für mehr sein konnte – Vertrauen, Rücksicht und Hingabe – ohne dass Toni nach dieser sicher sein konnte, dass es eine Wiederholung gab.

Wenn sie nach einer solchen Frau suchen würde, würde sie sie nicht noch einmal im Leben finden, davon war sie überzeugt.

Aber sie war ja nicht auf der Suche …

Dennoch konnte Toni sich nicht gegen ihr Inneres wehren, weil die Anziehung, die von Victoria ausging, zu stark gewesen war.

Während das Wasser auf sie niederströmte, sagte Toni zu sich selbst: „Und warum habe ich das überhaupt zu ihr gesagt?" *Weil du es auch so gemeint hast*, ergänzte eine innere Stimme. Victoria tauchte vor ihrem geistigen Auge auf. Unvermittelt wusste sie, dass es stimmte, was sie zu ihr gesagt hatte: „Ich würde dir niemals absichtlich wehtun!"

Toni traf es wie ein Schlag, denn dass sie nichts dagegen tun konnte, dass Victoria ohne Vorwarnung so einfach in der Lage war, ihre berufliche Routine auszuhebeln, war ihr so noch nicht passiert. Ganz zu schweigen von den persönlichen Empfindungen, welche die Juristin bei ihr verursachte. *Ich würde dir niemals absichtlich wehtun!*, ging es noch mal durch ihren Kopf.

„So eine verdammte Scheiße!", rief sie und schlug dabei mit der flachen Hand mehrfach gegen die Wandfliesen. An Entspannung durch das heiße Duschen war nun auch nicht mehr zu denken, also verließ sie die Dusche, um sich abzutrocknen.

Im Schlafzimmer setzte Toni sich aufs Bett und scrollte durch ihr Handy, versuchte so noch ein wenig Zeit zu schinden, bevor sie sich auf den Weg ins Büro machte. Sie wusste im Moment nicht, wie sie sich verhalten sollte.

Professionell wäre der richtige Weg, sich von dem Fall abziehen zu lassen. So, wie sie auf Victoria reagierte, war es kaum mehr zu verantworten, dass sie weiter zuständig war.

Dass Vic sie praktisch erwischt hatte, als sie deren Klientenakte durchstöbert hatte, war ein unweigerliches Indiz dafür, dass sie unaufmerksam wurde. Dabei war es egal, ob der Inhalt der Papiere Auslöser war oder ob die unglaubliche Nacht mit einer unbeschreiblichen Frau sie hatte leichtsinnig werden lassen.

Toni müsste sich von ihrem Chef vorhalten lassen, dass sie versagt hatte, dass sie den Fall gefährdete, dass sie ihren Kunden enttäuschte und ihn ebenfalls.

Ihr Kopf schwirrte, als das Klingeln ihres Handys sie aus den Gedanken riss. Ein Blick auf den Namen des Anrufers, und sie rollte mit den Augen.

Mir bleibt nichts erspart, dachte sie ironisch. *Mieses Karma heute, Toni!* Aber es nutzte nichts, sie konnte den Anruf nicht einfach ignorieren, also nahm sie das Gespräch widerwillig entgegen.

„Hey, Boss", grüßte sie in möglichst neutralem Ton ins Telefon.

„Und? Wie läuft es in der Verlagswelt? Schon dein Manuskript eingereicht, Nachwuchsautorin?"

„Haha, witzig", sagte Toni sarkastisch. Im selben Moment schlug sich Toni die flache Hand vor die Stirn. Ihre Reaktion war alles andere als neutral.

Wie dumm bist du?!

Hoffend, der genervte Ton wäre ihrem Chef nicht aufgefallen, wartete sie ab.

Für einen Moment herrschte Stille am anderen Ende des Telefons, bevor kam, was kommen musste: „Ist alles in Ordnung bei dir?"

Toni räusperte sich. „Ja klar, alles in bester Ordnung."

„Bist du dir sicher?"

„Ja, alles bestens."

Es herrschte erneut kurz Stille am anderen Ende der Leitung. John kannte Toni schon zu lange und zu gut, um nicht zu bemerken, dass etwas im Argen lag.

Beruflich waren sie eingespielt und normalerweise beide äußerst professionell. Privat waren sie Freunde, und genau das war es, warum sie ein wirklich gutes Team waren.

Von ihrem Chef zusammengestaucht zu werden, wenn sie zu viel riskierte, um an Informationen zu kommen, das war beruflich und gehörte irgendwie dazu. Es war, als würde Toni einen ordentlichen Anschiss hin und wieder brauchen. Wenn sie sich privat trafen, konnten sie das komplett auseinanderhalten, Toni und John würde jeglichen Ärger durch Unstimmigkeiten oder verschiedene Meinungen im Job nicht mit ins Private nehmen. Wie auch immer sie das geregelt bekamen, es funktionierte bereits mehr als zehn Jahre.

John merkte, dass Toni etwas belastete, doch würde er warten, bis Toni auf ihn zukam. Beruflich hatte er größtes Vertrauen in sie, dass sie einen Auftrag nicht gefährden würde. Egal was sie belastete, sobald sie arbeite, schob sie jegliches Interesse persönlicher oder privater Natur zur Seite. Das war einer der Gründe, warum sie die Beste in Johns Team war.

„Hast du irgendwas Neues für mich?“ Die Besorgnis wegen Tonis Antwort zuvor war seiner Stimme noch deutlich anzuhören. Aber Toni ging über den Unterton hinweg, als hätte sie ihn nicht wahrgenommen.

„Ich weiß es nicht. Bis jetzt sind sie ziemlich vorsichtig, was den Fall angeht. Ich krieg da nicht so schnell Informationen, wie wir gehofft haben. Gib mir noch ein paar Tage.“

Die Ermittlerin sagte ihrem Chef abschließend zu, sich zu melden, sobald es Fortschritte gab, und sie verabschiedeten sich.

Toni hielt immer noch ihr Handy in der Hand. Sie tippte auf die App, welche ihr die Fotogalerie öffnete, und starrte auf das Display. Minuten vergingen, in denen sie zwischen den Bildern der einzelnen Aktenblätter hin und her wischte und sich die Inhalte genauer ansah und einprägte. Dann markierte sie die Fotos und drückte auf *Löschen.*

Das unangenehme Gefühl in der Magengegend, das augenblicklich da war, versuchte sie zu ignorieren, wie zuvor den Unterton in Johns Stimme, und versuchte gleichzeitig ihr Gewissen mit einer fadenscheinigen Ausrede zu beruhigen: „Ich hab ja noch alles im Kopf gespeichert."

Toni wusste, dass sie mit dieser Aktion gerade einen massiven Vertrauensbruch gegenüber ihrem Arbeitgeber und ihrem Klienten begangen hatte, aber sie konnte nicht anders. Dieser Fall war anders als die davor. Etwas hielt Toni zurück, ihren Job so zu erledigen, wie es der Auftrag vorsah, etwas, von dem sie nicht wusste, was es war. Sie entschied sich, erst einmal zusätzliche Informationen zu sammeln und dann zu entscheiden, wie sie weiter vorgehen würde.

Kapitel 16

„Na ja. Auf jeden Fall wollte ich fragen, ob du auch hingehst."

Victoria überlegte, wie die Frau hieß, die ihr gerade gegenüberstand. Sie hatten sich erst vor zehn Minuten in der Küche kennengelernt und sie redete mit ihr, als würden sie sich schon Ewigkeiten kennen. Die Firmenpolitik mit dem Duzen war ihr noch immer suspekt.

„Du meinst die Betriebsfeier?"

Die blonde Frau lächelte sie auf besondere Weise an, die Vics Alarmglocken schrillen ließen, dann folgte dem Lächeln auch noch eine Hand, die die Frau vollkommen vertraut auf Victorias Oberarm legte.

Vic ließ sich nichts weiter anmerken, aber sie versuchte sehr wohl mit Körpersprache und per Blickkontakt zu vermitteln, dass ihr offensichtlicher Flirtversuch fehlschlug, was beim Gegenüber nicht so recht ankam, denn die Hand blieb, wo sie war, als Victoria knapp antwortete: „Ich bin noch nicht sicher, ob ich hingehe. Aber es ist ja noch ein wenig Zeit, das zu entscheiden."

Die andere sah Victoria an, die wiederum wartete auf das „Bitte komm doch mit", das der *Kollegin* bereits ins Gesicht geschrieben stand. Doch etwas lenkte diese mit einem Mal ab. Ihr Blick ging über Victorias Schulter, wobei sich ihr Gesichtsausdruck veränderte. Vic konnte es nicht recht benennen, irgendwie wirkte sie jetzt leicht nervös. Der Ausdruck in ihrem Gesicht sagte eindeutig, dass ihr etwas missfiel, und schneller, als Vic eben noch damit gerechnet hatte, nahm sie ihre Hand nun doch von Victorias Oberarm.

Die Anwältin drehte sich um, weil sie wissen wollte, was die Reaktionen ihrer Gesprächspartnerin ausgelöst hatte, und sah Toni auf dem Gang vor der Küche stehen. Tonis Augen funkelten wütend, was bewirkte, dass ihr Puls sich automatisch beschleunigte.

Sofort musste sie an den Streit denken und ganz besonders an das *Danach*. Wie Toni sie besitzergreifend geküsst hatte und keinen Widerspruch geduldet hatte.

Nachdem Toni verschwunden war und sie einfach hatte stehen lassen, rasten die Gedanken bei der Anwältin. Es kam Victoria so vor, als habe Toni ihr mit dieser Aktion sagen wollen, dass sie gewisse Ansprüche stellte, ungeachtet dessen, was zuvor Streitauslöser zwischen ihnen gewesen war.

Konnte das tatsächlich sein? Wollte Toni mehr?

Oder hatte sie mit dem Kuss und ihrem anschließenden Spruch nach einer einzigen gemeinsamen Nacht sogar Exklusivrechte bei ihr anmelden wollen?

Der Gedanke hatte ein verräterisches Kribbeln in Victoria ausgelöst, denn es war auch für sie nicht zu leugnen, dass Toni es ihr angetan hatte. Diese Frau war ungemein reizvoll, gefährlich für all die Regeln, die Vic sich selbst auferlegt hatte, und auch, wenn es wenig professionell anmuten mochte, sich mit jemandem aus dem Arbeitsumfeld einzulassen, besonders nach so kurzer Zeit, so konnte sie sich Tonis Wirkung am gestrigen Abend einfach nicht entziehen. Sie hatte sie ebenso gewollt, wie Toni Vic gewollt hatte.

Anfangs, nach ihrem ersten kurzen Aufeinandertreffen bei U. P. hatte sie sich noch gefragt, ob Toni wirklich mit ihr flirtete, dann war aus Vermutung Gewissheit geworden und Victorias Fantasie begann sich immer mehr zu verselbstständigen, wenn sie an die dunkelhaarige Frau dachte, die man ihr zur Unterstützung zugeteilt hatte.

Gestern schließlich hatten einige ihrer erotischen Wünsche in Verbindung mit ihr und durch sie unerwartete Erfüllung gefunden. Sollte es so sein, dass Toni mit dem Kuss ein Zeichen setzen wollte, so musste Vic inzwischen eingestehen, dass sie ebenfalls mehr wollte.

Aber was sie wollte und was Toni vielleicht wollte, musste noch lange nicht dasselbe sein.

Normalerweise wäre sie über solch ein Auftreten wütend gewesen, denn eines war sie sicher nicht – jemandes Eigentum. Sie hätte demjenigen, der meinte, sie besitzen zu wollen, die Leviten gelesen. Aber bei Toni turnte sie die Vorstellung an, dass es so sein könnte.

Was auch immer sich dahinter verbarg, Toni als Mensch in ihrer Nähe zu haben wie auch als Liebhaberin in ihrem Bett, war ein fesselnder Gedanke, der ihr durch und durch ging. Zweites verursachte eindeutige Reaktionen in ihrem Unterleib und ließ sie, ungeachtet ihres Auseinandergehens, wieder feucht werden. Sie hätte sich am liebsten noch Tage und Nächte mit Toni durch die Laken gewälzt und sich das Hirn rausvögeln lassen. Nur waren sie beide offensichtlich doch noch in der Lage gewesen, ein wenig mehr auf ihren Verstand als auf ihre Libido zu hören, was schlussendlich zu dem unsäglichen Streit und dem unrühmlichen Auseinandergehen geführt hatte.

Tatsächlich hatte Vic sich nach Tonis Verschwinden gewünscht, sie hätte sie bezirzen können, im Bett zu bleiben und sich weiter zu lieben. Aber es war anders gelaufen und Vic kam zu keiner schlüssigen Erklärung für Tonis gewählten Abgang.

Vielleicht hatte Toni mit diesem Kuss auch einfach nur davon ablenken wollen, was sie getan hatte?

Sie hatte Aufzeichnungen gelesen, die nicht für ihre Augen bestimmt waren. Alles in allem durfte Toni keine tiefergehenden Informationen zu Klienten mitbekommen, sondern war dazu da, ihr zuzuarbeiten.

Zu dumm, dass Victorias Fantasie hierbei wieder vollkommen fehlgeleitet wurde, denn *zuarbeiten* war extrem schwammig und konnte allzu vielfältig und doppeldeutig ausgelegt werden. Es hieß schlicht, das zu tun, was Victoria verlangte, ohne Wenn und Aber. Toni arbeitete unter ihr und musste Victorias Anweisungen folgen. Das hatte sie im Büro definitiv getan, zu Victorias vollster Zufriedenheit.

Und im Bett war es …

Ein Kribbeln durchfuhr ihren Körper, wenn sie daran dachte, dass es im Bett andersherum war und sie sich Toni willig unterwarf, wobei sie zugegebenermaßen auch hier absolut zufrieden und äußerst befriedigt durch Tonis *Zuarbeit* war.

Wo genau endete die eigentliche *Zuarbeit* in Wirklichkeit, für die man Toni abgestellt hatte? Toni hatte keinen juristischen Hintergrund, war dennoch offensichtlich aufmerksam und interessiert an dem, was Isabellas Fall betraf.

Victoria wusste nicht, was sie denken sollte, und war nach Tonis Abgang zu keiner schlüssigen Erklärung für ihr Verhalten gekommen, hatte sich dann schließlich entschieden, das Thema für den gestrigen Abend ruhen zu lassen. Doch jetzt trafen sie wieder aufeinander, unerwartet schnell, obwohl es ja klar war, dass sie sich heute wiedersehen würden.

Das hier ist strange!

Victoria fühlte sich unerklärlich unbehaglich, so wie Toni sie betrachtete. Tonis Blick, als sie die Hand angesehen hatte, die vor einer Sekunde noch auf ihrem Oberarm gelegen hatte, ließ die Anwältin stutzen. Victoria hatte das Gefühl, dass Tonis Augen dunkler geworden waren, missbilligend wirkten, aber vielleicht täuschte sie sich auch.

Als Toni sich wieder in Bewegung setzte und an beiden vorbeiging, murmelte sie nur ein „Morgen“ in den Raum und machte sich auf den Weg zum Besprechungsraum, den Victoria derzeit als Büro nutzte. Tonis Blick traf noch kurz auf den der Juristin, die versuchte zu deuten, was in der Brünetten vorging, doch anscheinend hatte Toni alle ihre Emotionen ausgeschaltet.

Victoria verabschiedete sich schnellstmöglich von der neuen Bekanntschaft und ging ebenfalls hinüber zu ihrem temporären Arbeitsplatz hier bei Underwood Publishing.

„Morgen“, grüßte sie beim Eintreffen vor der Tür des umfunktionierten Besprechungsraumes ebenso knapp wie Toni zuvor an der Pantryküche und schloss die Tür auf. Toni schaute sie nicht an und Victoria konnte nicht anders, als mit den Augen zu rollen.

Das kann heute ja spaßig werden. Sie macht einen auf sauer, obwohl sie im Unrecht ist.

Victoria hatte sich entschieden, über das Thema *Akteneinsicht* noch einmal in Ruhe zu sprechen, denn sie wusste, es würde zu nichts führen, wenn sie beide sich emotional hochschaukelten.

Sie war hin– und hergerissen wegen dem, was sie fühlen und denken sollte, sie wollte Toni so gerne glauben. Doch die Situation heute Morgen war mehr als sonderbar, ebenso wie Tonis Reaktion.

Die Anwältin hatte den Entschluss gefasst, erst mal in den Arbeitstag zu starten und dann auf eine Gelegenheit zu warten, bei der sich eine Aussprache anbot.

Bis auf ihre gemeinsame Arbeit Bezogenes vermieden beide es, in den ersten Stunden ein Gespräch zu beginnen. Wenn es Klärungsbedarf gab, wurde dieser nahezu einsilbig abgehandelt, doch es funktionierte so offensichtlich. Den ganzen Vormittag verbrachten die Frauen auf diese Weise mehr schweigend nebeneinander, als dass sie sich austauschten.

Als es auf die Mittagszeit zuging, stand Jenny, die Frau, die sich Victoria morgens in der Pantryküche vorgestellt hatte, in der offenen Tür zum Besprechungsraum. Victoria nahm sie aus dem Augenwinkel wahr und drehte sich mit fragendem Blick zu ihr.

„Kommst du mit? Ein paar von uns wollen in der Kantine Mittag essen.“

Toni schaute von ihren Unterlagen auf, sah Victoria an und wartete. Victoria wandte sich ihr zu, erwiderte Tonis Blick kurz und hob eine Augenbraue, sagte jedoch kein Wort.

Dann drehte sie sich wieder zu Jenny und lächelte sie strahlend an. „Gerne doch." Sie klappte die Akte zu und stand auf, nahm ihr Jackett und drehte sich zu Toni. „Soll ich dir was mitbringen?" Sie fragte Toni absichtlich nicht, ob sie mitkommen wollte. Vic setzte somit neue Grenzen und zeigte Toni, dass sie die *Chefin* war und nicht andersherum. Tonis Abgang heute Morgen veranlasste sie hierzu.

Dass sie dazu noch von der Frau gefragt wurde, mit der Toni sie in der Küche gesehen und alles andere als erfreut reagiert hatte, war ein kleiner Bonus für Vic. Sie nahm die Mappe in die Hand und steckte sie in ihre Aktentasche.

Tonis Kiefermuskulatur war angespannt, ihr Blick, der einen Moment der in Vics Tasche verschwindenden Mappe gefolgt war, wechselte zu den Augen der Juristin und ließ keinen Zweifel daran, was sie dachte. Ihren Kommentar adressierte Toni passend: „Nein, danke. Ich bin noch ziemlich *satt* von *heute Morgen*." Der kühle Unterton in ihrer Antwort war unüberhörbar, ebenso der Hinweis auf heute Morgen. „Aber falls ich etwas brauche, keine Sorge, ich weiß schon", ihr Blick ging einmal an Victoria runter und wieder hoch, „wo ich mir etwas holen kann."

Victoria blinzelte ein paar Mal ungläubig, nickte schließlich knapp und ging mit Jenny fort.

Mit einer solchen Parade hatte sie nicht gerechnet, als sie gedacht hatte, sie würde mit ihrer Vorgehensweise, Toni nicht mit einzuladen, zeigen, wer welche Position innehatte. Irgendwie war das danebengegangen, denn Toni war offensichtlich nicht bereit, ihren Fehler und ihr Vergehen als solches anzusehen.

Sie hoffte, dass die Mittagspause helfen würde, ihren Ärger über Tonis Sturheit loszuwerden.

Mit einer solchen Grundstimmung würde das Arbeiten mit ihr zur Tortur und ob es dann weiter Sinn machte, wenn sie sich nicht beruhigten und sich vernünftig aussprachen, bezweifelte Victoria gerade massiv.

∞

Toni kochte vor Wut. Wie arrogant diese Jenny sie angeguckt hatte, als beide auf dem Weg in ihre Mittagspause an der Glasfront vorbeigegangen waren. Am liebsten wäre sie hinterhergegangen, verzichtete aber darauf, um nicht den Fehler zu begehen, sich unangemessen zu benehmen. Ihrem Kopf konnte sie dennoch nicht verbieten zu arbeiten.

Sie entwickelte abstruse Gedanken, die eigentlich an einen verknallten Teenie erinnerten, aber sie konnte nicht anders: Wenn sich Jenny und Vic an einen Tisch nebeneinandergesetzt hätten, weil die Kantine voll war und kein einzelner Tisch mehr frei war, wäre Toni dazugekommen und hätte sich dreist zwischen Victoria und sie gequetscht, egal, wie eng es wäre, nur um Jenny zu zeigen, wohin sie sich ihr arrogantes Getue stecken konnte.

Statt dem Drang nachzugeben, saß sie hier und verfiel in Grübeleien.

Toni hatte sich vor ihrer Ankunft im Büro vorgenommen, sofort mit Vic zu reden, wenn sie sich trafen, und sich zu entschuldigen, dass sie in die Unterlagen geguckt hatte. Doch alles verpuffte, als sie dieses flirtende Etwas gesehen hatte, das mit Vic redete. Nichts von dem, was sie sich vorgenommen hatte, war passiert.

Das Einzige, was sie tun konnte, war, Victoria zu zeigen, dass sie zu ihr gehörte und dass Toni keine Nebenbuhlerin zulassen würde, sofern Vic sich auf mehr einließ, was Toni betraf. Das hatte sie mit ihrem Blick auf die Szenerie in der Küche und auf Vic unmissverständlich zum Ausdruck gebracht, dessen war sie sicher.

Sie wusste, dass Vic nicht zu ihr gehörte, nicht nach einer Nacht und ganz gewiss nicht nach diesem Morgen. Genau *das* hatte Vic ihr vorhin noch mal *wunderbar* verdeutlicht, als nicht einmal die Frage kam, ob sie die beiden Frauen in die Pause begleiten wollte. Trotzdem ließ sie diese Vorstellung nicht los – was wäre, wenn …

Nach gefühlten hundert Stunden, ohne dass Victoria wieder auftauchte, stand Toni auf und drückte ihre Rücken durch, bis das erleichternde Knacken zu hören war.

Scheiß Schreibtischjobs!

Da war wieder der Beweis – ein reiner Job im Büro wäre nichts für sie. Das wusste Toni jedes Mal, wenn sie Stunden am Schreibtisch gesessen hatte und ihr Körper durch das bewegungslose Arbeiten einzurosten schien. Der Job als Ermittlerin bot eigentlich echte Vielfalt diesbezüglich, bis auf Jobs wie diesen. *Aber wie so oft bestätigen ja Ausnahmen die Regel.* Sie grinste schief bei dieser Floskel und machte noch ein paar Drehungen und Dehnbewegungen, um wieder in Tritt zu kommen. Eine kleine Pause und ein paar Schritte würden ihr dabei sicher helfen.

Sie hatte sich gerade einen Kaffee geholt, da sah sie die beiden Frauen, wie sie vorne beim Eingang zu den Verlagsräumen standen und lachten.

Das Flirten dieser tussigen Ziege würde sogar ein Blinder sehen, nörgelte Toni stumm vor sich hin und konnte beobachten, wie Jenny sich umdrehte und offenbar beschwingt davontrabte, während Vic schmunzelnd zu den Toiletten ging.

Toni stellte ihren Kaffeebecher auf dem nächstbesten Schreibtisch ab und ging ihr hinterher. Es waren drei Kabinen, von denen zwei offen standen. Toni lehnte sich gegen das Waschbecken und wartete. Nach kurzer Zeit öffnete sich die Kabinentür und Vic blieb stehen, als sie Toni sah. Sie stockte nur kurz, ging dann, ohne ein Wort zu sagen, hinüber zum Waschbecken.

„Und? Hattet ihr Spaß?“, fragte Toni.

Vic blickte auf und begegnete Tonis Blick im Spiegel. „Ja, es war ganz nett.“

„War das zwischen uns auch nur ganz *nett*?“

Vic schaute Toni fragend an, bis sie einen Entschluss gefasst hatte. „Ja, könnte man so sagen.“ Vic nahm Papier, um sich die Hände abzutrocknen.

„Lass das“, sagte Toni in scharfem Ton.

Victoria warf das Papier in den Mülleimer und drehte sich zu Toni „Was lassen?“

„So tun, als wäre nichts zwischen uns.“

„Und was ist da zwischen uns?“

Diese Anwälte! Toni war schlagartig genervt, hatte plötzlich keine Lust mehr auf die offensichtlich sinnlose Diskussion und schüttelte den Kopf.

„Nichts! Vergiss es!“

„Siehst du.“ Victoria ging an Toni vorbei. Sie war im Begriff, den Ausgang zu erreichen, als eine Hand sich um ihr Handgelenk legte. Nicht fest, nur leicht. Ein sanftes Halten, das Vic klar zeigte, sie könne entscheiden, wie es weiterging.

„Victoria.“ Tonis Stimme war nur ein Flüstern, aber es verursachte eine Gänsehaut, die sich in rasender Geschwindigkeit auf ihrer Haut ausbreitete, bei der Aufgehaltenen.

Sie blieb tatsächlich stehen und Toni nutzte ihr Zögern, um sich zwischen Tür und Victoria zu schieben. Die Hand, die eben noch ihr Handgelenk umschlossen hatte, wanderte weiter nach unten und umfasste Vics Hand.

„Es tut mir leid. Okay? Ich hätte nicht in die Akte schauen sollen. Du hast vollkommen recht, sauer auf mich zu sein.“ Toni legte ihre andere Hand auf Victorias Schulter und fing an, mit dem Daumen über den Stoff darunter zu streicheln, was Victoria mehr als deutlich auf der Haut spürte, fast, als wäre der Stoff gar nicht vorhanden. „Ich weiß, das hier ist alles andere als unkompliziert und kaum unserer beruflichen Zusammenarbeit angemessen. Aber mir geht es um mehr als das.“ Aus Tonis Blick sprach absolute Aufrichtigkeit und ein kleines Lächeln schob ihre Mundwinkel nach oben. „Keine Sorge, ich will dir keinen Antrag machen. Aber ich möchte, dass du weißt, dass die letzte Nacht so nicht geplant war und ich auf keinen Fall möchte, dass du glaubst, ich hätte es darauf angelegt. Es war unbeschreiblich schön mit dir. Mehr muss ich nicht dazu sagen, denke ich." Ihr Lächeln wurde kurz breiter, ihr Blick zeigte Wärme und feurige Begeisterung, die dann Sekunden später einem ernsten Ausdruck wichen. „Bitte, lass uns nachher reden oder wir gehen zusammen essen. Ich möchte mich aufrichtig bei dir entschuldigen." Der Daumen stoppte unvermittelt in seiner Bewegung, dafür wanderte jetzt die Hand ein wenig abwärts und touchierte seitlich die Rundung von Victorias linker Brust. Tonis Worte hatten sie wehrlos gemacht. Nicht nur die Worte und deren Aussage, sondern auch die Art, wie Toni sie ausgesprochen hatte, hatten Victorias Widerstand pulverisiert. Toni hatte ihr die Nacht in Erinnerung gerufen und eindeutig zum Ausdruck gebracht, dass der Sex für sie ebenfalls außergewöhnlich war, wie es Vic für sich auch empfunden hatte. Plötzlich hatte sie sich gewünscht, Toni würde sie erneut berühren, was sie jetzt tatsächlich tat, geradlinig, eindeutig und doch unaufdringlich. Vic hätte sich jederzeit entziehen können, genoss aber den Kontakt viel zu sehr. Sie selbst hätte den Versuch nach ihrem Streit auf solche Weise wohl nicht so schnell gesucht. Toni hingegen war mutiger, folgte offensichtlich instinktiv ihrem Wunsch, Vic zu berühren, die ihr dafür innerlich dankte, denn Toni zu fühlen war einfach zu gut.

Es war nur ein zartes Streifen an ihrem Busen, nur der Hauch einer Berührung, es genügte dennoch, Victoria erzittern zu lassen. Quälend langsam glitt die Hand weiter abwärts und blieb auf Höhe der Hüfte liegen.

Vic schloss die Augen, denn die Berührungen Tonis verursachten dieses unglaubliche Gefühl, das einem brennenden Kribbeln und einem unbeschreiblichen Sog gleichkam. Das daraus resultierende unwiderstehliche Ziehen in ihrem Unterleib ließ ihre Lider schwer werden. Sie konnte nur noch fühlen, *wollte* nur noch fühlen. Tonis Mund war ganz dicht an ihren Lippen, sodass sie deren Atem darauf spüren konnte. Ein erschrockenes Aufstöhnen war Victorias Reaktion, als Toni selbst einen Stoß in den Rücken bekam, daraufhin einen Schritt nach vorne machen musste und sie Victoria unerwartet nach hinten drängte.

Vor Schreck weiteten sich Victorias Augen, denn sie stand so dicht vor der Dunkelhaarigen, dass sie nicht mehr reagieren konnte, um sich abzufangen. Doch Toni erfasste die Situation sofort und hielt sie fest, damit sie nicht nach hinten fiel.

„Oh, Entschuldigung", erklang eine Frauenstimme, die die elektrisch geladene Atmosphäre zwischen Toni und Victoria mit einem Schlag verpuffen ließ. Innerlich verfluchte Victorias vermeintliche Assistentin den Störenfried, denn sie erkannte die Stimme sofort.

Toni drehte sich um und stand somit zwischen Vic und der Person, die im Begriff war, einzutreten.

Zwischen zusammengepressten Zähnen antwortete Toni kurz angebunden: „Kein Problem, Jenny", und schnaufte anschließend deutlich hörbar aus.

Jenny trat vorbei, schaute dabei zwischen den beiden hin und her. Doch ehe sie etwas sagen konnte, griff Toni nach Vics Handgelenk und zog sie mit sich. „Komm, Victoria, da wartet noch einiges an Arbeit auf uns." Toni ging voraus, warf Jenny einen Blick zu, der bissig und gleichzeitig besitzergreifend war, sodass jetzt klar sein sollte, wer zu wem gehörte. Die Reaktion in Jennys Gesicht war Antwort genug für sie und mehr als ein genugtuender Ausgleich für heute, die *Pantry* und das *Mittagsdate* mit Victoria waren vergessen.

Vic folgte ihr, ohne zu zögern, ohne etwas gegen Tonis Aufforderung zu sagen. Bevor die Tür ins Schloss fiel, konnte sich Toni einen Spruch nicht verkneifen: „Hey, Jenny, Hände waschen nicht vergessen!"

Als das Türblatt den Blick aus dem Vorraum in den Flur verdeckte, drehte Toni sich zu Victoria um, schaute einmal nach links, dann nach rechts und gab ihr einen fordernden Kuss, der ewig zu dauern schien.

Nachdem sie die Lippen der Anwältin wieder freigegeben hatte, schaute diese sie mit funkelnden Augen an. Toni wusste zu gut, warum.

Vic wollte kein Gerede provozieren, aber es war ihr schlichtweg egal gewesen, selbst wenn man sie jetzt gesehen hätte. „Der musste sein", kommentierte sie und schmunzelte Victoria wissend an, denn deren körperliche Reaktion auf den Kuss, ihr Drängen gegen Tonis Körper, das Spiel ihrer Zungen, nachdem sie Tonis Bitte um Einlass in ihren Mund nachgekommen war, sprachen eine eindeutige Sprache.

Der Kuss hatte ihr definitiv gefallen und sie hätte mehr gewollt, wären sie in diesem Moment nicht im Büro gewesen.

Beide waren in die Arbeit vertieft, als Toni zum wiederholten Mal auf dem Stuhl unruhig hin und her rutschte. Sie konnte nicht anders, als Victoria ständig anzusehen. Die Frau zog sie magisch an, mit jedem Tag, den sie zusammen verbrachten, intensiver. Und jetzt, wo sie Vic *live* erlebt hatte und es so aussah, dass sie ihren verdammten Streitpunkt, das Lesen der Akte, klären, sich darüber in Ruhe aussprechen könnten, umso mehr. Toni kam immer weniger gegen Victorias Ausstrahlung an und sie kam sich vor wie ein Teenager, der allein bei dem Gedanken an diese Frau bereits ein feuchtes Höschen bekam. Es war unglaublich, wie stark sie auf Vic reagierte.

Wäre das auf der Toilette mit jemand anderem gewesen, wäre sie wahrscheinlich gar nicht erst hinterhergegangen. Sie lief *niemandem* hinterher.

Doch Vic konnte und wollte sie nicht gehen lassen.

Wenn Jenny, deren Namen sich bei Toni auf negative Weise festgebrannt hatte, nicht reingekommen wäre, hätte sie dem Drang, Victoria zu spüren, sie erneut zu verführen, freien Lauf gelassen. Er war so stark, dass Toni sie in die nächste Kabine gezogen hätte.

Dann hätte ich sie langsam …

„Erde an Toni.“ Victoria schaute Toni skeptisch an.

Toni bemerkte ihren trockenen Hals und wusste sofort, dass die erotischen Gedanken ihre Stimme gerade kippen lassen würden. Sie räusperte sich und antwortete nur mit einem kleinen „Mh?“

„Ich habe dich etwas gefragt, doch du hast nicht reagiert. Du bist die ganze Zeit abwesend. Was ist denn los, dass du so dermaßen abgelenkt bist?“

Es brauchte einige Sekunden, dann schaute Toni Vic fest in die Augen und räusperte sich noch einmal, bevor sie antwortete: „Du.“

Sie wusste, dass sie ihre Tarnung und somit ihren Job aufs Spiel setzte, blendete beides aber aus.

Scheiß auf professionell und Arbeit, ich will dich! Warum soll ich es dir nicht hier und jetzt sagen? Dir geht es doch genauso.

Als von Victoria keine Reaktion kam, sprach Toni weiter: „An vorhin. Ich habe gerade an vorhin gedacht, Vic. Ich habe darüber nachgedacht, was passiert wäre, wenn Jenny nicht aufgetaucht wäre. Ich habe mir vorgestellt, wie ich dich in die Kabine gezogen und dich gegen die Kabinentür geschoben hätte, während meine Hand langsam die Innenseite deines Oberschenkels streichelt. Ich würde meine Finger immer höher gleiten lassen und kurz bevor ich deine Nässe fühlen kann, die Hand zurückziehen, dich nur ganz leicht berühren, immer wieder. Ich würde dich beobachten, wie du unruhiger wirst, jedes Mal, wenn meine Finger einige Millimeter weiterwandern als zuvor.“

Victorias Bick ging panisch an Toni vorbei. Sie schaute auf die Menschen, die außerhalb des gläsernen Besprechungsraumes ihrer Arbeit nachgingen und von dem, was hier gerade passierte, nicht das Geringste ahnten. Sie rutschte nervös hin und her. Tonis Stimme war mit jedem Wort rauchiger geworden, ging ihr durch und durch und verursachte eine Gänsehaut, die ihren ganzen Körper elektrisierte. Und diese Stimme versetzte ihr einen weiteren Schlag: „Ich würde dich anfassen, reizen, meine Finger über deine Schamlippen gleiten lassen, deine Klit, in dich eintauchen, nur ein wenig. So lange, bis du mich anbettelst, dich schnell und hart zu ficken."

Victoria musste schwer schlucken. Nicht nur das verräterische Pochen zwischen ihren Schenkeln war da. Sie war angeturnt und feucht von jedem einzelnen Satz, der ihre eigene Vorstellung ankurbelte.

Toni stand auf und setzte sich neben Victoria, sie legte ihre Hand auf Vics. Mit dem Daumen strich sie über das Handgelenk, fuhr über die pulsierende Stelle der Schlagader an dessen Unterseite. „Und ich überlege die ganze Zeit, was ich noch alles mit dir machen möchte."

„Hör auf damit." Victoria schaute panisch zur Glasfront und entzog Toni ihren Arm.

„Womit?" Ein freches Lächeln schob sich auf Tonis Lippen. Sie beugte sich vor und flüsterte Victoria ins Ohr: „Du weißt, wenn das hier nicht alles aus Glas wäre, würde ich hier und jetzt deinen Rock hochschieben, dich auf den Schreibtisch setzen und mich zwischen deine Beine knien. Ich würde deine Schenkel auseinanderdrücken, ganz langsam, und dich noch langsamer lecken, bis du nach Erlösung schreist, damit ich dich endlich kommen lasse."

Victoria drehte sich plötzlich zu Toni und schaute ihr ernst in die Augen.

„Wir machen jetzt Feierabend!"

Toni lachte in rauchigem Ton auf: „Hab ich es doch gewusst."

Sie erhob sich von ihrem Platz, ging zur Tür und sah Vic an, auf deren Gesicht sich eine deutliche Röte zeigte, als sie antwortete: „Schuldig im Sinne der Anklage."

Während Toni die Tür für Victoria aufhielt, zwinkerte sie schelmisch und gab sich galant: „My Lady", was die Anwältin mit einem Klaps auf ihren Oberarm kommentierte. Sie wollte keine Höflichkeiten, sie wollte Sex! Sie wollte genau das erleben, was Toni so eingängig beschrieben hatte.

Kapitel 17

Toni schob Victoria durch die Tür. Sie hatte ihr beide Hände auf die Hüften gelegt und küsste ihren Nacken, bevor sie ihr ins Ohr raunte: „Was ist mit dir los? Nicht, dass ich mich beschwere. Aber du brichst die Arbeit einfach ab? So früh? Lässt alles stehen und …“ Toni wollte eigentlich nicht weiterreden, trotzdem musste sie fragen, denn Vics Reaktion hatte sie in der Tat ein wenig überrascht.

Eine kleine Stimme warnte sie davor, dass Victoria vielleicht innehielt und dann doch das Bevorstehende abblasen und zur Arbeit zurückkehren würde, weil sie alles hatten stehen und liegen lassen. Zwar hatte Vic sämtliche Unterlagen schnellstens zusammengeschoben, damit es von außen ordentlich aussah, die Hauptaktenmappe eingesteckt und den Raum sorgfältig verschlossen. Toni wusste dennoch, dass dieses Verhalten absolut untypisch für die Anwältin war, wollte diesen Moment sicher nicht durch ihr Gerede über die Arbeit kaputt machen, sah sie aber auffordernd an.

„Ich weiß es nicht“, unterbrach Victorias bebende Stimme Tonis langwieriges Fragespiel. Noch immer stand sie mit dem Rücken zu Toni. Sie konnte sich nicht umdrehen, denn dann würde sie möglicherweise die nächsten Worte nicht aussprechen können, weil Tonis Anblick sie augenblicklich dazu bringen würde, mit ihr schlafen zu wollen, Doch sollte Toni wissen, dass sie Vic mit ihren Bildern erregt hatte: „Es muss an dir liegen. Dein ganzes Gerede, deine Stimme und was du damit ausgelöst hast. Dich im Büro aber nicht anfassen zu dürfen und gleichzeitig zu wissen, dass das, was du da beschreibst, ist, was ich will. Es brachte mich zum Durchdrehen, als ich daran dachte, wie lange ich warten müsste, bis du mich ..." Victoria drehte sich endlich zu ihr. „Denkst du, du warst die Einzige, die mehr von diesen heißen Spielchen will?" Sie küsste Toni auf den Mund, löste sich wieder von ihr und zog sie aufreizend lächelnd ins Schlafzimmer.

Toni atmete schwer, sie war bereits wieder am Limit ihrer Selbstbeherrschung angekommen. Als sich Victoria an ihren Körper presste und sie erneut verlangend küsste, stöhnte Toni auf. Der Kuss wurde forscher und Tonis Hände fingen bereits an zu zittern, als sie den Reißverschluss an Victorias Rock suchte.

Erst nach einer gefühlten Ewigkeit fand sie ihn und war gerade dabei, ihn runterzuziehen, da griff Vic nach ihrer Hand und hielt sie fest. Sie löste sich von Toni, machte einen Schritt nach hinten und zog selbst an ihrem Reißverschluss. Daraufhin fiel ihr Rock beinahe fließend auf den Boden. Tonis Blick fiel auf die Stockings, die eine wunderschöne und zugleich aufreizende Hülle für Victorias schlanke Beine darstellten. Um Fassung ringend, schloss sie für einen Augenblick die Augen.

„Musst du immer so eine Unterwäsche tragen?"

„Wenn du mich dann immer so ansiehst, wie du es gerade getan hast, dann ist meine Antwort eindeutig Ja."

Toni ging jetzt wieder auf Vic zu. „Ach, und wie sehe ich dich dann immer an?"

Vic schluckte schwer, sollte sie es aussprechen? Aber warum nicht, es war etwas zwischen ihnen, das sie nicht leugnen konnte und dem sie nur mehr Ausdruck verleihen würde, wenn sie ihre Gedanken aussprach.

„Als würdest du gleich über mich herfallen."

Toni stand dicht vor ihr und ließ sich unerwartet auf ein Knie nieder.

„Glaub mir." Sie umfasste Victorias Wade und signalisierte ihr mit leichtem Druck, dass sie ihr Bein anheben sollte. Sie griff nach dem High Heel und zog ihn ihr aus, um danach den Fuß Victorias auf ihrem Oberschenkel zu platzieren. „Das liegt nicht an der Unterwäsche." Vorsichtig wanderte sie mit beiden Händen über die Wade nach oben, strich über den Oberschenkel und blieb an der Spitze des Stocking–Stoffes stehen. Langsam zog sie diesen nach unten, küsste jeden frei werdenden Zentimeter Haut, bis sie ihren Fuß erreichte und darauf einen kleinen Kuss platzierte.

Sie schaute hoch und sah Victorias Blick. Er war leidenschaftlich, brennend, und da war noch etwas, was sie nicht deuten konnte. Doch schrie ihr körperliches Verlangen so laut, dass es diese Eingebung übertönte. Sie wollte Victoria endlich spüren.

Sie stellte den rechten Fuß auf den Boden und hob nun den linken. Victorias Augen schlossen sich, als Toni mit diesem Bein dasselbe machte wie zuvor mit dem anderen.

Behutsam stellte sie anschließend auch den Fuß zurück auf den Boden. Als sie sich wieder erhob, begann Victoria ihre Hemdbluse zu öffnen.

So, wie Vic es zuvor getan hatte, machte es Toni jetzt und hielt ihre Hände fest. Sie beugte sich vor, deutete mit einem leichten Kopfschütteln an, dass sie anderes vorhatte als Vic vorschwebte, die sie daraufhin gewähren ließ.

Anschließend gab Toni Victorias Hände wieder frei und küsste deren Dekolleté, während sie sich weiter den tiefer liegenden Knöpfen von Victorias Bluse widmete, bis sie den letzten davon geöffnet hatte. Mit beiden Händen schob sie die Bluse von den Schultern ihrer Gespielin.

„Weißt du, was ich am liebsten bei dir küsse?"

Victoria schaute herunter zu ihren Brüsten, was ein Lachen von Toni zur Folge hatte. Mit beiden Händen umfasste sie

Vics Gesicht, sagte: „Ja, deine Brüste auch. Aber da gibt es noch etwas anderes." Ihr Blick war aufmerksam auf Victoria gerichtet, die mit zarter Röte auf den Wagen angedeutet unwissend die Schultern zuckte. „Das", erwiderte Toni und küsste sie leidenschaftlich auf den Mund.

Victoria griff augenblicklich nach ihrer Hose, doch Toni machte einen Schritt zurück, löste sich so von ihren Lippen. „Dafür haben wir jetzt keine Zeit." Sie zog sich selbst das Shirt über den Kopf, öffnete in Eile ihre Hose und ging wieder auf Vic zu, um sie rückwärts auf das Bett zu schubsen, dann schob sie sich Hose samt Slip über die Hüften und stieg schließlich aus dem Stoff, als beides auf dem Boden lag.

Als Vic auf dem Bett lag und Toni zwischen ihre Beine rutschte, fing Vic augenblicklich an, ihr Becken zu bewegen, was Toni rau lachend kommentierte: „Habe ich dich so heiß gemacht? Das war nicht meine Absicht." Sie grinste frech. „Oder vielleicht doch?" Toni sah Victoria für einige Sekunden tief in die Augen und nickte. „Doch, das war meine volle Absicht. Und glaub mir, ich kann es auch nicht abwarten." Sie senkte ihren Kopf, um Victoria erneut zu küssen, und verstärkte gleichzeitig den Druck ihres Beckens auf Victorias Mitte, was die Anwältin offensichtlich rasend machte, denn das Kreisen ihres Beckens wurde stetig schneller und ausladender, weil sie mehr Kontakt zu Tonis Körper suchte und unstrittig immer wieder fand, was Tonis steigende Atemfrequenz und das genussvolle Stöhnen, das ihr immer häufiger über die Lippen kam, deutlich machten. Der Reiz war für beide ungemein intensiv. Als Toni jedoch ihr Becken anhob, um sich Vics Reizen zu entziehen, bewegte sich Victorias Hand auf ihren Po und hielt sie davon ab. Toni griff nach hinten, packte zu und hielt die Hand fest.

„Was soll das werden?!"

Vic kräuselte lächelnd ihre Lippen. „Wonach sieht es denn aus?"

Toni schob ihre Hand ein kleines Stück weg und spürte dennoch den Gegendruck zwischen ihren Beinen, den Victoria weiterhin aufrechterhielt, weil sie Becken und Oberschenkel geschickt einzusetzen wusste. Toni beobachtete sie gebannt, hielt die Hand auf ihrem Po nur noch fest an Ort und Stelle. Victorias Augen hielten die ihren gefangen wie Magneten, die Tonis Blick fixierten.

Auffordernd schaute Victoria sie an, als sie das Schweigen zwischen ihnen brach: „Ich weiß, dass du dich zurückhältst." Dabei hob sie ihr Becken weiter an, intensivierte sowohl für Toni als auch für sich den druckvollen Reiz zwischen ihren Schenkeln und keuchte kurz auf.

„Du weiß gar nicht, wovon du redest", kam Tonis Antwort in einem tiefen Seufzer, den Victorias Bewegungen auch ihr entlockten.

Und was sie sah, bestätigte sie in ihrer Aussage. Victorias Augen sprachen Bände. Es war eine Mischung aus Lust, Ekstase und gleichzeitiger Angst. Toni kannte diese Angst in Victorias Augen. Es war die Angst davor, ihren Gefühlen freien Lauf zu lassen, zuzulassen, was sie sich im Geheimsten wünschte, und dabei zu wissen, dass Toni möglicherweise die Frau war, die ihr das geben konnte, was sie selbst von sich nicht erwartete, noch nicht ahnte, dass sie sich danach sehnte.

Es waren keine Fantasien mehr, denen sie in ihren Träumen hinterherjagte, über den Punkt war Toni bereits seit ihrer ersten Nacht hinaus. Sie war jetzt hier und Victoria musste nun für sich die Entscheidung treffen, ob *sie* eine Fantasie ausleben wollte oder nicht. Dass Toni zu allem bereit wäre, konnte sie ihr kaum deutlicher zeigen, ihr Körper sprach für sie. Aber vielleicht musste sie es wirklich trotzdem aussprechen, damit Vic endgültig verstand.

„Ich will dich nicht verschrecken, verstehst du? Wir kennen uns erst kurz." Toni versuchte den Pegel ihrer Erregung im Zaum zu halten, was ihr sichtlich schwerfiel, denn die Frau unter ihr machte gar keine Anstalten, sich komplett ruhig zu verhalten, wenn sie auch nur mit kleinsten, gleitenden Bewegungen ihrer Hüften deutlich machte, wonach ihr der Sinn stand. Die kurzhaarige Brünette riss sich bestmöglich zusammen, denn sie wollte ihr eine Erklärung geben: „Vic, du sprichst etwas in mir an, das ich so nicht erwartet habe. Du sprengst jegliche Grenzen, die ich mir gesetzt habe, um eine Frau, die ich nicht kenne, nicht zu überfordern, ihr nicht etwas aufzuzwingen, nur weil meine Lust mit mir … Ahhh …“ Victoria fing wieder an ihr Becken zu bewegen und unterbrach somit das, was Toni doch hatte erklären wollen. Mehr als ein tiefes Stöhnen brachte sie nicht mehr zustande. Ihre Konzentration war futsch, die Worte hatten keine Relevanz mehr, Toni musste dem Gefühl zwischen ihren Beinen Tribut zollen und die Lider schließen, denn Victoria wusste sehr genau, was sie da tat. Es war gut, unbeschreiblich gut, was sie machte, war instinktiv, dem eigenen Begehren, aber auch dem Verständnis für ihre Gefährtin folgend. Es war nichts weiter als der Kontakt ihres Schenkel an Tonis Körpermitte, leichte Bewegungen des Beckens, Anspannen von Muskeln, die förmlich ins Schwarze trafen, das Variieren des Druckes gegen Tonis Klit, bis sie das Gefühl hatte, kommen zu müssen, um kurz davor innezuhalten und Toni auf einem Reizlevel zu halten, dem sie kaum noch standhalten konnte.

Dieses Spiel trieb Victoria wieder und wieder, bis Toni sich hoch–erregt selbst in die Unterlippe biss und versuchte, den herannahenden Höhepunkt abzuwehren.

„Bitte, Vic, nicht weiter.“ Tonis Stimme ließ Victoria komplett innehalten. Ihre Bitte hatte einen Unterton, der den Zwiespalt in Toni offenbarte, den Victoria nicht übergehen würde, nur weil sie das Spiel um die sexuelle Macht ausreizen wollte. Dass es Toni auch um Ähnliches ging, konnte sie dabei nicht wissen.

Vorrangig war aber für Toni etwas anderes: Sie konnte dem sexuellen Reiz nicht nachgeben. Victoria hatte sie dermaßen heiß gemacht, dass sie Angst davor hatte, sie würde durchdrehen, sich vergessen, vielleicht zu weit gehen. Das konnte sie nicht zulassen. Nicht bevor Victoria verstand, was sie bei Toni auslöste und in welcher Intensität sich das sexuell auswirken könnte.

Schwer atmend versuchte sie mit geschlossenen Lidern die Schwelle ihrer Erregung herunterzufahren und spürte dabei, dass Vic sie beobachtete.

Als sie wieder ihre Augen öffnete, sah sie genau das, was sie vorhin gesehen hatte: brennende Lust und diese andere Emotion, die sie nicht hatte deuten können. Dieses Mal jedoch erkannte sie, was da in Victorias Augen stand – es war Vertrauen. Ihr Blick sagte: „Vertrau mir, denn ich vertraue dir“, und es traf Toni wie ein Schlag, als sie das verstand.

„Halte dich nicht zurück“, sagte Victoria flüsternd, dennoch für Toni allzu deutlich, wobei ihre Stimme Toni tief im Innersten berührte. Und mehr brauchte Toni nicht zu hören.

Sie beugte sich vor und kurz bevor sich ihre Lippen trafen, sagte Toni: „Ich passe auf dich auf.“ Dann erst küsste sie Victoria mit all der Leidenschaft und Hingabe, die sie in sich fühlte und die dieser Frau galten.

Nach dem Kuss schob sie Victorias Hand zur Seite, die es sich dieses Mal gefallen ließ, Toni nicht länger in ihrer Position zu halten.

Toni löste sich von Victoria, küsste sich an deren Hals entlang, suchte und fand die sensible Stelle hinterm Ohr, was ein erregtes und zugleich zufriedenes Stöhnen Victorias zur Folge hatte. Toni küsste anschließend das Ohr und flüsterte in strengem Ton: „Dreh dich um.“

Victoria schaute ihr in die Augen, wollte widersprechen, es war ihr aber nicht möglich, etwas zu sagen, denn dieser Blick duldete keinen Widerspruch. Also gehorchte Vic Tonis Aufforderung und drehte sich auf den Bauch.

Sie spürte Tonis Lippen an ihrem Nacken, dann an ihrer Schulter, während Toni ihre Hand langsam über die Rippen streichen ließ, bis zur Rundung ihres Pos und dann zwischen die Beine.

Noch bevor Vic reagieren konnte, ging Tonis Hand zu deren Hüfte und schob sie unter Victorias Körper.

Toni, die eben noch halb auf Vic gelegen hatte, stützte sich mit ihrer freien Hand in die Matratze, drückte ihren Oberkörper hoch, ging auf ihre Knie und hob Victorias Körper mit sich an. Auf diese Weise brachte sie Victoria in eine Position, bei der sie sich, auf alle viere gestützt, vor ihr befand, ihre Rückseite und ihren Hintern Toni zugewandt.

Victorias angespannte, erwartende Körperhaltung, ihre zu schnelle Atmung, nicht allein durch ihre Erregung verursacht, sondern auch davon, nicht zu wissen, was gleich passierte, all das nahm Toni wahr.

Sie fühlte Victoria, hörte sie, nahm ihren unvergleichlichen Duft wahr, sog alles in sich auf, was ihre Sinne einzufangen vermochten. Alles stürmte auf sie ein und Toni spürte einen leichten Schwindel, der sie lächeln ließ, weil sie wusste, warum das passierte.

„Schließ die Augen, stell dir vor, wie es jetzt aussieht. Wie du vor mir kniest und ich hinter dir. Dass ich die Kontrolle habe und entscheiden werde, wie es weitergehen wird."

Toni konnte spüren, wie die Frau vor ihr auf jede Berührung reagierte, einem Druck ihrerseits, einem Richtungswechsel folgte ein Gegendruck, um den Kontakt zwischen ihnen zu verstärken und um mehr zu fordern. Doch am stärksten reagierte Victorias Körper auf das, was ihr Verstand wahrnahm, was Toni ihr sagte. Das Vertrauen, das sie Toni gerade schenkte, ohne zu wissen, was sie erwartete, löste ein unglaubliches Gefühl bei Toni aus.

Victoria gab sich ihr hin, auf allen nur erdenklichen Ebenen, und dieses Wissen brachte Tonis Herz zum Rasen. Toni wollte Victoria an ihre jetzigen Grenzen bringen, ihr zeigen, dass es darüber hinaus noch mehr gab, wenn sie bereit wäre, ihr zu folgen. Dass es weiter gehen könnte, über gesellschaftliche, aber auch persönliche Grenzen hinaus, die Victorias Leben bisher bestimmt hatten. Sie würde ihr alle Zeit geben, die Vic brauchte.

Toni küsste Vics Schulterblatt, als sie mit dem Daumen in sie eindrang. Ihre Finger glitten über Vics Klit und das hierdurch verursachte Stöhnen Victorias ließ Toni die Augen schließen. Sie wusste, dass Victorias Stöhnen, ihre Reaktionen, ihre Hingabe, ihr ganzes Sein, Tonis kleiner Untergang waren.

Sie würde sich nicht mehr zurücknehmen können, sie würde sich verlieren, wenn es nicht schon längst passiert war. Toni hatte eine solche Situation in der gegebenen Intensität noch nicht erlebt. Einmal war es ihr passiert, dass sie bei einer Frau ähnlich empfunden hatte. Damals hatte sie sich gehen lassen, alles um sich herum vergessen, hatte durch ihre ungezügelte Lust die andere über deren persönliche Grenzen hinaus getrieben, sie schließlich deswegen verloren. Toni hatte sie überfordert, wie sie später verstand. Sie hatte ihr nicht die Chance gegeben, mit ihr zu wachsen, sich an eine neue, intensivere Form der sexuellen Lust zu gewöhnen, die Lust durch körperlichen Schmerz beinhaltete. Als ihr das passiert war, hatte Toni immer vermieden, einen solchen Grad eigener Erregung wieder zuzulassen, sofern sie nicht gleichgesinnten Partnerinnen im Bett oder an anderer Stelle begegnete, wo sie sich ausleben könnte.

Doch was hier passierte, war anders, etwas ganz Bestimmtes war anders – Toni hatte in diesem Moment keine Angst mehr, sich zu verlieren. Sie fühlte sich sicher, denn auch sie vertraute der Frau in ihren Armen, obwohl die noch nichts davon wissen konnte, wie weit gefächert Tonis sexuelle Präferenzen waren.

Toni entzog Victoria ihre Hand, was ein leichtes frustriertes Stöhnen zur Folge hatte. Sie flüsterte in Vics Ohr. „Ich will nichts hören! Keinen einzigen Ton von dir, kein Stöhnen, nichts. Du wirst nur darauf hören, wie ich es dir besorge." Toni drang schnell und hart mit zwei Fingern wieder in sie ein, bewegte ihre Hand dann nicht weiter, sondern wartete einen Moment, ob Vic ihrer Ansage folgte. Tonis Lippen zeichnete ein zufriedenes Grinsen, denn von Vic kam nur ein Nicken. „Gut so, meine Schöne. Jetzt höre auf mich, auf meine Bewegungen, spür mich, fühl meine Finger in dir." Toni hörte, wie Victoria tief Luft holte und in Erwartung dessen, was passieren würde, hart schlucken musste. „Mhm, damit kann ich leben“, kommentierte sie die kaum vernehmbaren Reaktionen. Sie stellte sich vor, wie die Anwältin sich auf die Unterlippe biss, um nichts von sich zu geben, beugte sich ein Stück vor und flüsterte: „Und dann, wenn ich es will, darfst du kommen.“ Ihre Zunge glitt von Victorias Nacken zu deren Ohr und Toni konnte zu deutlich fühlen, wie sehr diese sich konzentrieren musste, um keinen Laut von sich zu geben. Tonis Stimme blieb ein Flüstern neben Victoria. „Jedes Mal, wenn ich etwas von dir höre, werde ich aufhören, warten, bis deine Erregung abgeebbt ist, und noch mal von vorne anfangen.“ Ein Kuss auf Vics Schulter unterbrach Tonis Ausführungen für Sekunden. Toni wusste um die süße Qual, die sie ihr aufzwang, als sie ihre Finger in Vic leicht bewegte, und spürte zugleich das beginnende Pochen zwischen ihren eigenen Schenkeln. Es erregte sie unsagbar, wie vorbehaltlos Vic ihr Folge leistete und keinen Mucks von sich gab, obwohl sie mehr als bereit war zu kommen. Der nicht enden wollende Fluss ihrer Erregung, der Tonis Finger einhüllte, ihre Hand benetzte, war ein mehr als eindeutig. Toni war selbst mehr als bereit zu kommen, doch durfte sie es sich nicht gestatten, nicht bevor Vic es tat.

Toni atmete einmal tief durch, um sich ein wenig zu beruhigen, und hauchte dann: „Du wirst es später verstehen, später, glaub mir.“ Ein zarter Kuss traf Victorias Ohrmuschel und ließ sie zucken wie von einem leichten elektrischen Schlag getroffen, doch ohne jegliches Geräusch von sich zu geben.

„Und jetzt das Ganze noch mal und schön langsam“, erklang Tonis von Erregung geprägte Reibeisenstimme. Sie war jetzt eine Spur lauter, denn sie hatte ihren Oberkörper wieder ein wenig aufgerichtet und begann langsam, ihre Finger zurückzuziehen, danach wieder in Victorias heiße, feuchte Vagina einzutauchen.

Doch es dauerte nicht lange, bis die Bewegungen der beiden Frauen schneller wurden und härter. Jedes Mal, wenn Toni stärker in sie eindrang, Victoria ihr Becken im gleichen

Moment nach hinten drückte, stöhnte auch Toni auf, reagierte ähnlich heftig wie die Frau, mit der sie gerade schlief. Ihre Brüste pressten sich immer mehr auf Victorias Rücken und wenn Victoria nach hinten stieß, um Tonis Finger tiefer in sich zu spüren, reizte sie mit diesen Stößen Tonis Scham, forcierte so deren Erregung.

Toni konnte fühlen, dass Victoria bald zum ersehnten Orgasmus kommen würde, denn ihre Vaginalmuskeln begannen sich bereits zusammenzuziehen, daher ließ sie ihre Bewegungen noch schneller werden. Das Einzige, was sie schließlich zu Victoria sagte, war: „Du darfst", und hörte Sekunden später Victorias lautes „Oh … ja … bitte … jaaaa …", mit dem sie ihren Höhepunkt endlich herausschrie, dann ihr Aufstöhnen und das abgehackte Keuchen.

Alles, was Vic von sich gab, war wie Musik in ihren Ohren und als Victoria kam, folgte Toni ihr kurze Zeit später mit einem Orgasmus, der sie selbst an den Rand der Besinnungslosigkeit brachte. Jegliches Blut schien aus ihrem Hirn gen Lenden zu rauschen, um dort nur einem Zweck zu dienen.

Das Einzige, was sie noch halb vernebelt wahrnahm, als sie selbst kam, war, dass sie Victoria in die Schulter biss.

∞

Toni hätte niemals gedacht, dass sie in solch eine Situation geraten würde. Sie stand vor dem Esszimmertisch und starrte seit gefühlten zehn Minuten auf ein paar wenig informative Dokumentseiten. Kopien der Akten, die dort heute Morgen offenbar liegen gelassen wurden.

Hatte Vic das Ganze bereits verziehen oder in der alles beherrschenden lustvollen Atmosphäre der letzten Stunden vergessen, was hier bei ihrem letzten Zusammensein am Schluss geschehen war?

Wenn du dich erinnerst, sie hat mit dem hier überhaupt nicht gerechnet. Und du ebenso wenig.

Die Ermittlerin war sich dessen selbst natürlich bewusst.

Ihre erste leidenschaftliche Nacht war für Toni ein Anfang, dem der verfluchte Streit, verschuldet durch ihre Unachtsamkeit, ein jähes Ende gesetzt hatte, das sie nicht kampflos akzeptieren wollte.

Zwar hatte sie nach ihrem Abgang heute Morgen an selber Stelle und noch im Tagesverlauf im Büro lediglich gehofft, sie bekäme die Chance auf eine Aussprache.

Daran geglaubt hatte sie erst, nachdem sie Vic auf der Damentoilette abgefangen hatte und ihre Begegnung dort vielversprechend zu Ende gegangen war.

Womöglich wäre die Nacht zwischen ihnen doch nicht eine einmalige Vorstellung gewesen, wenn das spätere Gespräch gut verlaufen wäre, so dachte Toni, als sie nach ihrem Kuss im Flur gemeinsam in den Besprechungsraum zurückkehrten, denn sie wollte mehr, sie wollte Vic mit Haut und Haar.

Dass dann die Pferde im erotischen Sinne so schnell mit ihnen beiden durchgegangen waren, damit hatte sie auf keinen Fall gerechnet und genoss es umso mehr.

Toni schaute nach rechts und sah die Tasche, die auf dem Boden lag. In die hatte Vic im Büro noch die anderen Akten verstaut, ehe sie zusammen beinahe überhastet die Verlagsräume und den Bürokomplex verlassen hatten, um ihrer eingeheizten Begierde nachzugeben.

Victoria lag im Bett und schlief tief und entspannt. Nur ein Brummen hatte sie verlauten lassen, als sich Toni von ihr löste, um aufzustehen. Sogar jetzt noch, bei dem Gedanken daran, zauberte das ungewohnte Geräusch Victorias ein tiefes Lächeln auf Tonis Lippen.

Dann aber setzte ihr Verstand wieder ein und verdrängte ihre träumerischen Gedanken und Erinnerungen.

Das hier war die Möglichkeit, einen taktischen Vorteil zu erlangen und den ganzen Auftrag mit ein paar weiteren Fotos erledigt zu haben. Toni schätzte, dass Victoria alle wichtigen Unterlagen in der Mappe sammelte, die sie bei ihrem vorgezogenen Verschwinden im Büro eingesteckt hatte und die jetzt in besagter Aktentasche auf dem Boden lag. Es würde ganz schnell gehen. Toni würde die Tasche öffnen, ein paar Fotos machen und die Akte zurücklegen. Victoria würde es noch nicht einmal merken. So schnell, wie sie die Akte verstaut hatte, war nicht davon auszugehen, dass sie die Unterlagen ordentlich sortiert hatte oder sich gemerkt hatte, wie die Papiere in der Mappe lagen.

Okay, es waren vermutlich auch hier überwiegend Kopien und die originalen Aufzeichnungen lagen sicher in der Kanzlei oder möglicherweise hier in Vics Arbeitszimmer. Das würde sie aber nicht danach durchsuchen, denn um Informationen zu sammeln, war eine solche Tatsache, ob Original oder nicht, sekundär.

Nur hielt sie etwas ab, das zu tun, womit sie beauftragt worden war. Selbst diese Chance hier fixte sie als Ermittlerin nicht an und ließ sie das tun, was sie sonst tun würde.

Sie wusste plötzlich überhaupt nicht mehr, was sie tun sollte, holte schließlich wie in Trance die Akte aus der Tasche, legte sie auf den Tisch und öffnete den Mappendeckel. Herz und Verstand fochten dabei einen Kampf in ihr aus, bei dem es keinen Gewinner geben konnte.

Toni hatte einen Auftrag bekommen, bei dem sie gedacht hatte, dass sie ihn schnell erledigen könnte, indem sie ohne Probleme die gewünschten Informationen sammeln und dann wieder verschwinden würde.

Man sorgte für eine Chance, die sie nutzte, um sich bei der Gegenpartei einzunisten. Doch was dann passierte, konnte sie nicht vorhersehen; sie konnte sich nicht gegen die anderen wehren.

Alice mit ihrer professionellen, herzlichen und loyalen Art. Isabella Underwood, die auf den ersten Blick so unnahbare Firmenchefin, von der sie aber immer wieder hörte, sie sei anders, wenn man sie erst einmal kennenlernte. Und ja, sie musste bereits jetzt zugeben, dass Isabella nicht die Eiskönigin war, zu der sie mediale Berichte zu gerne machten als erfolgreiche Geschäftsfrau, die stets mit gewisser Distanz unterwegs war und niemandem einen echten Einblick in ihr Privatleben gewährte, der mit der Presse zu tun hatte. Es war schließlich ihr gutes Recht, zu entscheiden, was in die Öffentlichkeit getragen wurde, um zu schützen, *was* sie liebte und *wen* sie liebte. Das hatte absolut nichts mit arroganter, kalter Geschäftsfrau zu tun, die für ihren Erfolg über Leichen ging. Es war allzu menschlich, zu selektieren.

Isabella war vermutlich viel weiter, als Toni es in ihrem eigenen Leben war, und auf unbestimmte Weise hegte sie sogar eine gewisse Bewunderung für diese Frau.

Egal, wie sie sich entscheiden würde, es konnte kein gutes Ende geben, bei dem sie einigermaßen aus dieser Sache rauskam.

Wenn die anderen wüssten, was eigentlich ihr Auftrag war, würden sie sie fallen lassen. Es würde niemanden interessieren, dass sie zweifelte, weil die Menschen ihr wichtig geworden waren. Sie würde wohl kaum die Gelegenheit bekommen, ihre Gedanken und Zweifel überhaupt als Argument vorzubringen. Verständlicherweise!

Isabella würde Tonis Dafürhalten nach alles dafür tun, dass Toni in ihrer Reichweite niemals mehr einen Fuß auf denselben Boden setzte wie sie, wenn nicht sogar weit mehr als das, auch wenn sie nicht besagt *eiskalt* war.

Alice und Victoria wären zutiefst verletzt, ebenfalls Fakt.

Toni hatte Sorge, dass sie mit diesem Vertrauensbruch Vic zerstörte, eine leidenschaftliche Anwältin, die sich gegen Ungerechtigkeit einsetzte und anderen vertraute, die wie sie an das Gute im Menschen glaubten. Ob sie Vic so verletzen würde, dass sie nie wieder einem Menschen vertrauen könnte?

Gut möglich, dass ein solcher Verrat in Victoria eine Menge zerstören würde, ihren Glauben an das Gute und ihren Sinn für Gerechtigkeit auf eine harte Probe stellte. Quälender allerdings war die Vorstellung, Victoria könnte ihr Vertrauen in Menschen hinterfragen und sich zurückziehen, um sich dann von Toni abzuwenden.

Dass sie sogar verklagt werden konnte, wäre noch nicht einmal das Schlimmste bei alledem, sondern Victorias Augen zu sehen, wenn ihr bewusst wurde, dass sie hintergangen worden war.

Sie vertraute Toni und Toni wusste, dass, wenn sie dieses Vertrauen zerstörte, Victoria sich wahrscheinlich niemals mehr so auf jemanden einlassen würde, wie sie es innerhalb dieser wenigen Wochen bei Toni getan hatte. Da war ein Gefühl, etwas, das Toni sagte, dass Victorias Seele zerbrechlich war. Und sie wollte plötzlich nichts anderes, als sie zu beschützen, obwohl dieser unbedingte Wunsch in komplettem Widerspruch zu dem stand, was ihr Auftrag war.

Die Informationen, die sie über Charles Lawrence gelesen hatte, konnte sie nicht mehr aus ihrem Kopf löschen, aber auch nicht rückgängig machen, dass sie Victoria bereits hintergangen hatte.

Andererseits wollte sie ein solches Wissen auch nicht einfach verdrängen, denn es machte deutlich, wie ungerecht das Leben verteilte, wie grausam die Welt war, selbst in einer Gesellschaft, in der augenscheinlich jeder sein Auskommen hatte.

Ein Mann, der seine Position ausnutzte, der nur macht– und geldgeil war, sollte mit seinen Machenschaften tatsächlich durchkommen? Für so jemandem sollte sie die Menschen verletzen, die ihr jetzt etwas bedeuteten?

Mein Gott, wie schizophren kann sich das Leben eigentlich anfühlen?

Toni raufte sich die Haare, denn der Blick hinter die Scheinwelt von Charles Lawrence brachte sie gleichzeitig in Rage und machte sie betroffen.

Wie war es nur möglich, dass man sich so planlos fühlen konnte!

Toni stutzte über sich selbst, über ihre Gedanken, als sie merkte, *was genau* sie hier für Überlegungen wälzte. Wie hatte es so weit kommen können? Wann genau hatte sich ihre Sichtweise geändert?

Hatte sie wirklich bereits die Seite gewechselt, nur weil sie Sex mit der Anwältin der Gegenseite hatte?

Nein, es ist nicht nur der Sex mit Victoria. Das weißt du selbst!

Sie musste sich entscheiden, und egal, für welchen Weg sie sich entschied, jemand würde verletzt werden.

Toni schob die Akte zurück in Victorias Aktentasche, ohne weitere Bilder zu machen, ging zurück ins Schlafzimmer und dachte weiter über das nach, was sich durch ihre Arbeit im Verlag, ihr erschlichenes Hintergrundwissen und das Kennenlernen der verschiedenen Personen, die mehr oder weniger beteiligt waren, zusammenfügte.

Ihr Problem lag darin, dass, wenn sie tun würde, was moralisch richtig war, sie alles verlieren könnte. Und wenn sie einfach ihren Auftrag erledigte, würde dasselbe passieren, nur ohne dass sie ihre persönliche *weiße Weste* ethisch weiterhin sauber hielt.

Definitiv würde sie sich lange Zeit im Spiegel nicht mehr mit moralisch reinem Gewissen in die Augen gucken können!

Als sie an das rege Treiben im Verlag dachte, wurde ihr bewusst, dass die Menschen dort alles verlieren konnten.

Wenn sie sich aber zu deren Gunsten für das moralisch Richtige entscheiden würde, war klar, sie würde ihre eigene Laufbahn zum Mond schießen. Geschweige denn, dass eine eigene Agentur noch Sinn machte, denn Illoyalität war ein No-Go, egal ob sie angestellt war oder etwas Eigenes hatte. Den eigenen Namen musste man in ihrem Job absolut sauber halten, frei von jeglichen Skandalen!

Wie würde sie sich entscheiden, nachdem sie die Menschen um sich herum hatte kennenlernen und lieben dürfen? Toni stockte erneut.

Lieben? Ja klar, du hast echt einen Schaden. Lieben! Weil du sie alle kennenlernen durftest, liebst du nicht gleich jeden. Du magst sie, mehr nicht. Und jetzt, wo du weißt, was der Auftraggeber für ein Mensch ist … Nein, das Wort Mensch *wäre zu viel Ehre für ihn. Er ist Abschaum, der vor nichts und niemandem haltmacht und sich daran aufgeilt, das Leben anderer in der Hand zu haben oder es sogar zu zerstören.*

Gewissen oder Vernunft, Moral oder der persönliche Fokus auf die eigene Komfortzone. Was war richtig?

Innerlich musste Toni lachen bei dem Wort *Moral.* Gerade sie, die ihr Geld mit dem Ausgraben von Geheimnissen verdiente, sollte jetzt aus *moralischen Gründen* das Richtige tun?

Du steckst echt in der Klemme, Toni, brachte sie es für sich auf den Punkt und beobachtete dabei Vic, die noch immer schlief. Die Frau, die in ihren Möglichkeiten versuchte, das Richtige zu tun und für das Richtige zu kämpfen.

Wie würde sie mich sehen, wenn sie die Wahrheit über mich wüsste?

Tonis Überlegungen endeten abrupt und waren schlagartig vergessen, als Victoria ihre Augen öffnete und Toni verschlafen anschaute. Ihre Hand hob sich Toni entgegen und ihre Stimme klang vom Schlafen heiser, als sie sagte: „Komm wieder ins Bett."

Toni musste lächeln und spürte, wie ihr Herz einen Schlag aussetzte, nur um dann wieder im Eiltempo weiterzuschlagen. Nur mit diesem kleinen Satz konnte Victoria sie glücklicher machen, als sie es sich jemals hätte vorstellen können.

Toni hob die Decke an und legt sich zu Victoria. Sie kuschelte sich an ihre Rückseite, woraufhin Vic nach ihrer Hand griff, um Tonis Hand über ihre Taille zu ziehen. Erst als Toni den Arm richtig um sie gelegt hatte, drang Victorias zufriedenes Seufzen an ihr Ohr.

Sie merkte, wie Victorias Körper sich im zurückkehrenden Schlaf wieder entspannte, fühlte, wie sich ihre eigene Anspannung löste, und glitt dann ebenfalls in ihre Träume.

Kapitel 18

Der Geruch von Kaffee war das Erste, was Victoria wahrnahm, und sie musste lächeln, weil sie den aromatischen Wachmacher schon beinahe schmecken konnte. Genüsslich schmiegte sie sich in ihr Kissen und zog die Decke näher an ihren Körper, als würde sie sich an jemanden ankuscheln. Doch dann wurde ihr Geist auch ohne die Einnahme von Koffein wacher und sie realisierte erst jetzt so richtig, dass sie noch im Bett lag. Sie stutzte, denn sie wusste für den Moment nicht, wer den Kaffee aufgesetzt hatte.

Schnell öffnete Vic die Augen, saß mit einem Ruck kerzengerade im Bett und schaute sich im Zimmer um. Dann kamen schlagartig die Bilder von letzter Nacht zurück und sie spürte einzelne Muskelpartien, die sie an gewisse nächtliche Aktivitäten erinnerten, zu denen sie Toni gestern im Büro noch verbal animiert hatte und die sie beide in den letzten Stunden miteinander ausgelebt hatten.

Sie ließ sich zufrieden grinsend wieder ins Kissen fallen und streckte sich wohlig. Victoria schloss die Augen, spürte dem nach, was sie in der Nacht erlebt hatte, rief sich Toni in Erinnerung. Ihre Berührungen, ihren Duft, wie ihre Haut und wie sie in ihrer Lust schmeckte, die Geräusche, die ihr Verlangen ihr entlockten, ihre Hingabe, vor allem aber die Art, wie sie Vic zu diversen Höhepunkten geführt hatte. Toni war bestimmend gewesen, nicht ohne rücksichtsvoll zu sein, hatte ihr mehrfach gezeigt, welche Qualität Befriedigung haben konnte, die in quälend langsamer Steigerung der eigenen Erregung ihren Ursprung hatte. Oder auch, wie ungemein geil sie werden konnte, wenn eine Frau alles dafür tat, sie kurz vor den Orgasmus zu bringen, um sie dann in ihrer Lust auf dem Level zu halten, für gefühlte Ewigkeiten, bis Vic glaubte, die Lust würde wegbrechen. Genau in diesem Moment hatte Toni sie dann in die orgiastischen Fluten gestoßen, nicht nur einmal, war gleichzeitig ihr Rettungsring, wenn Vic glaubte in ihrer Lust zu ertrinken.

Alles war unglaublich intensiv gewesen, war es noch immer, wenn Vic ehrlich zu sich war.

Hatte sie jemals eine Frau so genussvoll und intensiv mit allen Sinnen wahrgenommen, mit der sie geschlafen hatte?

Mit geschlossenen Lidern lag sie rücklings, dachte über diese Frage nach und musste sich eingestehen, dass sie es nicht ausschließen konnte, dass Toni die Erste war, bei der es ihr so ging. Und jetzt wieder auf so vielfältige Weise an sie zu denken ließ Victoria erneut kribbelig werden.

Sie ist sicher im Wohnzimmer oder in der Küche und wartet auf dich, sagte sie zu sich selbst, drehte sich prompt schwungvoll zur Bettseite und stand auf.

Vic wollte am liebsten sofort in die Küche gehen, wo sie Toni am ehesten vermutete als Kaffeeliebhaberin, doch entschied sie sich für einen kleinen Umweg ins Bad. Nachdem sie in Rekordzeit geduscht hatte, zog sie sich ebenso schnell an, stockte jedoch mit einem Mal.

Als sie vor dem Spiegel stand, gerade ihren BH angezogen hatte und nach dem Oberteil greifen wollte, das sie auf einem Hocker bereitgelegt hatte, schaute sie ihrem Konterfei auf die Schulter und sah dort die Bissspur, die keine bleibenden Schäden verursacht hatte und auch nicht wehtat, die ihr aber dennoch unübersehbar in eindeutigen Rottönen aus dem Spiegel entgegenleuchtete.

„Wann ist das denn passiert?" Sofort kamen die Bilder in ihrem Kopf zurück, Röte überzog ihre Wangen und sie musste lächeln. Victoria hoffte in ihrer Erinnerung gleichzeitig, da es nur eine leichte Bissspur war, dass es verheilt sein würde, wenn die Betriebsfeier anstand, schließlich hatte sie sich schon ein passendes Kleid ausgesucht, dessen Schnitt diese Stellen garantiert nicht abdeckte.

Victoria kam gerade ins Wohnzimmer, als sie Toni sah, die mit dem Rücken zu ihr stand. Sie trank aus dem Kaffeebecher, den sie mit beiden Händen umschloss, und schaute abwesend aus dem Fenster. Victorias Blick löste sich von Tonis Rückansicht und ging hinüber zu ihrer Aktentasche, die sie gestern achtlos abgestellt hatte, als sie ihre Wohnung betreten hatten.

Ob sie noch mal ..., schoss es ihr durch den Kopf, doch schnell verwarf sie den Gedanken wieder, dass Toni dort reingeschaut haben könnte. Sie vertraute ihr und sie war sich inzwischen sicher, dass Toni dieses Vertrauen nicht missbrauchen würde.

Sie ließ Akten gedanklich Akten sein und wandte sich wieder der dunkelhaarigen Kaffeetrinkerin an ihrem Wohnzimmerfenster zu. Doch anscheinend hatte Toni nicht gemerkt, dass sie ins Zimmer gekommen war.

Was beschäftigt sie so dermaßen?

Victoria tat das, was ihr als Erstes einfiel. Sie ging behutsam, um kein Geräusch zu verursachen, zu ihr hinüber und stellte sich hinter Toni, umarmte die Frau vor sich mit beiden Armen, zog sie fest an ihren Körper, atmete ihren Duft ein und schloss die Augen, um ihre Nähe noch mehr zu spüren. Erst spannte sich Tonis Körper an, als würde sie auf Abwehr gehen, doch Vic hatte den Eindruck, dass es nur daran gelegen hatte, dass sie sie tatsächlich nicht gehört hatte. Denn als sie erkannte, wer sie umarmte, entspannte Toni sich sofort.

„Hey", sagte Victoria leise über Tonis Schulter hinweg. „Hier bist du."

Toni löste sich ein wenig von ihr, drehte sich um und schaute Vic in die Augen. Lange Zeit sagte sie nichts, doch dann schob sich der rechte Mundwinkel hoch, sie beugte sich vor und küsste Vic, bevor sie antwortete: „Hey. Ja, hier bin ich. Ich habe Kaffee gemacht.

Und eigentlich hatte ich vor, dich mit einem Becher aus dem Reich der Träume zu holen. Aber da war ich wohl zu langsam."

„Mhm", war alles, was Victoria von sich gab, bevor sie sich auf die Zehenspitzen stellte und Toni einen weiteren Kuss gab. Beide kamen kurz ins Schwanken, als Vic den Kuss vertiefte, denn Toni versuchte ihren Kaffeebecher auf den Tisch zu stellen, ohne den Kontakt zu unterbrechen, woraufhin beide im Kuss kicherten. Dann griff Toni mit der freien Hand hinter Vic, legte ihren Arm um sie und drückte sie stärker an sich. Als Vic schließlich stöhnte, schob Toni sie weiter nach hinten, bis Victorias Schenkel den Tisch berührten und Toni den Kuss unterbrach. Sie atmete schwer und ihre Pupillen waren erweitert, als sie leise sagte: „Es ist deine Entscheidung."

Victoria hatte sich noch nie so gut gefühlt, so begehrt und beschützt. Sie genoss es, zwischen dem Tisch und Toni gefangen zu sein, und legte ihre Handflächen oberhalb von Tonis Brust. „So gerne ich noch mal mit dir schlafen würde." Sie schloss die Augen kurz und schluckte, weil ihr das Wasser im Mund zusammenlief und zugleich ein elektrisierendes Kribbeln die Nervenbahnen in ihrer Mitte in Aufruhr versetzte. „Und Gott weiß, wie gern ich wollen würde." Dann öffnete sie die Lider wieder und lächelte Toni funkelnd an, bevor ihr Blick auf die Aktentasche fiel und das Lächeln von einer sinnlichen Herausforderung zu einer Bitte um Verständnis wurde. „Aber wir werden gebraucht. Leute verlassen sich auf uns."

„Auf *dich*", korrigierte Toni Vics Aussage. „Keinen wird es interessieren, wenn *ich* nicht zur Arbeit erscheine."

Mit beiden Händen umfasste Victoria Tonis Gesicht und schaute ihr fest in die Augen. „Doch, mich!" Sie sah verschiedene Emotionen im Eiltempo in dem Braun aufflackern, das sie festhielt, und verlor sich darin.

Sie standen sich eine ganze Weile gegenüber, sahen sich an, bis Toni einen Schritt zurück machte und Vic schließlich lächelnd den Weg freigab.

„Danke", war deren Antwort auf Tonis einsichtige Geste, dazu drückte sie ihr einen Kuss auf.

Nachdem sich Vic einen Kaffee eingeschenkt hatte, genoss sie den ersten Schluck am Morgen und wählte ein unverfänglicheres Thema. „Sag mal, gehst du auch zu der Betriebsfeier?"

Toni überlegte. „Ich weiß gar nicht, was das soll. Ich meine, die Angestellten wissen doch, dass da was im Busch ist. Nicht nur Kündigungen und Beförderungen, sondern auch, dass da was bei Isabella los ist. Ich habe schon die wildesten Spekulationen in der Küche gehört."

„Und umso wichtiger ist es Isabella, dass alle kommen oder zumindest möglichst viele. Sie möchte den Angestellten zeigen, dass es Underwood Publishing als Unternehmen inzwischen gut geht. Dass sie deren Arbeit und Überstunden wertschätzt. Sie möchte ihnen Sicherheit geben. Also, gehst du hin?"

Toni musste grinsen. „Wenn du mein Date bist?"

Vic schaute sie an, zuckte bedauernd die Schultern, denn sie musste Toni vertrösten. „Liebend gerne, aber ich habe vorher noch einen Termin bei meinem Vater."

Tonis schmollender Gesichtsausdruck, der unerwartet auf ihren Zügen zu sehen war, als Vic den Termin erwähnte, ließ die Anwältin schmunzeln. „Jetzt guck nicht so. Das ist ein Termin, weil es beruflich ist. Einen privaten Termin hätte ich verschoben, allein schon, um mit dir dort gemeinsam aufzulaufen, aber so geht es eben nicht." Was sie sagte, war ihr voller Ernst, sie wollte tatsächlich gerne mit Toni zusammen auf das Fest gehen und war selbst ein wenig überrascht von ihrem eigenen Wunsch. „Ich weiß nicht, wie lange es dauern wird mit Dad. Aber ich werde später auf jeden Fall noch zur Feier gehen."

„Dann werde ich da sein und auf dich warten." Tonis Augen strahlten vor lauter Vorfreude. Dann ging ihr Blick hinüber zu Victorias Aktentasche, von der sie wusste, dass der Stein des Anstoßes ihres Streits sich darin befand. Sie schaute zurück zu Vic und sagte: „Ich weiß, ich hätte es nicht lesen sollen, aber ich kann auch nicht vergessen, was ich gelesen habe."

Victoria hatte nicht damit gerechnet, dass dieses Thema *jetzt* auf den Tisch kam, aber sie wartete in Ruhe ab.

„Ich verstehe es nicht, Vic."

„Du meinst, warum die Scheidung nun doch keine Scheidung war?"

„Das auch."

„Ich weiß es nicht genau. Sie nannte ihn immer ihren Ex–Mann." Vic rümpfte die Nase und fuhr fort: „Ich hätte ihn wahrscheinlich auch so genannt." Sie stellte den Kaffeebecher ab. „Ich darf dir nicht alles erzählen, aber zumindest das, was offenkundig ist. Er hat die Papiere unterschrieben und war weg. Doch als es wegen der Scheidung jetzt vor wenigen Wochen zum ersten Mal vor Gericht ging und sie vor dem Richter standen, hat er ausgesagt, dass er genötigt wurde zu unterschreiben und dass er einer einvernehmlichen Scheidung nicht zustimme." Victoria rollte mit den Augen. „Weil er angeblich die Ehe retten wollte, damit sie beide noch eine Chance bekommen, würde er jetzt diesen Weg gehen, nachdem er Zeit gehabt habe, um noch mal über alles nachzudenken, sich zu besinnen, was ihm wichtig sei.

Er tauchte bei Gericht mit diesem Simon Frey auf und der meinte, dass sein Mandant die Ehe retten möchte. Es sah sehr schlecht aus. Es ging hin und her, es war eine sehr hitzige Diskussion. Bis mein Dad Isabella sagte, dass sie sich vorerst zurückziehen sollten. Du kannst dir sicher selbst zusammenreimen, warum er das getan hat?" Toni nickte, denn sie verstand sehr wohl die Beweggründe von Victorias Vater.

Vic sah sie an und warf ihre Vernunft, Toni nur oberflächlich einzuweihen, ein Stück weit mehr über Bord: „Ein Mann gegen eine ganze Kanzlei, unter Druck gesetzt von den Anwälten seiner Frau, das würde nach außen hin schlechte Presse geben, wenn es an die Öffentlichkeit käme. Es war kein Unter–Druck–Setzen im Sinne von außerhalb der Legalität, so etwas gäbe es niemals bei Dad. Aber ich mutmaße schon, dass sie die Regeln mit ihren Nischen und Schlupflöchern ausgenutzt haben. Ich weiß selbst nicht alles bis ins Detail, daher …" Vic wurde einen Moment nachdenklich und sprach dann weiter: „Ich dürfte viel mehr als das auch gar nicht erzählen, wenn du verstehst." Toni legte ihr beruhigend die Hand auf den Oberarm und zeigte so, dass sie es verstand. „Mein Vater, der mit zu Gericht gekommen war, spürte, dass da noch mehr kommen würde, wenn er jetzt dagegen vorgehen würde. Erstens hätte sich der Richter dann sowieso Bedenkzeit eingeräumt, die Scheidung wäre an diesem Tag entsprechend auch nicht abgesegnet worden. Also brach mein Vater alles ab und verließ mit Isabella das Treffen.

Ich kenne mich auf dem Gebiet *Scheidung* besser aus als mein Vater, daher wollte er, dass ich übernehme. Isabellas Mann und sein Anwalt spielen ein falsches Spiel." Victoria nutzte die Chance, um endgültig die Friedensfahne zu hissen und Toni zu zeigen, dass sie deren Vergehen nicht mehr als solches sah: „Ich möchte behaupten, so, wie du reagiert hast, ist dir das nach deinem unbeabsichtigten Einblick ebenfalls klar geworden?" Ein Nicken bestätigte ihre Mutmaßung und Vic schüttelte missmutig den Kopf. „Im Grunde ist es hier nichts anderes als Erpressung." Die Anwältin schüttelte sich. „Und ich mag weder ihn noch den Anwalt."

„Dass sie mit so einem Mann verheiratet war. Das kann ich nicht richtig glauben. Isabella ist eine erfahrene, taffe Geschäftsfrau, ohne Frage. Dabei scheint sie aber dennoch so …"

„Menschlich?“, beendete Vic Tonis Beschreibung, denn sie sah Isabella genauso.

„Ja, und auch glücklich. Ich kann mir nicht vorstellen, dass sie mit so jemandem verheiratet war.“ Toni zog eine Grimasse.

Victoria lachte. „Oh, sie kann aber auch vollkommen anders sein.“

„*Das* habe ich schon mal erlebt. Da kriegt man richtig Angst vor ihr.“ Ein Grinsen schob sich auf Tonis Lippen, als sie an ihre erste Begegnung mit Isabella Underwood zurückdachte. Sicher, Isabella war eine interessante und sehr eindrucksvolle Frau, ohne Frage.

Aber für die Frau, die hier mit ihr den Morgenkaffee und in der Nacht zuvor das Bett geteilt hatte, war sie nicht ansatzweise eine Konkurrenz.

Vic stellte ihren Becher in die Spüle und ging zurück zu Toni, ergriff ihren Hosenbund und zog sie zu sich. Als habe sie durch Tonis Schmunzeln deren Gedanken gelesen, schien sie ihr mit ihren Lippen für ihr Kompliment zu danken, die sich hingebungsvoll auf Tonis legten.

Sie war ihr ebenfalls dankbar für Tonis Ehrlichkeit und die Konsequenz, dass sie doch den Moment genutzt hatte, die Dinge beim Namen zu nennen, ihren Fehler einzuräumen und sich zu entschuldigen.

Schließlich löste Vic sich mit großem Bedauern von Toni. „Komm schon, Tiger. Wir müssen los.“ Toni schenkte ihr daraufhin einen Blick, der sagte „aufgeschoben ist nicht aufgehoben“ und Vic hatte es genauso gemeint, als sie die größere Frau ein letztes Mal verzehrend küsste.

Der Kuss sollte ein Vorgeschmack auf mehr sein, ein Versprechen, dass sie nachholen würden, was sie jetzt verschieben mussten.

Kapitel 19

Toni hatte eben ihr zweites Bier angefangen und saß nun abwesend vor sich hinstarrend auf dem Sofa. Den Blick ins Nichts gerichtet, wippte sie lethargisch mit dem Bein vor sich hin, ohne es selbst zu merken.

Alkohol war gewiss keine gute Wahl bei Chaos in Kopf, trotzdem hatte sie gehofft, bei einem Bier etwas zur Ruhe zu kommen, was sich als Trugschluss herausstellte.

Ihre Gedanken überschlugen sich weiter, wie bereits in den letzten Stunden, seit sie Vic alleingelassen hatte, und sie fand keine Möglichkeit, runterzufahren, nichts, das sie ablenkte, um sich zu beruhigen.

„Victoria", war das Einzige, was sie hin und wieder vor sich hin murmelte. Der Name entrang sich ihren Lippen, ohne dass sie es selbst bemerkte, fast als wäre sie in Trance. Sie wünschte sich nichts mehr, als Victoria ständig an ihrer Seite zu haben, denn Toni wusste inzwischen, Victoria war ihr Ruhepol.

Waren sie zusammen, erschien es Toni selbst, als würde sie bedächtiger agieren, und jedes Mal, wenn sie in diese braunen Augen schaute, beruhigte sie sich, egal wie aufgewühlt oder hektisch es in ihrem Inneren gerade zuging.

Gut, sieht man mal von ihrer erotischen Wirkung auf mich ab. Die ist alles andere als beruhigend, musste sich die Ermittlerin korrigieren.

Dennoch, Toni bemerkte definitiv, wie gut der *Mensch* Victoria ihr tat.

Ein Lächeln schob sich bereits auf ihre Lippen, allein, wenn sie an diese Frau dachte, und das tat sie an diesem Abend besonders ausgiebig, nachdem Vic und sie entschieden hatten, jede in ihrer eigenen Wohnung zu übernachten. Vic brauchte ihre Kraft und Konzentration, um für den Fall bestmöglich präsent zu sein. Das würde ihr nicht gelingen, wenn Toni mehrere Nächte hintereinander bis zur Erschöpfung mit ihr Sex hatte. Nicht, dass das nicht befriedigend und motivierend zugleich wäre, aber den Schlafmangel würden beide binnen weniger Tage zu spüren bekommen. Zudem hatten beide noch einiges auf dem Zettel, wie jede sagte, somit würden sie heute jede für sich den Tag zu Ende bringen. Vic meinte, dass Tonis bloße Anwesenheit Ablenkung genug wäre und sie nicht garantieren könnte, die Finger von ihr zu lassen, wären sie am selben Ort.

Also saß Toni jetzt in ihrem Wohnzimmer und sinnierte über den vergangenen Tag mit Vic und über das, was die Entwicklung zwischen ihnen beiden für Tonis weiteres Vorgehen bedeutete.

Das beste Geschenk, das sie am heutigen Tag bekommen hatte, abgesehen davon, dass sie neben ihr aufwachen durfte, war Victorias Reaktion auf sie selbst. Wie Toni sich heute Morgen hatte zusammenreißen müssen, um nicht über Victoria herzufallen wie ein hormongesteuerter Teenager. Und Victoria war es nicht anders gegangen. Das hatte Toni daran erkennen können, wie Vic sie anschaute, wenn sie sich unbeobachtet gefühlt hatte.

Das schönste Erlebnis gab es für Toni nach dem Mittagessen. Sie beide waren später losgegangen als alle anderen und somit begaben sie sich auch später auf den Rückweg. Die letzte Person, die mit ihnen im Fahrstuhl gefahren war, stieg einige Etagen früher aus und dann waren sie nur noch zu zweit. Sie standen hinten im Fahrstuhl, beide an der Rückwand angelehnt, und Toni ließ es sich nicht nehmen, den Arm auszustrecken, diesen um Victorias Taille zulegen, sie mit ihrem Rücken an sich zu ziehen, um dann hinter ihr zu stehen und ihr schnell einen Kuss in den Nacken zu hauchen. Das ging so schnell, dass Victorias Körper sich anspannte, als alles schon vorbei war. Sofort danach ließ sie Victoria wieder los, doch der Kontakt zwischen ihnen bestand weiterhin. Die Hitze von Victorias lebendigem Körper überwand die Kleidungsschichten zwischen ihnen ohne Probleme, beinahe, als gäbe es sie gar nicht.

Sie sah das schwere Schlucken der Frau vor sich und fing an, ihre Finger über deren unteren Rücken zu bewegen. Vic wurde nervös und schaute immer wieder seitlich über ihre Schulter zu Toni. Doch diese schaute ganz gelassen nach vorne.

„Hier sind Kameras, Toni!“

Kameras waren Toni tatsächlich vollkommen egal, Victoria zuliebe hielt sie sich mit weiteren Kussversuchen aber zurück. Trotzdem konnte sie es nicht lassen, ihre Geliebte auf andere Art zu reizen.

Während sie Vic berührte und weiter stur nach vorne schaute, sagte sie: „Auch Mikrofone?“

„Sei nicht albern, natürlich nicht.“

„Gut, dann werden sie auch nicht hören, was ich mit dir machen möchte.“

„Toni. Wir haben für so etwas keine Zeit, zumindest nicht mehr hier im Büro, der erste Verhandlungstag ist in zwei Wochen“, kam es in einem warnenden Ton.

„Ich stell mir gerade vor, wie der Fahrstuhl stecken bleibt, wir Stunden hier gefangen sind.“ Sie drehte sich hinter Vic hervor und trat an ihr vorbei, um sie besser im Blick zu haben, ihre Reaktionen zu beobachten. „Ach, und wenn sie uns sagen, dass sie kein Bild haben, wir aber ruhig bleiben sollen, da ein Techniker so in dreißig Minuten da wäre.“ Toni stellte sich unvermittelt vor Vic und schirmte sie so von der Kamera ab. Sie lehnte sich leicht vor und hielt den Blickkontakt. „Wie ich deine samtige Haut berühre. Meine Hand ganz langsam deinen Oberschenkel hinaufwandert.“ Sie beugte sich vor und flüsterte ins Ohr. „Wie ich deine Hitze spüre, deine Feuchtigkeit meine Fingerspitzen benetzt, wenn ich dich zwischen den Schenkeln berühre.“ Sie lehnte sich wieder zurück und sah, wie sich die Pupillen von Vic vergrößerten, sie den Mund ein wenig geöffnet hatte und schwer atmete, was sie animierte, Vics Erregung weiter anzustacheln: „Wie ich deine Unterwäsche zur Seite schiebe. Deine Hände, die das kleine Geländer hinter dir umklammern, dein Stöhnen, wenn ich in dich eindringe und du dich meinem Rhythmus anpasst. Wie du nicht mehr kannst und mich anbettelst, dich kommen zu lassen. Wie du dich mir entgegendrückst und mehr willst …“

Das Signal des Fahrstuhls, dass sie angekommen waren, rettete Toni. Das ganze Vorhaben war nach hinten losgegangen. Die leichte Röte, die Victorias Wangen zeigten, war nichts im Vergleich zu dem, was sie selbst gerade fühlte. Tonis Mitte pochte, *feucht* beschrieb den Zustand ihres Slips nicht ansatzweise, sie war nass von ihrem eigenen Anmachversuch und der Fantasie, der sie freien Lauf gelassen hatte, und auch sie hatte plötzlich dieses verräterische Brennen im Gesicht, das ihr verriet, wann sie rot wurde.

Wie sie es liebte, Victoria das zu sagen, was sie dachte, ihr gerade–heraus zu sagen, worauf sie Lust hatte und was sie mit ihr tun würde. Ihre Reaktionen darauf zu beobachten, wie sich ihr Puls beschleunigte und wie Victoria im Versuch, ihrem Blick auszuweichen, überall hinschaute, außer zu ihr.

Toni wollte nach Victorias Hand greifen, hielt sich aber im letzten Moment zurück, als sie aus dem Fahrstuhl in den Flur traten.

„Komm mit. Ich habe dir noch gar nicht mein *Büro* gezeigt.“ Tonis Stimme trug beinahe eine kindliche Begeisterung in sich. Sie hatte ihr Vorhaben, Vic noch einmal zu verführen, bevor sie tatsächlich an die Arbeit gingen, noch nicht vollends aufgegeben. Daher marschierte sie jetzt mit schnellen Schritten in Richtung des Raumes, den man ihr anfangs zugewiesen hatte, in der Annahme, Vic würde ihr folgen.

Victoria räusperte sich und entgegnete: „Können wir das verschieben? Ich habe noch ein paar wichtige Sachen zu erledigen."

Toni blieb abrupt stehen, drehte sich um und schaute Vic fassungslos an.

Ein freches Grinsen zeichnete sich auf Vics Lippen ab, als sie ihre Stimme senkte und Toni zurechtwies: „Oh, Tiger. Wer hat *hier* wohl die Macht? Im Job ist das hier *mein* Spielfeld." Sie ging an Toni vorbei und blieb vor der Tür stehen. Eine Hand in die Hüfte gestemmt, zeigte sie mit dem Daumen der anderen auf das geschlossene Türblatt. „Wolltest du mir dahinter nun etwas zeigen oder nicht?"

Toni reagierte wie von der Tarantel gestochen, doch war solch ein kurzer Weg ihr noch nie so lang vorgekommen, bis sie Victoria die Tür geöffnet und sie mit sich in den Raum gezogen hatte.

Der Feierabend kam und Victoria hatte Toni nach Hause gefahren, wobei die sexuelle Spannung, die im Auto erneut zwischen ihnen herrschte, schon beinahe greifbar war.

Toni war kurz davor gewesen, nachzugeben, hochzulaufen und sich ein paar Klamotten zu schnappen, während Victoria unten im Auto auf sie wartete, um wieder bei Vic zu übernachten.

Aber auch sie hatte zu tun, sie musste sich bei John melden und so musste sie Victoria schweren Herzens ziehen lassen, obwohl sie beide ihrer Lust zu gern gefolgt wären.

Zum Abschied gab Toni Vic einen langen, sehnsüchtigen Kuss, in dem offene Verheißung lag, und flüsterte ihr dann ins Ohr: „Wir holen das nach, versprochen." Dann stieg sie aus und sah Victorias Wagen noch nach, als er außer Sichtweite war. Für Minuten stand sie noch auf dem Gehweg und starrte die Straße entlang, bevor sie schließlich ihre Wohnung aufsuchte.

Toni begriff noch immer nicht, was diese Frau mit ihr machte, aber sie konnte sich bereits jetzt nicht mehr vorstellen, ohne sie zu sein.

Ihr Gesichtsausdruck wurde ernst, als sie sich das eingestand, denn nicht mehr lange, und Vic würde sich von ihr abwenden.

An den Schmerz, den sie ihr zufügen würde, wollte Toni gar nicht erst denken, denn wenn sie es tat und sich vorstellte, wie es ohne Vic sein würde, war das Stechen im Herzen kaum auszuhalten.

Das Klingeln ihres Handys lenkte sie ab. Als sie auf das Display schaute, folgte ein frustrierendes Stöhnen. Das Telefonat nicht anzunehmen war allerdings keine Option.

„Hey, Boss." Toni rollte die Augen, brachte aber extra mehr Elan in ihre Stimme, damit ihr Arbeitgeber nicht merkte, dass etwas in ihr vorging.

„Hey, Supergirl." John wartete einen kurzen Augenblick, dann sagte er: „Hast du gerade mit den Augen gerollt?"

„Nein." *Doch*, korrigierte sie innerlich und rollte noch einmal mit den Augen.

„Na gut, ich werde nicht fragen, ob du jetzt noch mal mit den Augen gerollt hast."

John und seine Kristallkugel des Lebens. Toni wusste mal wieder nicht, was sie sagen sollte. Er kannte sie einfach zu gut.

Aber das tat jetzt nichts zur Sache. Sie hatte ein ganz anderes Problem, als derart leicht von John durchschaut zu werden, als sei sie aus Glas.

Der Gewissenskonflikt, der in ihr tobte, zerriss sie fast. Sollte sie ihm die Infos geben, die sie zusammengetragen hatte, oder weiter ihren ältesten Freund und Arbeitgeber belügen?

John war immer für sie da, sah Potenzial in ihr und vertraute ihr.

Verdammt! Was mache ich nur?

Toni entschied sich, oberflächlich zu bleiben und vorerst nichts zu sagen, was John den Hinweis darauf geben könnte, dass sie Victoria inzwischen näherstand, als es für ihren Job gut war. Aber alles Wissen zurückzuhalten war auch keine wirkliche Alternative.

Vielleicht schaffe ich es, John irgendwie davon zu überzeugen, was für eine Bestie Charles Lawrence ist.

„Ich habe in die Akte geschaut", bestätigte sie wenig aussagekräftig, um Zeit zu gewinnen und zu überlegen, wie sie anfangen sollte.

„Und? Was haben sie gegen ihn in der Hand?"

„Die Frage ist eher, wer hat nichts gegen ihn in der Hand? Der hat überall Dreck am Stecken."

So war das nicht geplant. Toni erschrak vor sich selbst, denn sie hatte es eigentlich diplomatisch verpacken wollen.

Na ja, jetzt ist es zumindest raus.

„Mh", kam es nachdenklich von ihrem Chef. Toni starrte auf die Blätter, die auf dem Tisch verteilt vor ihr lagen, drehte nachdenklich den Kugelschreiber zwischen ihren Fingern. Beide waren in ihre eigenen Gedanken vertieft, schwiegen sich für einige Zeit durch die Mobilfunkleitung an, bis ihr Boss die Stille brach: „Toni?"

„Ja?" Toni rutschte nervös auf dem Sofa hin und her, sie kannte diesen Ton. Er war nicht beängstigend oder warnend, sondern der *besorgte* Ton eines ehrlich *besorgten* Freundes. Der ganze Gewissenskonflikt, der in Toni tobte, wurde dadurch noch unerträglicher. Als wäre es so nicht schon schwer genug.

„Wie läuft es da bei *dir*? Wie verstehst du dich mit ihnen?"

Toni überlegte und kratzte sich nachdenklich den Kopf, denn die Frage kam überraschend. Sie musste aufpassen, was sie preisgab, das war ihr klar, trotzdem musste sie Bericht erstatten, und das tat sie.

„Am Anfang war es schwierig. Ich dachte, das war es, mein Arbeitsplatz wäre zu unwichtig und würde es praktisch unmöglich machen, da in die Nähe jeglicher relevanter Informationen zu kommen.

Nach meinem Zusammentreffen mit Isabella dachte ich noch mal, das war's, ich werde gekündigt. Beim ersten Treffen hat sie mich dermaßen kurz angebunden behandelt, abschätzend, als hätte sie mich direkt bei einer Industriespionage erwischt. Das war wirklich ein skurriles Kennenlernen, die hat Haare auf den Zähnen, wenn ich es mal so nennen darf. Ich bin ja weiß Gott nicht zart besaitet, doch die Underwood hat sogar mich für einen Moment eingeschüchtert.

Aber Alice, die Assistentin, hat mich an die Hand genommen, soweit eingewiesen und offensichtlich meinen Stand bei ihrer Chefin soweit ins Lot gebracht." Toni lachte kurz. „Die Frau hat eine sympathische Ausstrahlung, ist immer nett und zuvorkommend, hat aber gleichzeitig alles im Auge. Sie tratscht zwar, aber nicht über wichtige Sachen. Da ist sie Meisterin des Ablenkens, von ihr kannst selbst *du* noch was lernen, John.

Isabella Underwood scheint mir ein sehr überlegter, fürsorglicher Mensch zu sein. Sie stellt sich schützend vor ihre Angestellten und auch ..." Toni brach ab, sie wollte nicht, dass Julia Porter Aufmerksamkeit bekam. Sie wollte erst einmal abwarten. „Und dann ist da noch Victoria Wentworth. Sie ist ein ebenso leidenschaftlicher Mensch, steht da Isabella in nichts nach, sollte man meinen.

Sie ist in meinen Augen ziemlich gefährlich, denn sie möchte, dass man sie unterschätzt, damit sie einem dann den Boden unter den Füßen wegziehen kann. Gleichzeitig ist sie ein herzensguter Mensch, die Schicksale anderer Menschen interessieren sie und sie möchte gegen Ungerechtigkeiten kämpfen. Sie schenkt jedem, mit dem sie redet, ihre volle Aufmerksamkeit. Sie behandelt alle gleich, ob es nun einer der leitenden Angestellten ist oder der Sicherheitsmann, sie behandelt beide mit Respekt, interessiert sich für sie und kennt sie beim Namen. Sie ist unglaublich engagiert, zuvorkommend und sie weiß definitiv, was sie will. Sie macht mehr Pro–bono–Fälle als jede andere Anwältin, die ich kenne." Toni atmete einmal tief ein und hörbar wieder aus. „Und sie hat einen moralischen Kompass. Etwas, das wir auf unserer Seite nicht haben, John. Wenn Frey eines nicht hat, dann sind das empathische Fähigkeiten!"

„Du hast die Gegenseite gut studiert", sagte John mit einem zweideutigen Unterton in der Stimme, der Toni ein mulmiges Gefühl bescherte, doch sie sagte dazu nichts weiter. „Und *unser* Mandant?"

Jetzt geht's ans Eingemachte, sagte sie zu sich selbst, lehnte sich zurück und fuhr sich mit der Hand durch die Haare. „Der ist der Auftraggeber." Diese Aussage kam in einer Art Schnaufen über ihre Lippen und Toni wartete eine Zeitlang, denn mit jedem weiteren Wort würde sie John gegenüber zunehmenden Zweifel an der moralischen Korrektheit ihres Auftrags offenlegen. Das wäre zugleich möglicherweise ein Scheidepunkt, was ihre Karriere und ihre Freundschaft zu John anging.

„Ich habe in die Akte geschaut, Informationen, die sie über ihn haben, und langsam frage ich mich, was wir hier überhaupt tun!"

„Was meinst du?" Johns Stimme war ruhig.

„Ich hätte es nicht lesen sollen. Aber nun, ich habe ich es getan und mein Kopf hört nicht auf zu arbeiten. Er ist widerwärtig und sein Anwalt ist es auch.

Lawrence missbrauchte seine Position bei Underwood Publishing eindeutig und wiederholt, und was er jetzt tut, ist auch nicht viel besser. Haben wir denn keinen Gerechtigkeitssinn und sind einfach nur käuflich? Der höchste Bieter gewinnt?"

„So einfach ist das nicht, und das weißt du, Toni." Johns Stimme war nicht wütend oder Ähnliches, sie blieb ruhig und gelassen.

„Aber dieser Fall ist anders. Ich weiß nicht mehr, was ich denken soll!"

Es war das erste Mal, dass sie es ausgesprochen hatte. Es waren keine Gedanken mehr, die sie verdrängen konnte. Jetzt war es gesagt und somit entsprach es der Wahrheit.

„Was tun wir hier, John?“ Die Leitung blieb nach ihrer Frage still, also fuhr sie fort: „Ich mein, überleg doch mal. Du kennst den Kunden, du hast deine Hausaufgaben gemacht. Er ist widerlich. Wir versuchen jemandem zu helfen, der andere wie Dreck behandelt, der seine Position schamlos ausnutzte, und das weißt du. Möglich, dass, wenn wir uns *ihn* näher ansehen würden, Dinge zutage treten würden, die rechtswidrig sind. Du weißt, was das bedeutet.“

„Das tut nichts zur Sache. Es ist ein Auftrag, Toni. Es geht nicht um den Hintergrund unseres Klienten und ob er möglicherweise illegale Dinge tut oder getan hat, die noch nicht verjährt sind und die *wir* anzeigen müssten. Du kennst unser Motto in solchen Fällen: Was ich nicht weiß, macht mich nicht heiß. Manchmal ist es besser, weniger zu wissen, wie du mal wieder siehst. Und wenn wir das bei jedem Auftrag machen würden, könnten wir zumachen. Jeder hat auf irgendeine Art Dreck am Stecken, meiner Erfahrung nach jedenfalls. Der *Dreck* unterscheidet sich nur im Umfang, vor allem aber in seiner Auswirkung.

Wie oft wird vertuscht, was schlimme Folgen hatte, nur weil einige clevere Leute wissen, wie sie vorgehen müssen und die richtigen Kontakte und Helfer haben?

Das Fatale für *uns* ist die Entscheidung für unseren Beruf. Wir können nicht immer das Gewissen mit zurate ziehen, das frisst uns auf.

Wenn wir Aufträge annehmen, müssen wir mehr als nur schneller sein und tiefer graben, als die Konkurrenz es tut, ohne uns Gedanken darüber zu machen, wie viel Schmutz wir selbst abbekommen. Solange Recht und Legalität gewahrt bleiben, muss uns egal sein, was unser moralischer Kompass zum Verhalten unserer Auftraggeber sagt, oder wir müssen den Job an den Nagel hängen.“ Johns Tenor blieb sachlich und vollkommen unaufgeregt, als er diese Fakten aussprach. Doch dann stellte er die Frage, vor der Toni sich gefürchtet hatte: „Soll ich dich abziehen?"

„Nein!", kam es sofort von ihr. Der permanente Gedanke daran, dass Victoria von jemand anderem ausspioniert und alles verlieren würde, war zu viel für Toni. Sie musste eine Lösung finden.

„Okay", drang es plötzlich durch den Hörer in ihre Gedanken. „Montagfrüh treffen wir uns. Gleiche Uhrzeit, gleicher Ort. So wie immer."

Fuck! Das sind nur noch ein paar Tage! Wie soll ich das hinkriegen?

Toni sprach nicht aus, was sie soeben gedacht hatte, sondern bestätigte knapp und beendete das Telefonat. Ihre Gedanken überschlugen sich. Sie hatte im Moment absolut keine Idee, wie sie das schaffen sollte, den Job noch auftragsgemäß abzuarbeiten. Aber eines wusste sie: Sie musste Victoria beschützen.

Victoria brachte sie zum Nachdenken, zu hinterfragen, was sie all die Jahre über getan hatte. Durch ihre Gespräche zeigte sie ihr, dass es auch Menschen gab, die für das Gute kämpften und trotzdem ausgezeichnet leben konnten, auch, was den finanziellen Aspekt anging.

Vielleicht lebten sie sogar besser, weil sie ein *unbelastetes* Gewissen haben konnten?

Vic war für sie ein Paradebeispiel für einen solchen Menschen, in dem selbst viel Gutes steckte und der gleichfalls bereit war, anderen Menschen nach seinen Möglichkeiten zu helfen und sich dabei hinten–anzustellen.

Toni hatte über so viele Jahre Dinge gesehen, egoistische Verhaltensmuster von Menschen beobachten können, was sie zu der Überzeugung gebracht hatte, dass der überwiegende Teil derer, die auf ihr Geld nicht achtgeben mussten, weil sie genug davon hatten, meist einen miesen Charakter hatte. Dass sie sich nicht sonderlich um ihre Umwelt scherten und ihr Gewissen beruhigten, indem sie hier und da eine Summe X an Einrichtung Y spendeten, nicht ohne sich namentlich medienwirksam zu präsentieren, dabei zu zeigen, was für

Gutmenschen sie doch waren, sich aber anschließend einen Dreck darum kümmerten, ob und wo ihr Geld überhaupt ankam. Genau solche Typen waren es, die dann, wenn es ans Eingemachte, nämlich doch an ihre Finanzen ging, zum Beispiel bei Scheidungen, alles dafür taten, um ihr Gegenüber zu ruinieren, wofür sie dann auch auf die Dienste von Anwälten wie Frey und Detekteien wie die von John zurückgriffen. Auch mit solchen Leuten ließ sich gutes Geld verdienen und von irgendwas mussten sie alle, die für John arbeiteten, ja schließlich ihre Rechnungen bezahlen.

Warum nur hatte sie plötzlich das Gefühl, Johns Laden hätte wesentlich mehr von solchen Kunden, und warum störte sie das auf einmal in Charles Lawrences Fall?

Kam das nur, weil sie sich die Unterlagen genauer angesehen hatte? Oder weil sie Victoria besser kennengelernt hatte, aber auch mit ihr schlief? Und weil sie etwas für sie empfand, mehr, als es für Toni in ihrer Rolle als Ermittlerin gegen sie gut war?

Allein schon an sie zu denken verursachte in Toni ein Gefühl, das sie selbst nicht erklären konnte. Oder besser gesagt, es sich nicht eingestehen wollte. Es war tiefgehend und für Toni unbeschreiblich aufregend zugleich, wie diese Frau selbst.

Das Gefährliche an der ganzen Situation war, dass es ihr Angst machte, und diese Art Angst hatte sie vor Jahren das letzte Mal gefühlt. Die Angst, jemanden zu verlieren, den sie liebte.

Sie wusste nicht, wie sie aus der Situation herauskommen sollte. Klar war nur, sie brauchte ihren Ruhepol, und das war Victoria geworden. Vollkommen überraschend, ungeplant, aber unbestreitbar, sie war zu Tonis Anker geworden.

Die Ermittlerin stand auf und ging ins Schlafzimmer. Dort schnappte sie sich ein paar Klamotten, warf sie in ihre Sporttasche und machte sich auf den Weg.

Kapitel 20

Heute war der Abend der Betriebsfeier und Toni war dabei, sich fertig zu machen. Ihre Gedanken kreisten nur darum, wie sie einen halbwegs guten Ausweg aus der Sache finden könnte.

Trotz jahrelanger Ausübung ihres Jobs wuchs ihr die Situation langsam über den Kopf, denn egal, wie erfahren sie auf dem Gebiet war, die Jahre hatten sie auf keinen Fall darauf vorbereiten können, was ihr jetzt widerfuhr. Wie sollte sie bloß vorgehen?

Es gab zwei Sachen, deren Toni sich sicher war: Es würde keinen wie von Zauberhand arrangierten guten Ausgang der Geschichte geben. Und dass es zu einem großen Knall kommen würde, aus welcher Richtung auch immer. Beides stand für sie fest wie das Amen in der Kirche.

Etwas dagegen tun konnte sie nicht, das Einzige, was sich Toni fest vornehmen konnte, war es, Victoria so gut sie konnte, davor zu beschützen, von den negativen Auswirkungen ebenfalls getroffen zu werden, was ungleich schwer genug werden würde.

Sie kontrollierte noch einmal ihr Outfit im Spiegel. Die schwarzen Schuhe und die gleichfarbige Stoffhose waren von guter Qualität, eine einfache weiße Hemdbluse und eine dünne

Krawatte, die locker um den Hals gebunden war, rundeten das Bild ab.

Toni überlegte dennoch beim Betrachten ihres Abbildes und öffnete am oberen Ende der Knopfleiste schließlich noch einen Knopf der Bluse.

„Das passt besser“, sagte sie, nickte sich im Spiegel zu, nahm ihr Jackett vom Stuhl und machte sich auf den Weg.

Der Raum, in dem die Feierlichkeiten stattfanden, war groß und stilvoll eingerichtet, nicht überladen, eher mit dem Blick auf das Wesentliche. Anscheinend war für Isabella das Motto weniger ist mehr. Runde Tische waren um die Tanzfläche herum aufgestellt worden, mit einer einfachen weißen Tischdecke und minimalistischer Tischdekoration darauf. Der Raum strahlte trotz oder vielleicht gerade wegen der maßvoll eingesetzten Dekoration Ästhetik und Klasse aus. Kellner gingen freundlich umher, servierten Willkommensgetränke, die Gäste unterhielten sich derweil angeregt. Die ganze Atmosphäre war locker und angenehm.

Diese Frau, so kommentierte Toni es für sich stumm, als sie auf sich wirken ließ, was sie sah, *hat wirklich Stil*. Und Victoria hatte ihr erzählt, dass Isabella das Ganze aus eigener Tasche finanzierte, was sie noch zusätzlich beeindruckte. Isabella sammelte bei ihr zunehmend Bonuspunkte, was Toni selbst äußerst befremdlich fand, so wie sie bisher mit ihr umgegangen war, nahm es aber gelassen.

Toni schaute sich weiter um, doch sie konnte Victoria nirgendwo finden. Sie wollte ursprünglich vorschlagen, dass sie Vic von zu Hause abholen würde und sie dann gemeinsam zu der Feier fahren könnten. Doch hätte Vic diesen Vorschlag ohnehin ablehnen müssen, denn sie hatte noch diesen wichtigen Termin, der unaufschiebbar war, mit ihrem Vater. Dementsprechend hatte sie sich allein aufgemacht und hoffte, dass Victoria nicht allzu lange auf sich warten ließ.

Tonis suchender Blick blieb bei Alice hängen. Diese lächelte sie an und winkte, dass sie zu ihnen in die Gruppe kommen sollte. Toni war angespannt, denn neben Alice stand

Isabella und deren Hand lag locker auf dem tiefen Rückenausschnitt von Julia.

Sie machen ihre Liebe tatsächlich öffentlich, ging es Toni sofort durch den Kopf, als sich ihr dieses vertraute Bild bot.

Sie hatte diese eigentlich brisante Begebenheit schnell herausgefunden, sah aber keinen Grund, in die Akte zu schreiben, dass Isabella eine Beziehung mit einer Frau führte. Sie als lesbisch lebende Frau würde mit dem Sammeln und Weitergeben solcher Beweise sicher nicht dafür sorgen, dass die Presse sich auf dieses Thema in Bezug auf Isabella und Julia stürzen und sensationsgeil deren lesbische Beziehung auseinanderpflückte und somit Charles Lawrences Anwalt Simon Frey in die Karten spielte. Toni vermutete, dass es die beiden sogar schon wussten, ihre Kenntnis darüber aber noch für sich behielten, mit der Absicht, sie als Trumpfkarte zu ziehen, wenn es vor Gericht ging.

Wenn Isabella so offen damit umging und Julia stolz an ihrer Seite stand, würde kein Weg daran vorbeiführen, dass Informationen über ihren Beziehungsstatus, nach denen die Öffentlichkeit lechzte, auch dorthin gelangten.

Sie wunderte sich darüber, dass diesbezüglich seitens John keine Angaben gemacht worden waren. Er hatte keine Notizen gemacht, dass sie besonders auf Kontakte achten sollte, die etwas über eine neue Beziehung aussagen könnten. Gesagt hatte er ebenfalls nichts.

Konnte es sein, dass Frey und Lawrence zweigleisig fuhren? Brauchten sie keine Beweise, weil Lawrence selbst genug Hintergrundwissen hatte? Oder wurde nur davon ausgegangen, dass das Sammeln dazugehöriger Fakten im Scheidungsfall Usus war? Dem war bei ihnen normalerweise nicht so, John betonte immer, was ihm, beziehungsweise dem Kunden besonders wichtig war.

Eine lesbische Beziehung Isabellas oder eine entsprechend anmutende Verbindung zu Julia Porter waren bei Tonis Briefing jedenfalls nicht zur Sprache gekommen.

Irritiert wollte Toni gerade den Kopf schütteln, da hatte sie mit Isabella Augenkontakt und wusste, dass es jetzt kein Zurück mehr gab. Sie musste Alices einladender Geste Folge leisten, denn ein „Ich hab euch gar nicht gesehen" würde auf die anderen mehr als komisch wirken, jetzt, wo mehrere Kollegen und die Chefin selbst sie entdeckt hatten.

Als sie ankam, begrüßten sie sich höflich und Alice führte glücklicherweise das Gespräch weiter, sodass es nicht zu peinlichem Schweigen kam.

Toni behielt ihre Chefin und deren Freundin im Auge. Die Blicke, die sie sich zuwarfen, Isabellas Augen, die warm strahlten, wenn sie Julia ansah. Die nonverbale Kommunikation ihrer Augen und die Körpersprache der beiden, all das ließ keinen Zweifel an ihrer Liebe.

Isabella und Julia verabschiedeten sich einige Zeit später aus der kleinen Runde, da sie als Gastgeberinnen noch verpflichtet wären, andere Gruppen zu begrüßen, wie Isabella sagte.

Julia rollte bei dieser Erklärung mit den Augen, was dazu führte, dass Isabella sich vorbeugte und ihr etwas ins Ohr flüsterte. Anhand der Röte, die plötzlich Julias Wangen zierte, und dem schelmischen Grinsen Isabellas wusste Toni, dass es um etwas sehr *Privates* ging. Als die beiden sich entfernten, hörte Toni noch das Wort „Seitengang", ohne dass sich ihr erschloss, worum es ging.

Tatsächlich sah sie den beiden neidisch hinterher und wünschte ihnen stumm viel Vergnügen, wohin auch immer sie ein *Seitengang* führen würde. Sie musste wegen ihres eigenen Kopfkinos sogar kurz schmunzeln, wurde aber von Alices Stimme in ihrer Aufmerksamkeit recht schnell wieder in die Gruppe geholt.

Ohne Probleme führte Isabellas Assistentin die Unterhaltung weiter, bis sie ins Stocken kam, als sie zur Tür guckte. Toni folgte ihrem Blick, drehte sich dabei mit um und merkte, wie ihr der Atem stockte.

Victoria stand da, sie trug ein schulterfreies, eng anliegendes rotes Kleid, das ab Kniehöhe zum Boden hin weiter wurde. Die Form erinnerte Toni an die Blüten der südafrikanischen Calla, auch wenn die Farbe bei dem Vergleich hinkte.

Victorias braunes Haar war geglättet und fiel elegant über ihre Schultern und für Toni existierte in dem Moment nichts anderes als Victoria in ihrem roten Kleid. Ihr Anblick war wie ein Traum, der genau jetzt real wurde.

Die kurzhaarige Brünette glaubte ihren Augen nicht zu trauen, aber Victorias Blick wirkte tatsächlich leicht schüchtern, als sie Toni entdeckte und sich ihre Blicke ineinander verfingen. Toni bekam gar nicht mit, dass Alice sich von ihr verabschiedet hatte. Nur noch Victoria zählte und sie ging zielgerichtet zu ihr.

Ich liebe sie!, war der einzige Gedanke, der schlagartig in Tonis Kopf existierte. Nur waren Ort und Zeitpunkt denkbar ungünstig, Victoria gegenüber zu offenbaren, was ihr Herz doch schon länger schrie, ihr Verstand jedoch soeben erst realisiert hatte.

Das Geständnis musste also warten, bis sie alleine waren, in einer vertrauten Umgebung, auch wenn Tonis Herz raste und ihr Inneres schrie, dass sie Victoria sofort sagen müsste, dass sie sich in sie verliebt hatte.

Leicht verunsichert blieb Toni vor Vic stehen. Sie überlegte, wie sie sich begrüßen sollten. Doch als Vics Blick auf ihre Lippen fiel, wusste Toni um das *Wie* und gab ihr einen Begrüßungskuss.

Sie fühlte unbändiges Glück in sich aufsteigen, dass Vic sich offensichtlich anders entschieden hatte. Sie schien keine Befürchtungen mehr zu haben, weil sie Arbeit und Privates vermischte, eine Erkenntnis, die Toni noch mal mehr wie ein Blitz traf; denn war das nicht auch eine ihrer bisherigen Regeln gewesen?

Heute Abend war all das vollkommen irrelevant, würde es möglicherweise darüber hinaus auch sein. Wer konnte das schon sagen? Toni entschied sich, alle Gedanken und Befürchtungen wegzuschieben und den heutigen Abend zu genießen. Sie wollte nicht an ihre Arbeit denken oder an das Morgen. Nein! Sie wollte nur heute Abend haben und das Recht hierauf nahm sie sich.

Victoria fühlte sich so gut in ihren Armen an, dass sie sie am liebsten niemals losgelassen hätte. Doch sie musste, schließlich war das hier eine offizielle Veranstaltung.

Victoria tat nun das, was von ihr erwartet wurde, sie begrüßte Isabella und Julia sowie andere Angestellte, die sie in der kurzen Zeit kennengelernt hatte. Toni folgte ihr willig und verließ nie ihre Seite, nur als sie Getränke für die drei Frauen und sich selbst besorgte.

Isabella sah sie mit verstehendem Blick an, als Toni, wie Isabella es bei Julia machte, stets ihre Hand an Vics Rücken legte, und bedachte sie irgendwann tatsächlich mit einem Lächeln, weil ihr das kleine Schauspiel offensichtlich gefiel. Toni konnte sich nicht gegen den Eindruck wehren, dass Isabella sich freute. Vielleicht weniger für Toni, so nah standen sie sich nicht, aber Victoria maß sie mit gönnendem Blick, so viel war sicher.

Toni suchte den körperlichen Kontakt und Vic suchte ihrerseits jede Gelegenheit, sich so nah bei ihr zu positionieren, dass ebensolche Berührungen möglich waren und für den nicht eingeweihten Betrachter unschuldig anmuteten, nach zufälligem Zusammentreffen zweier Frauen aussahen, die sich blendend verstanden.

Als sie zwischen zwei Gruppen standen, griff Toni sanft nach ihrem Oberarm. Fragend schaute Vic sie an.

„Bitte tanz mit mir." Es war beinahe flehend, wie Toni sie ansprach.

„Okay."

Toni war perplex, weil Vic der Aufforderung ohne Rückhalt nachkam, erholte sich aber schnell und so gingen sie Hand in Hand zur Tanzfläche.

Als sie sich in Position stellten, schloss Toni für einen kurzen Augenblick die Augen. Sie versuchte die brennende Leidenschaft, die sie für Vic fühlte, zu unterdrücken. Doch als sie die Augen wieder öffnete, sah sie das gleiche Verlangen in Victorias Augen und musste lächeln.

Da war die Frau, die sie liebte, in ihren Armen und die Musik, die sie beide einhüllte. Die Dunkelhaarige konnte gar nicht anders, als sich von nun an mit Victoria im gemeinsamen Rhythmus zu bewegen. Toni führte und ab dem Moment, als sie anfingen zu tanzen, verschwand alles andere um sie herum. Es gab nur sie beide in diesem Raum.

Toni überrollten die Emotionen, sie musste zeitgleich gegen ein unbändiges Lachen und einen Kloß im Hals ankämpfen, so sehr überforderte sie, was sie fühlte. Und auch, wenn es Toni aufwühlte, überforderte und zugleich zutiefst glücklich machte, sie wollte am liebsten niemals mehr aufhören, mit Victoria zu tanzen.

Sie hatten beide keine Ahnung, wie lange sie tanzten, doch als Toni jemand auf die Schulter tippte, um sie abzuklatschen, hätte Toni Victoria am liebsten nicht freigegeben. Sie starrte den Mann nur an, bis dieser leichte Panik in den Augen zeigte, doch Vic legte ihre Hand an Tonis Wange und zog damit deren Aufmerksamkeit auf sich. Sie lächelte sie liebevoll an, löste sich von ihr, als Toni, noch immer wenig begeistert, nickte und stellte sich zwischen die beiden. Sie ließ den Mann, den Toni nicht kannte, Position einnehmen, sah ihre Freundin aber weiter innig an und zwinkerte ihr zu, wobei ihre Lippen ein stummes „Bis gleich“ formten.

Von der Bar aus sah Toni den beiden nur wenig später missbilligend beim Tanzen zu. Ihre Kiefermuskeln waren angespannt und sie ließ das Paar keine Sekunde aus den Augen.

Schließlich war das Lied zu Ende und sie sah mit Erleichterung, dass beide sich voneinander lösten. Victoria kam lächelnd auf Toni zu und strich ihr sanft mit den Fingern über die Wange, als sie bei ihr ankam.

„Da passt *Tiger* wirklich gut, möchte man meinen. Du hättest ihn zu gerne angesprungen, hm?", flüsterte sie ihr leise lachend zu.

Toni guckte sie ein wenig verlegen an und zuckte mit den Achseln. Sie wusste selbst, dass sie überzogen reagiert hatte.

Sie würde es Victoria schließlich weder verbieten können noch dürfen, sich zu amüsieren. Und natürlich wollte sie das auch nicht. Aber noch wusste sie nicht, was das zwischen ihnen war, und hatte sich aufgrund einer gewissen Unsicherheit weniger im Griff.

Für Toni war klar, was sie wollte, gleichzeitig hatte sie besagte Angst, Victoria zu verlieren. Wahrscheinlich reagierte sie deswegen derart irrational.

Was, wenn sie für Victoria ein Abenteuer auf Zeit wäre, eine Affäre?

Hör auf!, rief Toni sich zur Ordnung.

Ja, Vic und sie mussten über das sprechen, was da passierte, ob es mehr war, wohin sie das führen könnte, wenn sie dasselbe wollten. Trotzdem musste sie sich besser im Griff haben. Es gab keinen Grund für eifersüchtiges Getue. Sie waren schließlich gemeinsam hier, Vic an ihrer Seite.

Als sie zusammen an der Bar standen und Toni sah, dass die nächsten Gäste weiter weg ihre Drinks nahmen und sich unterhielten, beugte sie sich vor und flüsterte Victoria ins Ohr: „Weißt du eigentlich, wie verrückt du mich machst?"

Victoria schüttelte nur verneinend ihren Kopf und lächelte sie herausfordernd an.

„Wie gern ich jetzt mit dir alleine wäre, zwischen deine Schenkel tauchen und dich lecken möchte."

„Oh Gott, Toni!" Mehr konnte Vic nicht sagen. Die unverhohlene Beschreibung ließ ihren Teint augenblicklich einen hitzigen Rotschimmer annehmen.

Toni beobachtete, wie sie ihr Glas hob und kurz nippte. Doch so angedeutet das Nippen war, konnte die Menge des

Getränks, das sie vermeintlich zu sich genommen hatte, kaum für das anschließende kräftige Schlucken ursächlich sein, bemerkte Toni genüsslich und reizte sie weiter: „Und ich würde zu gern allen zeigen, dass du zu mir gehörst."

Etwas in Victorias Haltung veränderte sich, nachdem Toni die Worte ausgesprochen hatte. Ohne Zögern entgegnete sie darauf: „Dass ich *zu dir* gehöre oder *dass* ich dir gehöre?" Vics Augen funkelten bei dieser Frage herausfordernd.

Toni wurde übergangslos ernst und schaute ihr fest in die Augen. „Dass du *zu* mir gehörst. Man kann und sollte nicht jemandem gehören." Anscheinend hatte Toni das Richtige gesagt, denn der Kuss, der auf ihre Antwort folgte, war mehr, als sie in diesem Zustand ertragen konnte. Wohin Victoria gehören wollte, machte sie selbst in diesem Augenblick der ganzen Welt klar. Zumindest dem Teil der Welt, der heute hier auf der Feier war. Sie küsste Toni hingebungsvoll und beide vergaßen Raum und Zeit, bis sie schließlich in das Hier zurückkehrten.

Toni hielt ihre Hand hin. „Lass uns gehen." Es war keine Aufforderung, sondern Flehen und Angebot zugleich. Ihre Augen offenbarten all die Emotionen aus Tonis Innerem, die Vic fasziniert beobachtete und denen sie stumm nickend zustimmte.

Toni und Victoria hatten sich früh von der Veranstaltung verabschiedet. Sie waren direkt zur Gastgeberin gegangen und Toni hatte Isabella angesehen, dass sie versuchte, ein Grinsen zu unterdrücken, als Vic und sie sich wegen eines *langen Tages* und *Müdigkeit* verabschiedeten und sich für die Einladung bedankten.

Draußen angekommen, hatte Toni ein Taxi angehalten, das sie zu Victorias Wohnung gefahren hatte.

Victoria hatte nur noch einen Gedanken, jetzt, wo sie das Gebäude betraten. Sie wollte so schnell wie möglich aus dem Kleid heraus.

Bei ihrer Ankunft *gingen* sie den Weg zum Eingang noch nebeneinander her, ganz so, als hätten sie keine Eile. Sie wurden in der Lobby begrüßt und Vic hatte das Gefühl, dass sie jetzt ein bisschen schneller ging als normal.

Im Fahrstuhl sah sie gebannt auf die Stockwerknummern, als Tonis heisere Stimme dicht neben ihr erklang: „Keine Sorge, dir geht es nicht alleine so."

Als sie endlich durch die Tür kamen und Toni sie festhielt, versuchte sie an den Reißverschluss ihres Kleides zu kommen, während sie gleichzeitig Anstalten machte, Toni in Richtung des Schlafzimmers zu schieben. Endlich dort angekommen, konnte sie nicht länger warten und zog hektisch Tonis Hemd aus der Hose. Ihre Hände kamen jedoch nicht weit, wurden festgehalten, was einen leisen Protest Victorias verursachte.

Die Hände lösten sich von ihren Handgelenken und umfassten ihr Gesicht. Der folgende Kuss war anders als die, die sie davor miteinander getauscht hatten. Zwar spürte Victoria die Lust darin, doch auch die Ruhe, die von Toni ausging.

Toni küsste ihren Hals, während sie mit den Händen langsam den Reißverschluss ihres Kleides öffnete. Der Stoff streichelte ihre Haut, als es langsam zu Boden glitt.

Toni war vorsichtig mit ihren Berührungen, fast schon zögerlich, als wäre der Moment für sie etwas Besonderes.

„Du warst unbeschreiblich schön in diesem Kleid, Vic." Tonis Worte waren kaum zu hören. Victoria hatte sie dennoch verstanden und lächelte Toni dankend an, wobei wieder ein zauberhafter rosafarbener Schimmer ihre Wangen zierte, den Toni so sehr liebte, und sie ihrerseits glücklich zurücklächelte. Die beiden genossen jede Sekunde, kosteten ihr Alleinsein vollkommen aus, beobachteten jede Regung der anderen.

Toni schob Victoria irgendwann Richtung Bett, gab ihr einen sanften Schubs, der die Anwältin in die Laken beförderte. Von dort aus sah sie zu, wie Toni sich hastig ihrer eigenen Kleidung entledigte, um sich gleich darauf zu ihr zu legen.

Als sich endlich ihre nackten Körper berührten, stöhnten beide auf. Toni schob sich mit einem Bein zwischen Victorias, und die drängte sich ihr stärker entgegen, als sie die Feuchtigkeit Tonis an ihrem Oberschenkel spürte.

„Du bist so nass! Wie ich das liebe." Sie konnte sich nicht zurückhalten und begann ihr Becken zu bewegen, was Vic ihr gleichtat.

„Was glaubst du, dass du bist, Tiger", keuchte Vic als Antwort und öffnete ihre Schenkel weiter, um sie noch intensiver zu fühlen.

Tonis stöhnender Atem wurde immer schneller und die damit verbundenen Stöße und kreisenden Bewegungen ihres Unterleibs trieben auch Vic zur Ekstase. Toni war überall, zwischen ihren Beinen, auf ihr, über ihr. Sie hatte das Gefühl, dass Tonis Hände sie zeitgleich am ganzen Körper berührten, der Mund ihren Hals küsste und gleich darauf wieder ihre Brüste verwöhnte.

Sie konnte und wollte nicht mehr ohne Toni sein, nicht nur, weil sie gerade miteinander schliefen und Fühlen alles dominierte.

Ihr Verstand war glasklar, als ihr bewusst wurde, was Toni ihr bedeutete und wie sehr sie sie brauchte.

Tränen bahnten sich ihren Weg und rannen Victoria seitlich über die Schläfen. Im selben Augenblick flüsterte Toni in ihr Ohr: „Ich liebe dich."

Dann trug der Höhepunkt ihren Verstand fort und Victoria konnte nicht mehr denken, nur noch den Orgasmus spüren, der ihren Körper erzittern ließ und ein emotionales Beben auslöste.

Kapitel 21

Toni stand auf Victorias Balkon und sah zu, wie die Stadt langsam zum Leben erwachte. *Und meines wird aufhören*, geisterten finstere Gedanken durch ihren Kopf.

Sie hatte nur kurz geschlafen und sich den Rest der Nacht unruhig im Bett hin und her gewälzt. Nachdem Victoria im Halbschlaf ihren Unmut über das permanente Wühlen zum Ausdruck gebracht hatte, musste Toni grinsen, war dann aber aus Rücksicht ins Wohnzimmer abgewandert.

Sie saß eine Stunde auf dem Sofa und hatte sich noch nicht einmal das Licht angemacht, während sie ihren Gedanken freien Lauf gelassen hatte.

Das, was sie mit Victoria erlebt hatte, die Gefühle, die sie für sie entwickelt hatte, waren etwas, das sie bis dato noch nicht kannte. Alles mit dieser Frau war aufregend und machte ihr gleichzeitig Angst.

So für jemanden zu empfinden hatte Toni bis dahin nicht erlebt. Sie hatte sich auf emotionaler Ebene immer rechtzeitig abgeschottet, war auf Abstand gegangen und hatte das Ganze beendet, wenn eine Affäre zu kompliziert zu werden drohte oder die andere mehr wollte.

Doch Vic hatte es geschafft, die Mauern, die Toni aufgebaut hatte, niederzureißen, einfach so, als gäbe es sie gar nicht. Egal, ob es um Tonis Einstellung zur Liebe ging, ihre berufsbedingt negative Ansicht zur Rechtschaffenheit vieler Menschen oder den Glauben an einen anderen Menschen in seiner Aufrichtigkeit, Toni hatte zu allem über die Jahre ihre Meinungen gebildet und daraus wiederum ihre persönlichen Grenzen und Regeln aufgestellt. Alles das hatte Victoria ohne Anstrengung niedergerissen. Und wenn Toni ehrlich zu sich war, wollte sie genau das und ließ von Beginn an zu, dass die Juristin sie aus ihrer Welt riss wie im Märchen der Prinz, der Dornröschen wach geküsst hatte; nur war Vic eindeutig eine Prinzessin.

Jetzt allerdings würde Victoria binnen kürzester Zeit bereuen, sich auf sie eingelassen zu haben. Dieses Wissen quälte Toni, schmerzte beinahe körperlich, weil sie Vic nicht verlieren wollte.

Toni war es normalerweise gewohnt zu kämpfen, sich nicht von Angst lenken zu lassen. Doch in diesem kleinen Hoch, das sie durch und mit Victoria erlebte, zu wissen, dass sie, Toni, jemanden wahrhaftig liebte, folgte nun der unweigerliche Absturz. Hierfür reichte bereits der Gedanke daran, wie schwer sie Vic verletzen würde. Was erst passierte, wenn alles auf den Tisch kam und Vic erkannte, dass Toni als Maulwurf agiert hatte, darüber wollte sie erst gar nicht nachdenken.

Sie würde ihr das Herz brechen. Würde sie für alle zukünftigen Beziehungen schädigen, dass sie kein Vertrauen in andere mehr steckte, und es wäre allein Tonis Schuld. Sie würde sie genauso verletzen und hintergehen, wie es ihre Mutter damals getan hatte.

Victoria hatte ihr ansatzweise verraten, was passiert war. Toni war sich bewusst, dass Vic ihr nicht alles über ihre Mutter erzählen wollte, es vielleicht auch nicht konnte. Durch das Fremdgehen und die Trennung musste jedoch nach Meinung der Ermittlerin noch viel mehr in ihr kaputtgegangen sein, als sie bisher in angedeuteten Informationen preisgegeben hatte, denn der Schmerz in der Stimme, selbst nach all den Jahren, war aus jedem ihrer Worte dazu klar heraus–zuhören.

Toni quälte die eine Frage wieder und wieder: Würde sie Victoria dadurch komplett zerstören?

Ob sie es nun wollte oder nicht, es war nicht mehr aufzuhalten. Sie konnte sich nur noch zurückziehen und das Ganze beenden.

Aber mit welcher Begründung?

Die Emotionen würden ohnehin explodieren, ihre beiden Herzen würden bluten, jedes für sich dem Kummer erliegen. Toni hatte nur die Hoffnung, dass ein Geständnis darüber, wer sie war, was sie war und was sie getan hatte, und danach zu verschwinden, ihnen beiden weit weniger wehtun würde, als wenn sie sich ständig sahen. Aus den Augen, aus dem Sinn war nicht weniger steinig, würde die Liebe nicht mit einem Schlag auslöschen. Möglicherweise half es ihnen beiden trotzdem, ihre überwältigenden Gefühle zu verdrängen, wenn sie schnellstmöglich ging, und später den Schmerz zu vergessen, den ihre Offenbarung unweigerlich mit sich bringen würde.

Sie hatte Vic doch vor wenigen Stunden gesagt, dass sie sie liebte. Und jetzt verschwinden, einfach so?

Toni hatte es ihr überhaupt nicht sagen wollen, um nicht alles noch weiter zu verkomplizieren. Sie war aber in dem Moment, als es ihr über die Lippen gekommen war, außer Kontrolle, auf allen Ebenen ihres Daseins. Alles drehte sich um Victoria, wie sie sich anfühlte, wie sie schmeckte, wie sich Vics Körper, gegen den ihren gepresst, anfühlte. Sie war machtlos gegen dieses Gefühl und genauso machtlos im Versuch, die Worte zurückzuhalten, als sie es Victoria ins Ohr flüsterte.

Und dann war da auch noch John, ihr Freund und Mentor. Der Job und die Agentur. Toni wollte nicht an die Auswirkungen denken, die auf alle Beteiligten zukamen, die auch in der Detektei arbeiteten, und deren Zukunft, die unweigerlich beeinflusst würde, weil sie sich nicht im Griff hatte.

Da gab es Dana, die noch immer in der Detektei arbeitete, obwohl sie es eigentlich nicht mehr musste. Dana war eigentlich schon in Rente, hatte dennoch Spaß, freute sich, dass sie gebraucht wurde, und arbeitete schon Jahrzehnte für John.

Sollte sie hingehen und sagen: „Hey, ich bin verliebt und mein Glück ist mir wichtiger als ihr. Sagt tschüs zu eurer Arbeit“?

Wer war sie, dass sie das Recht hätte, auf solche Weise in das Leben anderer Menschen einzugreifen? So selbstsüchtig konnte sie nicht sein.

Wem mache ich hier eigentlich etwas vor?

Toni ließ den Kopf hängen und legte ihr Kinn auf ihre Brust, als würde ihr Haupt mit einem Mal von einer unsichtbaren Last herabgezogen.

Sie *hatte* in das Leben anderer Menschen eingegriffen, mehrfach! Es machte keinen Unterschied, ob sie jemanden kannte oder nicht. Sie waren alle gleich wichtig, jeder als Individuum hatte ein Recht, auf seine Art zu leben, jedenfalls solange Regeln eingehalten wurden.

Es gab nur diesen einen Weg – sie *musste* es Vic sagen. Danach konnte sie nur noch hoffen.

Sie spürte einen Körper, der sich unerwartet gegen ihre Rückseite presste. Beide Hände glitten um ihre Hüften, hielten sie anschließend und Toni hatte das drängende Bedürfnis, die bettwarmen Hände mit ihren eigenen Händen festzuhalten.

Ein verschlafenes „Morgen“ krabbelte rauchig über die Haut ihres Halses zu ihrem Ohr und brachte Toni zum Grinsen, denn es vertrieb ihre finsteren Gedanken binnen Sekundenbruchteilen.

Sie wollte sich zu Vic umdrehen, doch die verstärkte ihren Griff und lehnte ihre Stirn gegen Tonis Rücken. Es fühlte sich so unbeschreiblich gut an, wie Victoria sie umarmte. Also blieben die beiden Frauen auf diese Weise eine Weile stehen und genossen ihre Zweisamkeit.

Erst als ihr Magen knurrte, spürte sie die Vibration eines Lachens hinter sich. Victoria zog ihre Hände unter Tonis hervor und klopfte sanft auf ihre langen Finger, die nun auf ihrem Bauch lagen.

„Komm schon, Tiger. So, wie es sich anhörte, muss eine Bestie gefüttert werden."

Der ganze Vormittag fühlte sich an, als wäre sie dort, wo sie schon immer sein sollte. Victoria bereitete das Frühstück vor, während Toni damit beschäftigt war, den Tisch zu decken. Sie teilten sich die Morgenzeitung und unterhielten sich über Gott und die Welt.

Auch das Tischabräumen fühlte sich an, als hätten sie das schon Hunderte Male zusammen gemacht. Ab und zu erwischte sich Toni, wie sie Vic ansah, und versuchte alles, was sie erblickte, zu speichern, um so eine genaue Erinnerung zu erschaffen, so genau, wie sie nur konnte.

Als Victorias Handy klingelte, sagte sie zu Toni: „Es muss wichtig sein, sonst würden die aus dem Büro nicht anrufen."

Toni sah nur die Rückansicht von Victoria und es schien in der Tat wichtig zu sein, denn sie konnte hautnah beobachten, wie sich Victorias Haltung anspannte und sie anschließend in ihr Büro ging. Da sie immer noch nicht wiederkam, fing Toni an, das abgewaschene Besteck und Geschirr wieder in die Schränke einzuräumen.

„Das glaube ich nicht!" Victoria war auf hundertachtzig, als sie wie ein rasender Güterzug aus ihrem Büro schoss. Toni wusste nicht, ob sie zu ihr sprach oder ihre Gedanken einfach nur laut aussprach.

Vic hatte beide Hände in die Seiten gestemmt, als sie, ohne weiter darüber nachzudenken, dass diese Information Toni gar nichts anging, herausplatzte: „Weißt du, was ihr lieber Mann will? Durch seinen Anwalt hat er verkünden lassen, dass er bei einer Summe von fünf Millionen das ganze Thema überdenken und man *möglicherweise* dem Gericht sagen würde, dass man zu einer Übereinkunft gekommen sei. Das wäre ja schließlich nur ein minimaler Teil von der Abfindungssumme, die er haben wolle. Und er würde sich dann auch nicht mehr für den Verlag interessieren. Sie hätten Informationen, die lieber nicht ans Tageslicht kommen sollten." Victoria schüttelte den Kopf. „Er und sein Anwalt sind absolute Schweine. Ich kann nicht verstehen, wie man für so einen Abschaum arbeiten kann.

Er missbraucht seine Position, führt ein Leben in Saus und Braus und wagt es, nachdem Isabella die Scheidung eingereicht hatte und man ihm bereits eine entsprechende Summe zugesprochen hat, doch noch zu klagen, und das an allen Fronten.

Also, wenn ihm jetzt doch noch Schadensersatz für seine Zeit beim Verlag zugesprochen würde, Toni, das würde das Ende des Verlages bedeuten. Isabella kann dann den Laden dichtmachen, hoffen, dass sie einen Interessenten findet, der nicht nur am Verlag, sondern auch an den Büroflächen Interesse hätte, und vielleicht bereit wäre, einige Mitarbeiter zu übernehmen. Aber das alles wäre nur ein Tropfen auf den heißen Stein, bedenkt man, wie viele Existenzen an U. P. hängen. Praktisch alle würden ihren Job verlieren im schlimmsten Fall." Sie sah Toni fragend an. „Es betrifft auch dich." Ihr Blick nahm traurige Züge an und wechselte dann sofort zu blanker Wut. Victorias braune Augen sprühten förmlich Funken. „Solch einen Abschaum habe ich noch nie erlebt. Und glaub mir, ich habe schon einiges durch! Wie kann man nur so etwas Schäbiges unterstützen!" Victoria schnaufte in ihrer Wut. „Ich frage mich, was für Informationen sie haben, wenn sie jetzt derartige Forderungen stellen, als hätten wir praktisch keine Wahl mehr."

Tonis Puls erhöhte sich stetig, während sie Victoria zuhörte. Dazu bemerkte sie ihre feuchten Handflächen.

Ich sollte wohl besser gehen.

„Ähm, Vic", holperte sie unversehens los. „Mir fällt ein, dass ich meiner alten Nachbarin versprochen habe, ein paar Regale anzuschrauben. Wenn ich nicht gleich bei ihr auflaufe, wird sie das noch selbst versuchen. Ich hab keine Lust, sie unter einem Haufen Bretter zu suchen und womöglich noch erste Hilfe leisten zu müssen. Ist doch sicher okay für dich?" Fassungslos schaute Victoria sie an. Toni ging zu ihr und gab ihr einen Kuss auf den Mund. „Du wirst jetzt sowieso genug zu tun haben und mich als Störenfried nicht brauchen können." Toni ratterte die Worte runter, als wäre der Teufel hinter ihr her. „Wirst du mit Isabella telefonieren oder zu ihr fahren?" Victoria nickte als Antwort nur perplex. „Dann stehe ich dir sowieso nur im Weg herum.

Und du brauchst deine ganze Konzentration dafür und musst nicht von jemandem abgelenkt werden, der gelangweilt rumsitzt oder nach Aufmerksamkeit schreit. Ich weiß, dass du jetzt die Zeit brauchst."

Vic schüttelte kurz ihren Kopf, als wolle sie wirre Gedanken loswerden, lächelte Toni etwas verdattert an und zog sie schließlich doch zu sich, um sie zu küssen. Zwischen den Küssen sagte sie: „Womit habe ich dich verdient?", ohne darauf eine Antwort zu erwarten.

Im Fahrtstuhl wurde Toni endgültig klar, dass sie nur Victoria wollte und niemand anderes sonst. Toni würde sich nicht mit weniger zufriedengeben. Aber Victoria würde niemals bei ihr bleiben, wenn sie die Wahrheit erst kannte.

Nur war das nicht oberste Priorität, so sehr sie der Gedanke zerriss, es ging nicht um sie und ihre Welt; Victorias Leben, ihre Zukunft hatten Vorrang.

Toni sah ihre Spiegelung in der Tür des Fahrstuhls. „Ich muss mit ihr reden. Ich muss einmal das Richtige machen, Victoria hat so ein verlogenes Spiel nicht verdient."

Kapitel 22

Toni hatte die Akte aus Johns Vorinformationen, ihren Notizen und den nicht gelöschten Handybildern, die sie inzwischen ausgedruckt hatte, aufgeschlagen. Mehrere lose Blätter lagen auf dem Tisch herum und sie fuhr sich frustriert durch die Haare. Die Informationen, die sie gesammelt hatte, würden ihrem Mandanten reichen, dass sie zwei bis drei Klagen gewinnen könnten.

Toni fing an, Stapel zu machen, allgemeine Informationen, die nichts bringen würden, relevante Informationen, die keine Überraschung darstellten, die aber dennoch nützlich werden könnten. Und als Letztes Informationen über Isabella Underwood, berufliche und private Details. Hintergründe zur Person *Julia Porter*, die Isabella privat offensichtlich mehr als gut kannte und die jetzt Verlegerin vom Stone Verlag war, der vorher von Isabella Underwood aufgebaut und geführt worden war. Der Verlag, von dem ihr Ex nicht wusste, dass es ihn gab.

Es gab keine eindeutigen Beweise diesbezüglich, aber einiges deutete darauf hin, dass Isabella mit *Porter* eine Affäre gehabt, ihren eigenen kleinen Verlag gegründet und Geld damit verdient hatte; alles unwissentlich von Charles und während der gemeinsamen Ehe.

Das nächste Problem mit der vermeintlichen Affäre war, *dass,* wenn sie eine hatten, es im eigentlichen Sinne keinen Ehebruch gab.

Nach Tonis Recherche hätten sie erst eine Affäre begonnen, als das Ehepaar schon getrennt voneinander lebte, zwar noch im selben Haus, aber mit dem wichtigen Aspekt, ihre Ehe nicht mehr zu vollziehen.

Dazu gab es noch einen weiteren relevanten Fakt, nämlich Charles` Untreue. Was er Isabella jetzt zum Vorwurf machen wollte, hatte er praktisch immer gelebt, seit sie die Ehepapiere unterzeichnet hatten. Sein Ehebruch fing schon zwei Wochen nach der Eheschließung an.

Dennoch ging Toni davon aus, dass die Gründung des kleinen Verlages gesetzlich abgesichert war. Dass die Finanzierung aus ihrem privaten Vermögen kam, das separat bereits existent war, als die beiden die Ehe eingegangen waren, das also nicht zum gemeinsamen in der Ehe erwirtschafteten Vermögen zählen würde.

Sie war sich zudem sicher, dass eine Frau wie Isabella Underwood keine leichtfertigen Fehler machte. Sie würde vor einer Eheschließung alles vertraglich geregelt haben, damit das Familienerbe, die Finanzen der Underwoods und alles damit verbundene Hab und Gut nicht durch die Ehe zu gemeinsamem Recht und Besitz wurden. Dazu war sie zu clever und hatte entsprechende Anwälte an ihrer Seite, die sie berieten.

Dennoch würden der Verlag und das ganze Finanzpaket sowie die Affäre mit Porter genau unter die Lupe genommen werden. Es war nur eine Frage der Zeit, wann die Geschäftsbücher des Verlages geöffnet werden müssten, nachdem die gesammelten Informationen an die gegnerische Partei übergeben worden waren. Dass es so kommen würde, stand außer Frage.

Die genauen zeitlichen Abläufe des Fremdgehens würde man noch hinterfragen müssen, aber *dass* Isabellas Verhalten in der Ehe nicht astrein war, stand für Toni fest, wenn es auch eine ganz andere Liga war als die Verfehlungen ihres Mannes.

Richter allerdings würden solche Fakten mit einbeziehen, wenn sie Recht sprechen und Urteile fällen sollten.

Die Ermittlerin wälzte Für und Wider hin und her, vor und zurück. Das Grübeln setzte ihr zu. Je länger sie über all das nachdachte, umso schlimmer fühlte sie sich, denn eines war jetzt schon gesetzt – sie würde jemanden enttäuschen müssen.

Nur, war das überhaupt noch wichtig?

Sie hatte ihre Regeln gebrochen und ihre persönlichen Prinzipien bereits verraten. Man vermischte Privates und Geschäftliches nicht. Und noch weniger *vermischte* man *sich* mit der gegnerischen Partei, man nahm seinen Job ernst!

Warum hattest du dich nicht im Griff?

Toni hatte auf die Frage nur eine einzige Antwort, die ihrem Arbeitgeber kaum genügen würde, und kam sich plötzlich wieder vor wie eine blutige Anfängerin.

Victoria hatte ihr irgendwann eine Nachricht geschrieben, aber Toni hatte ein Treffen abgesagt.

Sie musste eine Entscheidung treffen, jetzt, denn morgen würde sie sich mit John treffen und ihm die Akte überreichen. Er würde die Sachen sichten, bearbeiten und dem Kunden übergeben.

Sie konnte zwar nicht verhindern, dass die Übergabe stattfand, dass Charles' Anwalt keine Unterlagen bekäme, aber sie konnte sehr wohl beeinflussen, *welche* Beweise sie bekommen würden. Es lag in ihren Händen.

Den wichtigsten Punkt, die Informationen über den kleinen Verlag, müsste sie zurückhalten und sämtliche Infos hierzu vernichten, denn allein das könnte den ganzen Fall kippen. Der Verlag, so klein er auch war und möglicherweise auch nur wenig gewinnträchtig, Fakt war, er war während der Ehe gegründet worden und damit war Geld erwirtschaftet worden, das in das gemeinsame Vermögen hätte einfließen müssen.

Während er ein hart arbeitender Ehemann war, hatte Isabella ihn geblendet und den Verlag gegründet. So würde man es ihr anlasten.

Ihm würde die Hälfte des Ertrages, wenn nicht sogar mehr zustehen. Und dass sie den Verlag ihrer damaligen Angestellten, mit der sie zu besagtem Zeitpunkt eventuell ein Verhältnis pflegte, übergeben hatte, würde sich alles andere als positiv auf richterliche Einschätzungen auswirken, wenn die Beweise hierfür hieb– und stichfest waren. Deswegen würde ihm, Tonis Einschätzung nach, mehr als die Hälfte zugesprochen, als Strafe für Isabella, dazu die Verzugszinsen, und wer konnte sagen, was noch alles aufgeschlagen würde?

Betrachtete Toni aber die andere, die menschliche, emotionale Seite, einen Gradmesser, dem sie selbst sich aktuell absolut nicht mehr entziehen konnte, rückte ihr berufliches Ethos massiv ins Abseits.

Genau hier lag das Problem. Isabella und Julia Porter schienen einfach glücklich und füreinander bestimmt zu sein.

Dass sie mit ihren Informationen, wie weitreichend sie auch waren, alles zerstören würde, schlug Toni auf den Magen. Sie hatte nur bedingt Kenntnis über zeitliche Gegebenheiten zu der Verbindung der Frauen, wie intim auch immer diese gewesen war, als Charles und Isabella nach außen hin noch eine Ehe führten.

Was sie hatte, würde in Verbindung mit ihrer jetzt bestehenden Beziehung unbestritten genug Wirbel verursachen und die Glaubwürdigkeit Isabellas schwer erschüttern. Wenn es ganz schlimm kommen würde, könnte sie auf diese Weise die Existenz beider Frauen zerstören.

Obwohl Isabella das finanziell sicher überleben würde, somit auch Julia abgesichert war, fragte sich Toni, was mit den restlichen Angestellten passieren würde.

Isabella war zweifelsohne kampfbereit und der Hauptgrund hierfür waren unstrittig eben diese Angestellten, die nach dem Verschwinden ihres Ex–Chefs ihrerseits für Isabella und ihren Job, für ihrer aller Existenz gekämpft hatten. Etwas, wovor

Toni tiefsten Respekt hatte; vor Isabella ebenso wie vor ihren Mitarbeitern.

Alle bei Underwood Publishing, mit denen sie in Kontakt stand, besonders die Personen, die wichtig für den Erfolg *ihres* Auftrages waren, hatte sie auf vollkommen unerwartete Art kennen und schätzen gelernt. Sie hatte mit ihnen gelacht, mochte einfach alle, und das war überhaupt nicht gut!

Besonders eine Person hatte sie mehr ins Herz geschlossen, als sie es hätte zulassen dürfen, auch wenn diese nicht direkt zu U. P. gehörte.

Toni lehnte sich zurück und starrte an die Decke.

Die Rolle, die ihr schon so oft zuteilgeworden war und mit der sie bisher nie Schwierigkeiten oder Gewissensbisse gehabt hatte, war jetzt ein Problem für Toni – sie war für das Schicksal dieser Menschen verantwortlich.

Früher hatte sie alle Gefühle abschalten können, hatte es ohne große Mühen geschafft, sich keine weiteren Gedanken um etwas zu machen oder um jemanden. Sie bekam ihren Auftrag, kassierte ihre Prämie und ging zum nächsten Job. Sie hatte es immer im Griff gehabt.

Jetzt habe ich gar nichts mehr im Griff …

Toni erschrak, als es an ihrer Tür klopfte. Sie stand auf, um zu öffnen, doch als sie durch den Türspion Victoria sah, schoss ihr Puls in die Höhe. Sie lief zurück zum Tisch, rief dabei: „Einen Moment“, und legte alles hektisch zusammen, was sie zur nochmaligen Durchsicht ausgebreitet hatte.

So schnell sie konnte, brachte Toni die Akte ins Schlafzimmer und versteckte diese schnell im doppelten Boden einer Schublade ihres Kleiderschrankes. Zurück im Wohnzimmer, blickte sie noch einmal auf den Tisch, kontrollierte, ob sie nichts übersehen hatte, und öffnete Victoria schließlich leicht außer Atem die Tür. „Hey“, begrüßte sie sie knapp in der Hoffnung, dass ihre Kurzatmigkeit nicht auffiel.

Victoria schaute sie skeptisch an, versuchte an Toni vorbeizu–schauen und Toni machte einen Schritt zur Seite, um

Victoria somit den Weg freizugeben. Dabei begleitete Toni ihr Eintreten mit einem flotten Spruch: „Keine Sorge, es ist niemand hier."

Tonis Magen knurrte in der sonderbaren Gesprächspause zwischen den beiden plötzlich laut vor sich hin und Victoria musste herzhaft lachen.

„Das Biest hat wieder Hunger, hm? Gut, dass ich Pizza mitgebracht habe." Die Juristin ging in die Küche, nachdem sie wie zufällig Richtung Wohnbereich geblickt hatte.

Leicht verunsichert stand Toni kurze Zeit später neben ihr in der Küche.

„Wie kommt es, dass du hier bist?"

Während sie das Essen auf die Teller legte, sagte Vic: „Ich weiß nicht, du hattest dich irgendwie ein bisschen …" Vic zuckte mit den Schultern und sprach weiter, „traurig angehört per Nachricht. Keine Ahnung. Ich wollte nur sehen, ob alles in Ordnung mit dir ist." Sie drehte sich zu Toni um, wirkte dabei unerklärlich ruhelos auf ihr Gegenüber.

Ohne zu zögern, ging Toni den letzten Schritt auf sie zu, legte beide Hände an ihre Wangen und gab ihr einen Kuss. „Das hat noch nie jemand für mich gemacht."

Vics Augenbrauen zogen sich zusammen. „Geguckt, dass mit dir alles in Ordnung ist?"

„Ja, das. Ich meine, dass sich noch keiner je einen solchen Kopf um mich gemacht hat. Und dass sich jemand die Mühe gemacht hat, nach mir zu schauen, weil er einem Gefühl folgt, daran kann ich mich auch nicht erinnern."

„Komm schon, die Pizza ist nur noch lauwarm, wir müssen uns beeilen."

Victoria schien mit Tonis Aussage gerade nicht gut umgehen zu können, aber Toni fragte nicht weiter nach, sondern ließ ihr den Freiraum, den ihr der Themenwechsel offenbar verschaffen sollte.

Pizza und Bier, das war Tonis Lieblingskombination, und als sie herübersah und Victoria anschaute, spürte sie eine innere Wärme, die sie in dem Moment absolut glücklich machte. Sie beugte sich vor, gab Vic einen sanften Kuss auf die Lippen und sagte schlicht: „Danke." Victoria quittierte ihrerseits mit einem Lächeln und dieser speziellen, bestätigenden Art eines Zwinkerns, die so viel sagte und nahezu einer Umarmung gleichkam.

Während sie aßen, unterhielten sie sich über alles und nichts. Victoria erzählte lustige Geschichten aus ihrer Kindheit. Toni hörte zu, saugte alles auf, was Victoria an Informationen gab, und konnte sich nichts Besseres vorstellen, als hier mit der Frau zu sitzen, die sie liebte und über die sie alles erfahren wollte.

„Mein Vater hat niemals Rücksicht auf mich genommen, als ich in die Juristerei eingestiegen bin", begann Vic dann irgendwann von ihrer Anwaltskariere zu erzählen. „Ich musste genauso, wenn nicht sogar mehr arbeiten, um zu beweisen, dass ich meine Position verdient habe.

Es wird immer Neider geben und manche von denen werden sagen, dass ich meine Position in der Kanzlei nur bekommen habe, weil mein Vater an der Spitze sitzt. Aber das ist mir egal, denn ich weiß, dass es anders ist."

Victoria nahm einen Schluck aus ihrer Bierflasche, während sie Toni ansah. Als sie ihren Mund mit der Serviette abwischte, sah Toni ein Funkeln in ihren Augen, das sie gut genug kannte. Nach bevor sie es sich versah, stand Vic auf und setzte sich auf Tonis Schoß. Beide Hände wanderten zum Nacken und ihre Finger kreuzten sich dort. „Wichtig ist mir, dass die Leute, die mir etwas bedeuten, die Wahrheit wissen." Sie beugte sich vor und küsste Toni.

Toni konnte nicht anders, als mit beiden Händen ihren Po zu packen und zu versuchen, sie näher an sich heranzuziehen. Es war unglaublich, wie wenig es brauchte, dass Tonis Verstand sich verabschieden wollte. Vics Stöhnen und einige eindeutige kreisende Beckenbewegungen ließen Tonis Erregung binnen Sekunden ins Unermessliche steigen. Sie riss sich aus dem Kuss los und für einen Moment war nur das schnelle, kurze Atmen der beiden zu hören.

„Ich muss mit dir reden“, brach es aus Toni heraus. Ihr Blick war flehend, als sie in einem letzten Anflug von Bewusstsein versuchte, das so wichtige Gespräch anzuschieben, und sie wusste auch, dass ihre Stimme sich ebenso anhörte.

Victorias braune Augen leuchteten vor Leidenschaft. Sie beugte sich vor und küsste Tonis Wange. „Okay“, doch ihre Lippen wanderten weiter zum Hals. Als sie Tonis Stöhnen hörte, fuhr Vic mit der Zungenspitze die Hauptschlagader entlang nach oben und hauchte ihr schließlich ins Ohr: „Dann rede.“

„Mh“, war alles, was Toni sagen konnte, weil Vics Tun ihr Sprachzentrum lahmlegte.

Kurz bevor Victoria den sensiblen Punkt unter Tonis Ohr traf, sagte sie: „Was meinst du? Kann das nicht bis morgen warten?“ Worauf sich Tonis Vorhaben vorerst auf die Ersatzbank verzog.

Victoria machte unaufhörlich weiter, Toni konnte gar nicht mehr richtig denken, denn Vics Lippen waren dicht an ihrem Ohr und sie spürte den heißen Atem auf ihrer Haut, als weitere Worte flüsternd ihre Haut streiften: „Du berührst mich, wie es vor dir noch niemand geschafft hat.“ Sie küsste Tonis Ohrmuschel und wisperte: „Ich will dich in mir spüren.“

Toni konnte nicht anders, als Victorias Gesicht zu packen und sie mit aller Leidenschaft, die sie für sie empfand, zu küssen. Sie lehnte sich vor und machte mit dem Oberkörper eine halbe Drehung, der Victoria willig folgte, sodass Toni sie mit dem Rücken auf das Sofa drückte.

Toni konnte nicht denken, konnte nichts sagen, sie wollte nur noch fühlen, die Frau spüren, die unter ihr lag – für sie zählte nur noch Victoria.

Kapitel 23

„Guten Morgen“, sagte Toni und küsste Victorias Nacken. Das Brummen, das anscheinend eine Antwort sein sollte, ließ Toni amüsiert auflachen. Sie löste sich aus der Umarmung, schnappte sich Unterwäsche aus ihrem Kleiderschrank und verschwand im Bad.

Als Toni mit noch feuchten Haaren das Bad wieder verließ, lag Victoria bäuchlings auf dem Bett, hatte alle Gliedmaßen von sich gestreckt und war noch mal ins Land der Träume geglitten, wie die Dunkelhaarige nach kurzem Kontrollblick und einer sanften Berührung an ihrer Schulter feststellte. Toni hatte die Jogginghose und das Shirt angezogen, die im Bad auf der Heizung gelegen hatten, und entschied sich, Vic noch etwas schlafen zu lassen.

In der Küche durchsuchte sie alle Schränke und fand rein gar nichts, aus dem sie zumindest ein halbwegs vernünftiges Frühstück für einen Gast hätte zubereiten können.

Wann habe ich das letzte Mal eingekauft?

Dass sie bei der eigenen Frage lange überlegen musste, war Antwort genug.

Sie wollte Victoria einen schönen Morgen zaubern, sie zum Lächeln bringen, und das würde sie auch schaffen mit einem Frühstück à la Toni.

Sie nahm ihr Handy in die Hand und blieb abrupt stehen, die Gedanken an gestern und das Wohlgefühl beim Aufwachen verschwanden schlagartig.

Sie wusste, sie musste eine Entscheidung treffen. Und mit dem Wachwerden am heutigen Morgen gab es keine Zweifel mehr daran, *wie* sie zu entscheiden hatte. Der Plan stand.

Zuerst fing sie an, eine Nachricht auf ihrem Handy zu tippen, denn sie musste das Treffen mit John verschieben, was so nicht schwer war.

Sie wussten, was sie einander schreiben mussten, wenn es Verzögerungen gab, sodass niemand die Nachrichten merkwürdig finden würde, würde man sie hacken oder anderweitig versuchen zu diskreditieren. Es gab die kuriosesten Zufälle und beide gingen kein Risiko ein, wenn jemand zufälligerweise in Tonis Handy schaute oder sie selbst daran schuld wäre, dass sie das Handy nicht sperrte.

Danach würde sie einkaufen und mit Victoria frühstücken, als wäre es das Normalste der Welt.

Und selbst wenn das Ganze später nach hinten losgehen würde, so würde sie zumindest das Frühstücken intensiver genießen und sich eine Erinnerung schaffen, die ihr nichts und niemand mehr nehmen konnte.

Später, wenn Vic gegangen war, würde sie die Unterlagen sortieren, dann mit John telefonieren, um einen neuen Termin auszumachen.

Sie ging zurück ins Schlafzimmer, beugte sich über Vic, die sie verschlafen blinzelnd mit einem Lächeln begrüßte, und sagte mit leiser Stimme: „Ich besorge Frühstück, mach dich in Ruhe fertig. Aber nicht zu lange liegen bleiben, Schlafmütze! Sonst verpasst du was.“ Sie beugte sich nochmals vor und gab ihr einen Kuss, den Victoria intensivierte, indem sie Toni ihre Hand in den Nacken legte und sie näher heranzog. Tonis Herz jubelte bei dem Gefühl, das Victorias Tun in ihr auslöste.

Es fühlt sich so unbeschreiblich gut an, neben ihr aufzuwachen. Und das hier, sie gibt sich so selbstverständlich, das ist, als wäre ich wahrhaftig zu Hause.

Natürlich war Toni klar, dass es ihr Zuhause war, aber sie meinte es bildlich anders – sie fühlte sich angekommen.

Ich könnte das jeden Tag machen, für den Rest meines Lebens.

Die Frauen lösten sich voneinander und Toni warf einen letzten Blick auf die Schönheit in ihrem Bett, bevor sie sich auf den Weg machte.

Zu Fuß machte sie sich auf in den nächstgelegenen Supermarkt und dachte über das nach, was auf sie zukam.

Ja, später würde sie durch das gemeinsame Frühstück nicht nur Zeit mit Vic verbringen können, viel wichtiger war die Tatsache, dass sie die Gelegenheit bekam, reinen Tisch zu machen. Der Ausgang, so wusste sie selbst es wohl am besten, war ungewiss.

Aber die Hoffnung auf einen guten Ausgang wollte sie nicht aufgeben, denn sie war ihr Strohhalm, an den sie sich klammerte, wenn es um ihre Gefühle zu Victoria und eine mögliche gemeinsame Zukunft ging.

Was kam, würde sie annehmen müssen, sie war bereit und würde alles dafür tun, um für das zu kämpfen, was sie liebte, solange sie noch die kleinste Chance sah. Dabei war es ihr vollkommen egal, wie lange sie dafür bräuchte, bis Vic ihr verzeihen würde. Toni würde sie nicht kampflos aufgeben. Welchen Kampf sie auch ausfechten musste, sie war bereit dafür.

Der nächste Punkt war John.

Was sie ihm sagen würde, wusste Toni noch nicht so recht. Sie würde ihn nicht anlügen, aber auch nicht direkt die Wahrheit sagen. Auf diese Weise bräuchte er, falls etwas wäre, ebenfalls nicht zu lügen.

Sie sagten sich vieles nicht, was sie wie gemacht hatten, um an gewisse Informationen zu kommen. Es war eine Übereinkunft, die sie beide schützte. Dann bräuchte der jeweils andere nicht zu lügen, falls etwas Außerplanmäßiges ihre Tarnung und Pläne auffliegen ließ.

Ihr Smartphone vibrierte. Es war die Rückmeldung auf ihre Nachricht, mit der sie vorhin um Terminaufschub gebeten hatte und die sie gleich beantworten würde, wenn sie den Einkauf erledigt hatte. Sie würde sich nur kurz melden, um den Tag festzulegen, der Rest würde später folgen.

Toni nahm ihr Portemonnaie, zahlte an der Supermarktkasse ihre Einkäufe und machte sich anschließend auf dem Weg zum Bäcker.

∞

Ich bin keine Schlafmütze, sagte Vics innere Stimme, aber ihr Einkuscheln ins Kissen strafte sie Lügen und sie musste über sich selbst schmunzeln. Victoria wollte tatsächlich am liebsten liegen bleiben, denn sie hatte sich schon lange nicht mehr so wohlgefühlt.

Sie drehte sich von der Seite zurück, sodass sie auf dem Rücken lag, und streckte sich ausgiebig.

Mit einem guten Gefühl und einem wohligen Kribbeln im Bauch, weil sie an Toni dachte, machte Victoria sich aber dann doch auf ins Badezimmer; sie wollte fertig sein, wenn Toni zurückkehrte.

Unter der Dusche stehend, musste Victoria grinsen, da sie wieder an den Abend zuvor dachte. Als sie langsam ihren Körper einseifte und den Gedanken an das, was sie und Toni gemacht hatten, freien Lauf ließ, spürte sie erneut ihre aufkeimende Erregung. Ihre Brustwarzen stellten sich auf und als sie mit der Hand darüber glitt, entkam ein kleines Stöhnen Victorias Lippen. Mit geschlossenen Augen fuhr sie noch einmal über die sensible Stelle, dann langsam über ihren Bauch, während sie sich vorstellte, dass es Tonis Hände wären.

Als sie ihre Scham berührte, stoppte Victoria in ihrer Bewegung. Sie wollte auf Toni warten, sie wollte sich nicht mehr mit dem zufrieden–geben, was sie allein getan hatte, bevor sie ihr begegnet war.

Diese Frau war pure Erfüllung und Befriedigung zugleich, und das auf mehr als nur sexuelle Weise. *Obwohl …* Vic spürte die Hitze in ihrem Nacken, weil die Erinnerungen an Tonis

Berührungen, das Gefühl ihres Körpers an Victorias unglaublich präsent waren und sie über alle Maßen erregten, obwohl Toni hier unter den warmen Wasserstrahlen doch fehlte.

Sie wusste nur zu gut, *wie befriedigend* der Sex mit Toni war. Und Zeit mit ihr zu verbringen war in der Tat erfüllend, mehr, als sie es je erwartet hätte in den ersten Tagen ihres Aufeinandertreffens.

Schon lange war ihr kein Mensch mehr begegnet, der ihr binnen so kurzer Zeit eine derartige Nähe vermittelt hatte, welche sie beinahe ohne Rückhalte erwiderte. Toni hatte sie geknackt, ohne dass Vic es überhaupt mitbekommen hatte, aber für sie war genau das mehr als okay, wie sie sich problemlos eingestehen konnte.

Mit einem Handtuch auf dem Kopf und einem zweiten um den Körper gewickelt ging sie zu Tonis Kleiderschrank, um sich etwas zum Anziehen herauszusuchen. Sie öffnete einige Schubladen, bis sie die fand, in denen Toni offensichtlich ihre Freizeit–T–Shirts aufbewahrte.

Sie fand es ein wenig sonderbar, dass jemand T–Shirts nicht in entsprechende Regalfächer im Kleiderschrank einsortierte, sodass man gleich erkannte, welche da waren. Andererseits, jeder hatte so seine Macken, sie selbst konnte sich davon nicht ausnehmen.

Ein Schmunzeln schob sich auf ihre Lippen, denn ordentliches Zusammenlegen war wohl nicht Tonis Stärke. Der recht wirr übereinandergestapelte Stoffberg in kreativer Faltoptik hatte etwas dezent Chaotisches, aber irgendwie passte genau *das* zu ihr.

Die oben liegenden T–Shirts gefielen Vic nicht sonderlich. Also nahm sie ein paar heraus und schnappte sich zufrieden grinsend ein graues Shirt, wobei sich der verbleibende Stapel im Schubfach plötzlich nach hinten ein wenig absenkte und gleichzeitig ein klackendes Geräusch zu hören war.

Victoria stoppte in ihrer Bewegung, dann zog sie die Augenbrauen zusammen.

Was ist das denn?

Ihre Neugierde wuchs schlagartig, dachte sie zuerst, etwas kaputt gemacht zu haben; vielleicht war es deswegen auch ihr schlechtes Gewissen, das sie antrieb, dem Geräusch und dem Verrutschen der Shirts nachzugehen.

Aber was bitte sollte kaputtgehen, wenn man ein einfaches Kleidungsstück aus einer Schublade holte? Also sah sie genauer hin und die Neugierde siegte endgültig.

Sie nahm alle Shirts aus dem Schub und staunte nicht schlecht. Victoria hatte noch nie eine Schublade gesehen, die einen doppelten Boden hatte.

Sie verstand nicht, was das hier sollte. Wozu brauchte Toni ein solches Fach?

Sie legte besagten doppelten Boden zur Seite und holte eine Akte hervor, die im freigelegten Fach zum Vorschein kam. Ihr Magen rebellierte merklich. Was sie hier tat, war nicht richtig, das wusste sie selbst gut genug. Dennoch hielt sie eine braune Sammelmappe mit einer überschaubaren Zahl an Papieren darin in den Händen und starrte den Umschlag an, als würde sie versuchen, mit ihrem Blick Löcher in die Pappe zu brennen.

Sollte sie hineinschauen oder sollte sie nicht?

Vielleicht braucht sie meine Hilfe?

Victoria verdrehte unmittelbar über sich selbst die Augen.

Ich bin Scheidungsanwältin.

Ihr Fachgebiet würde Toni sicher nur bedingt weiterbringen, wenn sie Rechtsbeistand brauchte.

Dennoch braucht sie vielleicht Hilfe. Was ist, wenn sie sich nicht traut, etwas zu sagen, weil sie sich für etwas schämt und tatsächlich in Schwierigkeiten steckt?

Juristisch gehörte generell erst mal einiges an Grundlagen dazu, bei jedem Anwalt, egal für welche Fachrichtung er sich dann entschied. Darum würde sie versuchen, bestmöglich da zu sein, wenn es so war. Und schon lagen Daumen und Zeigefinger am Deckel der Sammelmappe.

Im Stehen öffnete Victoria die Akte und blinzelte ein paarmal ungläubig. Ihr Name stand da auf dem ersten Blatt Papier, dazu Isabellas, Julias und noch ein paar weitere, die ihr bestens bekannt waren. Sie hatte das Gefühl, als ob ihr gerade der Boden unter den Füßen weggezogen wurde.

Victoria ging mit weichen Knien zum Bett und setzte sich. Sie las Namen, Orte, fand Fotokopien von vertraulichen Unterlagen, las ganz offensichtlich Notizen, die von Toni stammen mussten, denn sie kannte ihre Handschrift inzwischen.

Bei allem, was sie durchsah und las, ging es um sie und ihre Mandantin. Alles betraf ihren Fall mit Isabella! Klagen, angestrebte Gegenklagen, mögliche Vorgehensweisen, einfach alles. Alles Informationen, die ihr Gegner gegen sie einsetzen könnte, um sie zu schwächen und zu diskreditieren.

Als sie Schritte hörte, erschrak Victoria. Doch wurden diese gleich wieder leiser und sie hörte, wie ein Schlüssel in ein anderes Wohnungstürschloss gesteckt wurde.

Sie wollte zum Bäcker!

Victoria sprang auf, fand auf die Schnelle eine Jogginghose, sammelte alles zusammen, was ihr gehörte, ebenso die unsägliche Mappe, und lief zur Tür.

Während sie in schnellen Schritten versuchte, größtmögliche Distanz zwischen sich und Tonis Wohnung zu bekommen, sah sie sich suchend um, um dabei dieser nicht in die Arme zu laufen. Mit dem Handy am Ohr lief sie immer schneller und schneller, bis eine Stimme am anderen Ende knapp „hallo“ sagte und sie schlagartig kurzatmig stehen blieb. Nach zwei, drei tiefen Atemzügen war Victorias Antwort: „Wir haben ein Problem.“ Augenblicklich fühlte sie den Schwindel, hörte ihr eigenes Blut in den Ohren rauschen und musste sich unerwartet an einem parkenden Wagen abstützen, weil sie das Gefühl hatte, ihre Beine würden jeden Moment unter ihr nachgeben.

∞

Toni versuchte, so leise wie möglich zu sein, als sie die Tür öffnete. Ihr Plan stand unerschütterlich fest. Sie müsste nur das Schwerste in Angriff nehmen, und das hieß, Victoria alles zu gestehen, um sie über sich und ihren eigentlichen Auftrag aufzuklären.

Das würde sie gleich tun, wenn ein guter Kaffee und eine leckere Essensauswahl auf dem Tisch standen und Victoria sich zu ihr gesellte.

Von der Küche aus konnte sie sehen, dass die Schlafzimmertür weit offen stand und das Bett bereits leer war. Schnell deckte Toni den Tisch für ihr gemeinsames Frühstück, nickte zufrieden und schaute wieder zum Schlafzimmer.

Weder von dort noch aus einer anderen Richtung kamen Geräusche, die auf Vic hindeuteten. Toni wunderte sich, warum sie die Dusche nicht hörte oder vielleicht anderes aus dem Bad, denn dort vermutete sie ihre Geliebte. Ihre Freundin? Toni wusste selbst nicht, wie sie Vic bezeichnen sollte, griente aber, weil ihr aufging, wie sehr sie sich wünschte, sie als Geliebte, Freundin, Partnerin und Ähnliches bezeichnen zu dürfen. Tatsächlich! Sie wünschte sich eine Beziehung mit Victoria, eine echte, dauerhafte Verbindung.

Die Stille in ihrer Wohnung holte sie aus ihren Überlegungen, machte Toni stutzig und zunehmend nervös.

Sie wird doch nicht einfach gegangen sein?

Woher genau dieser Gedanke plötzlich kam, wusste Toni nicht. Was sie aber wusste, war, dass er ihr Angst machte!

Victoria hatte den Eindruck gemacht, dass ihr das, was sie miteinander hatten, genauso wichtig war wie Toni selbst.

Toni konnte sich irgendwie nicht vorstellen, dass Victoria wirklich abgehauen war, ohne jegliche Nachricht zu hinterlassen.

Besorgt ging sie endlich Richtung Schlafzimmer, denn sie fühlte bereits Panik in sich aufsteigen und wollte ihr sofort entgegenwirken.

Als sie dort ankam, sah sie sofort, dass die Schublade offen stand, die normalerweise ihr kleines Geheimfach beherbergte. Der Anblick drehte ihr den Magen um.

Es war für Toni eine große Kraftanstrengung, zur Schublade zu gehen.

T–Shirts lagen auf dem Boden und die Schublade war so weit herausgezogen, dass nicht viel fehlte, und sie würde aus ihrer Führung rutschen und auf den Boden fallen.

Bitte nicht, schoss es ihr durch den Kopf.

Sie blieb vor dem Schrank stehen und schaute in das jetzt leere Fach. Eiskalter Schweiß stand ihr auf der Stirn.

Ihr Magen rebellierte weiter und Toni hörte nur noch das so typische Geräusch aus Fiepen und Düsenjäger, verursacht durch ihr Blut, das durch ihre Ohren raste. Als würde sie dem damit Einhalt gebieten können, hielt sie sich die Ohren zu und schrie innerlich: *Nein! Nein! Nein!* Im nächsten Moment versuchte sie, einen klaren Gedanken zu fassen. *Du musst dich beruhigen!*

Ein tiefer Atemzug, dann noch einer. *So ist es gut, und jetzt weiter.*

Schnell drehte sich Toni um, blickte in alle Zimmerecken in der Hoffnung, dass Victoria vielleicht in irgendeiner davon saß.

Aber als sie die Handtücher auf dem Boden entdeckte und sah, dass Victorias Kleidung vom Vortag nicht mehr da war, ging Toni wie in Trance zum Wohnzimmer und setzte sich auf die Couch. Sämtliche eben noch heraufbeschworene Selbstkontrolle war dahin, riss wie eine Lawine ihre Kraft und den Mut, den sie gesammelt hatte, um Victoria gegenüber reinen Tisch zu machen, mit fort und zerschmetterte Tonis Wünsche und Träume auf den zerklüfteten Felsen, die ihre Realität jetzt wieder ungeschönt offenbarten.

Sie lehnte sich gegen die Rückenlehne und schaute zur Decke. Tränen brannten in ihren Augen, denen sie freien Lauf ließ.

Das war's, ich habe alles kaputt gemacht.

Kapitel 24

„Das sind alles relevante Informationen, besonders viele über Stone Publishing, von denen außer dir, Julia und mir keiner wusste. Wir haben ihr das nicht erzählt, jedenfalls auf keinen Fall in dieser Ausführlichkeit. Also hat Toni die Möglichkeiten in ihrer Position als deine Assistentin genutzt." Isabellas Stimme war eiskalt und schneidend, als sie ihrer Anwältin finster entgegenbrachte: „Dafür werde ich Toni fertigmachen, und danach Charles!"

Victoria wollte gerade anfangen, etwas zu erwidern, da sprach ihr Vater: „Ich kann Ihre Aufregung verstehen, Miss Underwood. Aber so leicht werden die es uns nicht machen, denn das wird nicht nachzuweisen sein. Wir könnten diese Anschuldigungen zwar öffentlich machen, ja, aber ein Richter würde auf so etwas nicht reagieren. Und die Gegenseite könnte uns einen echten Strick daraus drehen. Wir können nichts beweisen, was das Wirken dieser Frau betrifft.

Ich denke mal, dass *Toni Layne* schon längst untergetaucht ist. Das Einzige, das wir nachweisen können, ist, dass sie Informationen hat, die sie nicht hätte haben dürfen. Ob sie sie weitergegeben hat, ist unklar und wir können keine Verbindungen in irgendeine Richtung nachweisen. Wir sind in der Beweispflicht, und beweisen können wir das zu dem Zeitpunkt nicht.

Das einfachste Gegenargument für Frey wäre, dass wir das alles erfunden haben. Aber glaubt mir, sie würden daraus ganz andere Sachen konstruieren, Verleumdung und Rufschädigung.

Mit derartigen Vorwürfen ist nicht zu spaßen. Solche Ermittler sind viel zu gut, als dass sie irgendwelche Spuren hinterlassen. Den Job, Informationen zu beschaffen, erledigen sie sorgfältig, in der Regel jedenfalls. Sie bringen sogar Politiker zu Fall.

Skandale, deren Ursprünge möglicherweise Jahrzehnte zurückliegen, erscheinen nicht einfach so, wenn Wahlkampf ist, das ist Berechnung. Informationen dazu werden ausgegraben, platziert, wenn es an der Zeit ist, und dafür sind diese Leute zuständig. Sie sind Handlanger derer, die dann mit diesen Informationen Menschen verunglimpfen und Existenzen zerstören, ohne jegliche Skrupel." Isabella wollte gerade etwas sagen, doch er sprach schnell weiter: „Miss Underwood, wir können nichts beweisen. Wir können lediglich belegen, dass *Toni Layne* beim Verlag gearbeitet hat, und ich wette mit Ihnen, dass wir sie unter *dem* Namen bestimmt nicht finden werden.

Auch könnte, wenn wir überhaupt rausfinden, wer diese Ermittler sind, der Zusammenhang zwischen den beiden Parteien nicht ohne Weiteres hergestellt werden.

Wir könnten es versuchen, doch würden wir unsere Ressourcen in die falsche Richtung wandern lassen. Wir brauchen unsere volle Aufmerksamkeit auf Ihrem Noch–Gatten und seinen Anwalt, um auf jegliche Strategie schnellstmöglich reagieren zu können.

Das Einzige, was wir wissen, oder richtiger, was wir anhand dieser Unterlagen mutmaßen können, ist, welche Informationen sie wahrscheinlich haben und einsetzen werden.

Selbst das ist kein gesichertes Wissen, aber wir müssen unsere eigene Strategie auch auf eine Eventualität auslegen. Wir werden es zu unserem Vorteil nutzen und alles mit Gegenbeweisen null und nichtig machen, sollten sie jene schmutzige Trumpfkarte ziehen wollen.

Ich bin sicher, sie werden jetzt versuchen, dass der Vorverhandlungstermin verschoben wird. Was wir nicht zulassen werden." Martin lehnte sich zurück, bevor er ruhig weitersprach: „Keine Sorge, wir werden das schaffen, auch wenn wir durch diese unerwartete Entwicklung noch ein weiteres Feld abdecken müssen. Doch ich bin absolut zuversichtlich." Sein Blick ging zu seiner Tochter, der er bestätigend zunickte.

Victoria übernahm das Gespräch. „Wir werden hier Überstunden machen und alles tun, um schnellstmöglich einen taktischen Vorteil zu haben. Mach dir da bitte keinen Kopf, Isabella. Konzentriere dich auf die Leitung des Verlages. Dort wirst du gebraucht. Es hat keinen Sinn, wenn du dich gedanklich aufreibst, ohne etwas tun zu können. Dafür sind wir da, dir den Rücken freizuhalten, und das werden wir." Isabella sah Vic an und nickte ihr zu. Isabella war natürlich klar, dass die Situation für Isabella unbefriedigend war. Dennoch musste sie sie um Geduld bitten. „Ich melde mich bei Schwierigkeiten sofort oder bei neuen Entwicklungen bei dir, versprochen."

Die Krisensitzung war schon fast zu Ende. Isabella und Julia waren noch immer fassungslos, saßen mit entsprechendem Gesichtsausdruck in Vics Besprechungsecke in ihren Sesseln. Victorias Vater ging und machte eine kurze Kopfbewegung, dass Vic ihm folgen sollte.

„Entschuldigt mich bitte kurz, ich bin gleich zurück." Die Juristin sah die beiden Frauen an und sah deren zustimmendes Nicken, wie sie sich anschließend bei den Händen nahmen, und verließ den Raum.

Als Victoria die Tür hinter sich geschlossen hatte, folgte sie ihrem Vater weiter, bis sie gemeinsam nach ein paar Schritten im Gang stehen blieben.

„Ich will wissen, wie *dir* so etwas passieren konnte." Sein Blick war hart und unnachgiebig. Seine Stimme ruhig und leise.

Victoria musste schwer schlucken. Sie hatte es schon ein

paarmal miterlebt, wenn ihr Vater mit jemandem *redete*. Hier ging es ums Geschäft, und das konnte er wunderbar trennen. Es ging nicht darum, dass es seiner Tochter passiert war, sondern der erfahrenen Anwältin, die eindeutig unvorsichtig gewesen war. Das wusste Vic. Dennoch war sie sicher, dass er auch enttäuscht von seiner *Tochter*war.

Vics Schultern sackten ein Stück nach unten. „Ich weiß es nicht." Hoffnungsvoll schaute sie zu ihrem Vater. Doch dieser stand nur da und wartete. „Ich werde dem auf den Grund gehen und herauskriegen, wie sie an diese Informationen gekommen ist."

Mehr wollte sie in diesem Moment nicht sagen, denn Vic wusste, dass *sie* schuld daran war, dass die meisten der Toni vorliegenden Informationen überhaupt hatten gesammelt werden können. Sie hatte übersehen, was Toni vorhatte.

Den Vorwurf musste sie sich gefallen lassen und adressierte ihn ohnehin bereits an sich selbst.

Ihr Vater nickte. „Tu das. Geh jetzt wieder rein, bring das in Ordnung und gib deinem Mandanten die Sicherheit, dass der Kampf nicht verloren ist. Um den Rest kümmerst du dich später und dann meldest du dich sofort bei mir."

Er legte seine Hand auf ihre Schulter, drückte leicht zu und ging.

Warum nur kam Vic ausgerechnet jetzt Mata Hari in den Kopf, als sie ihrem Dad noch hinterhersah?

Sie hat mich getäuscht, ich bin dermaßen blind gewesen, weil sie heiß war ... ist ... nein, war ... Verdammt!

Vic ballte die Fäuste und stampfte einmal kräftig mit dem Fuß auf, weil sie sich über sich selbst ärgerte.

Die Kombination war so logisch und hat Toni vollkommen in die Karten gespielt, dass ich lesbisch bin und auf ihre Anmache angesprungen bin, als wäre ich eine notgeile Ziege, die nur darauf wartet, in Lesbenclubs abgeschleppt zu werden.

Sie wusste, dass es so nicht war, aber Vic konnte im Moment nicht anders, als sich Selbstvorwürfe zu machen, wie überzogen sie auch waren. Es half ihr dabei, sich auf das

Wesentliche zu fokussieren und Toni emotional aus ihrem Herzen zu verdrängen.

Wie effektiv, würde sich zeigen …

Victoria betrat das Büro wieder. Sie sah gerade, wie Julia ihre Hand auf die von Isabella legte, während ihre zweite Isabellas Hand hielt, wie sie es bereits getan hatte, als Vic hinausgegangen war. Eine unglaublich intime Geste, mit der Julia ihrer Frau zeigen wollte, dass sie bei ihr war, nicht nur hier. Isabella schaute, durch deren Berührung animiert, zu Julia und lächelte sie an.

Vic musste schwer schlucken, ließ den beiden aber ihre Zweisamkeit noch und beobachtete die zwei einfach stumm.

Sie erkannte in dem Blick, den sich beide zuwarfen, Liebe und unbändiges Vertrauen. Und das schmerzte tief in ihrer Brust, denn es erinnerte sie an das Vertrauen, das sie selbst in Toni gehabt hatte.

Sie hatte sich in eine Frau verliebt, obwohl sie sich Liebe nicht mehr erlauben wollte aufgrund ihrer familiären Geschichte. Sie war vorbelastet, hatte sich dennoch geöffnet, die Liebe zugelassen.

Sie hätte es besser wissen müssen und jetzt bekam sie die Quittung. Sie war die ganze Zeit nur ausgenutzt worden.

Die Wut in ihr wuchs, denn sie war sicher, dass Toni das Ganze zwischen ihnen bestimmt als Spiel gesehen hatte.

Ein bisschen Spaß auf ihre Kosten, Sex als befriedigendes Beiwerk zu Tonis eigentlichem Auftrag, für den sie sicherlich finanziell ausreichend entlohnt würde.

Oder war es einfache Routine, einen solchen Auftrag abzuwickeln? Machte sie das immer so, um an Informationen zu kommen? Wenn Frauen ihre potenziellen Quellen wären, sich an sie ranzumachen und sie zu verführen? Oder nahm sie die Gelegenheit nur wahr, mit Victoria zu schlafen, weil es ihr so leicht gemacht wurde, weil es gerade passte?

Der Gedanke ließ bei Victoria die Galle hochkommen.

Sie musste sich aber zusammenreißen und Professionalität

wahren, denn hier ging es nicht um ihre private Dummheit, und so mahnte sie sich, ihren Fokus wieder auf Isabella zu legen, *sie* war die Mandantin.

Victoria erzählte den beiden Frauen vor sich, welche Strategie sie angehen würden und wie es weiterging.

Das größte Problem dabei blieb, daraus machte sie keinen Hehl, dass sie nicht wussten, wie sich die Gegenpartei jetzt verhielt. Sicher saß man auch hier gerade in einer ähnlichen Krisensitzung zusammen zur Lagebesprechung.

Victoria konnte sich nur zu gut vorstellen, was passiert war: Toni würde sofort nach ihrer Rückkehr Vics Verschwinden bemerkt haben. Und sobald sie die offene Schublade und die fehlende Akte entdeckt hätte, hätte sie eins und eins zusammengezählt und ihrerseits ihren Chef, sofern es einen gab, oder eben ihren Auftraggeber informiert.

Anders konnte Victoria es sich nicht vorstellen, denn *sie* würde so agieren.

∞

Es war schon später Abend, als Victoria ihren PC herunterfuhr und sich auf den Weg nach Hause machte. Sie hatte sich bereits vom Büro aus ein Taxi bestellt, so musste sie nicht in der Kälte darauf warten.

Vic bezahlte den Taxifahrer und machte sich mit schnellen Schritten auf in Richtung Tür.

„Victoria!", rief Toni aus der Distanz der gegenüberliegenden Straßenseite.

Die Schrecksekunde, in der die Anwältin erstarrte, weil sie nicht mit ihr gerechnet hatte, reichte aus, dass Toni neben ihr stand.

„Bitte, Vic." Tonis Hand fasste nach Victorias. Die allerdings riss ihre Hand weg und machte einen Schritt von Toni weg.

In ihren Blick legte die Juristin alle Verachtung, die tief in ihr brannte.

Toni hatte sie verraten und das Gefühl, welches diese Erkenntnis auslöste, bewegte sich nah an der Grenze zu Hass, egal, was sie miteinander geteilt hatten.

Wäre es möglich, jemanden mit Blicken zu töten, hätte Toni sicherlich als Aschehaufen vor ihr gelegen, denn Victorias Augen wirkten so, als schleuderten sie flammende Pfeile auf sie.

Leicht zitternd stand Toni vor ihr, Flehen, Bitten, Hoffen, all das lag in ihren offenen Gesichtszügen und den Augen, die sie standhaft ansahen.

Es war nur eine Millisekunde, aber Vic hatte bei ihrem Anblick für einen kurzen Augenblick Mitleid mit ihr. Doch so schnell dieser Anflug von Schwäche da war, kam auch die Wut zurück und verdrängte ihn.

„Du traust dich echt, hierherzukommen?"

„Hör mir bitte nur kurz zu."

Der Portier kam zur Tür, vor der er die Frauen entdeckt hatte, die sich sonderbar aufgebracht gegenüberstanden. „Ist alles in Ordnung?" Er schaute zwischen den beiden hin und her.

„Bitte, Vic."

Das Flehende aus ihrem Blick lag nun auch in Tonis Stimme. Es klang schon fast bettelnd und änderte tatsächlich Vics Meinung. Daher gab sie dem Mann an der Tür Entwarnung: „Es ist alles bestens. Aber danke." Sie wollte hören, was Toni zu sagen hatte. Sie hatte die Hoffnung auf Informationen, die sie nutzen konnte. Der Mann nickte und ging wieder zurück an seinen Platz.

„Hör zu, es sollte nicht so weit kommen, okay? Es sollte ganz einfach sein. Aber, aber …" Mit zitternder Hand fuhr sich Toni durchs Haar. Sie schaute auf den Boden, weil sie sich nicht auf ihre Worte konzentrieren konnte, wenn Victoria sie derart tiefgründig ansah. Toni war durch und durch nervös. „Ich habe nicht mit euch gerechnet. Dass ihr mich in euren Kreis aufnehmt, dass ich euch kennenlerne, dass ihr mir etwas bedeuten könntet." Jetzt sah Toni auf und schaute Victoria doch in die Augen. „Und schon gar nicht habe ich erwartet, dass ich mich in *dich* verliebe."

*Und ich liebe dich!, a*ntwortete Victoria in Gedanken aus einem Impuls heraus. *Aber manchmal reicht Liebe allein nicht. Nicht, wenn man so hintergangen wird.*

Sie formulierte ihren letzten Gedanken um, sprach dennoch aus, was sie dachte: „Das reicht nicht, Toni. Es ist zu viel passiert."

„Ich werde das wieder hinkriegen. Das verspreche ich."

„Dafür müsstest du die Zeit zurückdrehen können. Du hast mein Vertrauen missbraucht, meine Liebe genommen und sie zerstört. Du hast mir das Herz gebrochen!"

„Denkst du, mir geht es anders? Verstehst du nicht, dass meine Liebe zu dir das Ganze geändert hat? Mein Denken zu dem, was ich da tue, hat sich komplett verändert. Wegen *dir*! Du hast mir die Augen geöffnet, Vic.

Bitte glaub mir, wenn ich dir sage, dass ich es ihnen nicht geben wollte, nicht so, wie du die Mappe gefunden hast.

Was ich über ihn gelesen und erfahren habe, ja, Vic, ich habe in deinen Akten nach Hintergrundwissen gesucht, das ihr über Charles habt. Und ja, ich habe diese Infos gesammelt, aber davon ist nichts Relevantes an die Gegenpartei gegangen.

Ich musste meinem Chef Zwischenstände durchgeben und als mir bewusst wurde, was für ein Mensch Charles ist, und ich gemerkt habe, wie falsch das alles ist, was ich da tue, habe ich nur Köder geliefert und – wie soll ich sagen – angefüttert, damit man mich nicht abzieht. Ich wollte euch schützen!

Die Menschen bei U. P., wie ihr alle mich behandelt und aufgenommen habt, das war unglaublich. Und dann *DU*, ganz allein du hast mich schließlich dazu gebracht, den Auftrag nicht auszuführen. Zumindest nicht so, wie angeordnet."

„Würdest du das vor Gericht sagen?" Es herrschte lange Stille, nachdem diese Frage ausgesprochen war, und das Schweigen reichte Victoria nach einiger Zeit des Wartens als Antwort aus. Sie schüttelte über Toni den Kopf. „Das habe ich mir gedacht."

„Wenn es nur *mein* Leben wäre, würde ich es machen. Aber es gibst ein paar andere. Erinnerst du dich? Wie sagte Isabella? Die Menschen sind abhängig von Underwood Publishing? Dass es um mehr geht als um sie allein? Und hier, in meinem Fall, ist es nicht anders, Vic. Auch da, wo ich arbeite, brauchen die Leute ihren Job. Das ist wichtig."

„Was? Dreckige Informationen über andere auszugraben?" Spott lag in Vics Stimme.

„Du vergisst, dass auch dort Menschen sind, wo *mein* Arbeitgeber seine Büros hat.

Du verurteilst unsern Job? Dann frag doch deinen Vater, wie sie Charles Lawrence damals unter Druck gesetzt haben. Wer die Informationen beschafft hat!"

„Das geht zu weit! Sie haben einen Widerling in seine Schranken verwiesen. Sie haben sich um seine Anwälte gekümmert, die sich der *Fälle* angenommen hatten. Das kannst *du* mit deiner kranken Moralvorstellung gar nicht verstehen!" Zu viele Gefühle bahnten sich ihren Weg an die Oberfläche. Hass, Wut, Schmerz, alle fluteten ihre Adern zeitgleich und setzten ihr zu. Victoria wollte nicht mehr länger mit Toni reden, es waren emotionale Tage und sie war erschöpft.

Doch trotz all des Schmerzes, der Wut und des Hasses war die Liebe für Toni noch da und hinderte sie daran, Toni wortlos stehen zu lassen.

„Ich kann das hier nicht. Nicht jetzt noch eine Unterhaltung mit dir führen, Toni." Abschätzend betrachtete sie die dunkelhaarige Ermittlerin vor sich. „Heißt du überhaupt so?" Ihre Augen verengten sich zu Schlitzen, als versuche sie, hinter Tonis Stirn zu sehen, um die Wahrheit zu erfahren. Dann löste sich ihre angespannte Haltung auf, als hätte ihr jemand den Stecker gezogen. Ihr Blick verlor sich im Nirgendwo in Tonis Augen, ungläubig, zweifelnd, hilflos. „Ich weiß noch nicht einmal, wie du wirklich heißt."

Vic wandte sich von ihr ab, griff nach dem Türgriff und zog die Eingangstür auf. Sie wollte nicht, dass Toni die Tränen sah, die Vic in sich aufsteigen fühlte.

„Vic."

Victoria drehte sich langsam wieder zurück, schaute durch einen verschwommenen Schleier aus Tränen zu Toni, die in Sekundenbruchteilen bei ihr war und sie küsste, einfach so, ohne Victorias Erlaubnis zu erbitten.

Für einen kurzen Augenblick ließ Vic den intensiven Kuss zu, doch dann versuchte sie sich loszumachen. Tonis Hände lagen an ihren Wangen und sie ließ nur eine kurze Entfernung zwischen ihnen zu. Ihr Blick ging kurz zum Portier, der erneut auf dem Weg zu ihnen war. „Ich werde dich immer lieben und ich werde es dir beweisen. Gib mir Zeit." Damit ließ Toni sie los und ging.

Kapitel 25

Tonis Finger fuhren immer wieder über die Akte, die geschlossen vor ihr auf dem Tisch lag. Je mehr Zeit verging, desto nervöser wurde sie. Sie wollte das ganze Thema, das ihre Entscheidung mit sich bringen würde, endlich hinter sich bringen und dann gucken, wie sich alles Weitere entwickelte.

Obwohl sie nicht im Entferntesten sagen konnte, was passieren würde, war klar, dass sie so nicht weitermachen konnte und wollte. Was ihr bevorstand, waren die Konsequenzen aus dem, was sie getan hatte, gepaart mit dem, was sie tun musste, ohne zu wissen, wie ihr langjähriger Chef und Freund reagieren würde. Genau das machte sie nervös und setzte ihr zu, gleichzeitig aber war es ihr unerklärlicherweise egal.

Sie hatte ihre Entscheidung getroffen, um sich im Spiegel ins Gesicht sehen zu können, vor allem aber, um Victoria wieder unter die Augen treten zu können, um zu versuchen, alles zwischen ihnen zu einem guten Ende zu bringen. Also würde sie damit leben können, was auch immer jetzt folgte.

Natürlich war da die Angst davor, John zu enttäuschen. Sie hatte ihn bisher nie im Stich gelassen, hatte seine Aufträge immer akkurat und auf den Punkt erledigt.

Im Fall Lawrence würde sie es aber nicht mehr können, denn der Gewissenskonflikt war zu groß. Und wenn man es recht betrachtete, gab es diesmal auch Fakten, die John zum

Nachdenken bringen müssten, denn was Charles Lawrence über so lange Jahre getan hatte, ohne dafür zur Verantwortung gezogen zu werden, war alles andere als ethisch vertretbar!

Obwohl sie sich doch sicher war, dass John es als legitim ansah, dass eine Ermittlerin Einwände vorbrachte, es für ihn zumindest nachvollziehbar sein sollte, was Toni für *sich* entschied, hatte sie Angst davor, reinen Tisch zu machen. Der unangenehme Gedanke, dass sie sich all die Jahre in ihrem Freund getäuscht hatte, wollte sich einfach nicht verdrängen lassen.

Einerseits wünschte sie sich, das Ganze so schnell wie möglich hinter sich zu bringen, und andererseits wollte sie sich am liebsten verstecken, damit sie sich dem anstehenden Gespräch nicht aussetzen müsste. Der Gedanke daran, ihren Chef zu enttäuschen, machte sie selbst traurig.

Zusammen hatten sie schon – Toni überlegte kurz – um die zehn Jahre zusammengearbeitet. Er war immer ihr Mentor gewesen, war es bis heute, ihm hatte sie alles zu verdanken. Das unerschütterliche Vertrauen, das er all die Jahre in sie gehabt hatte und in ihr Handeln, machte ihr ganz plötzlich unglaublich *viel* Angst. Denn sie wusste zu genau, was sie gleich tun würde – sie würde sein Vertrauen in sie bis ins Tiefste erschüttern, es vermutlich für immer ruinieren.

Toni schaute sich im Café um und war froh, dass keine Rushhour mehr war. Die Uhrzeit war von beiden mit Bedacht gewählt worden. Nur wenige Kunden kamen rein, holten sich einen Coffee to go und gingen wieder.

Toni mochte dieses Café wegen seines Ambientes. Die unterschiedlichsten Stühle und Sofas, jedes ein Einzelstück, keines davon passend zu einem anderen hier im Laden, erschufen in dieser Kombination ein kleines optisches Chaos, aber genau das brachte ein Wohlgefühl, das sie sonst nur an einem Ort erlebt hatte, und das war in Victorias Wohnung.

Bei ihr war es nicht chaotisch, weil die Möbel in dem Sinne nicht zusammenpassten, sie hatte es geschafft, ihrer Wohnung den Charme eines *Zuhauses* zugeben, was Toni bisher in ihren eigenen vier Wänden so nicht gelingen wollte.

Bei ihr war alles einfach gehalten, zweckmäßig, es war aber nicht unbedingt ein Ort, an dem man richtig die Seele baumeln lassen wollte.

Warum kann nicht alles so leicht sein, wie sich um eine heimelige Atmosphäre zu Hause zu kümmern?

Toni dachte für einen Moment, dass sie sich sogar lieber mit Victoria wegen der Einrichtung oder Dekorationsfragen in die Haare bekommen würde, als das hier durchzustehen.

Vorausgesetzt, ich bekomme hierzu überhaupt noch mal die Chance. Sie schloss für kurze Zeit die Augen und seufzte tief.

Nicht nur, dass die Frage zu klären war, wie es bei ihr nun jobbezogen weitergehen würde, wenn die Bombe geplatzt war. Toni hatte natürlich auch keine Ahnung, wie es mit Victoria weitergehen würde – *wahrscheinlich gar nicht, aber wie war das mit der Hoffnung? Die stirbt zuletzt?* Unglücklich lächelnd blickte Toni bei diesen Gedanken durchs Café und zuckte hilflos die Achseln.

Vic war wütend und verletzt, was Toni definitiv verstehen konnte. Wenn sie an Vics Stelle wäre, würde sie auch nicht einfach so verzeihen können, wenn überhaupt.

Aber das, was sie jetzt versuchte, tat sie auch nicht in erster Linie, damit Victoria ihr verzieh. Nein, sie wollte nur das Richtige tun.

Wenn das vielleicht dazu führte, dass Victoria ihr noch einmal in Ruhe zuhören würde, sich erklären ließ, was Toni dazu bewegte, ihre Meinung zu ändern, und sie ihr möglicherweise noch mal eine Chance gab, ihr ihre Liebe zu beweisen, oder es zumindest die Chance gab, dass sie einen Weg fänden, eine Freundschaft führen zu können mit Tiefe und Vertrauen, dann wäre Toni unsagbar froh. Natürlich war es ihr Herzenswunsch, dass Victoria ein „Ich liebe dich!" zuließ, es vielleicht sogar irgendwann erwidern könnte.

Toni war gerade dabei, der Stimme in sich mehr Gehör zu verschaffen, die sagte, sie könne so nicht weitermachen und ihr

Leben hinter ihre Karriere stellen, schon gar nicht um jeden Preis, als sich die Ladentür öffnete und John hineinkam.

Sofort schlug ihr Herz noch schneller.

Diesmal kam John in Jeans gekleidet, dazu trug er ein Hemd, aber ohne Krawatte, ein legeres Auftreten, das man so selten bei ihm sah.

Sein erster Weg führte ihn zur Theke, wo er kurz mit dem Barista sprach. Nachdem er von ihm seinen Kaffeebecher bekommen hatte, kam er zu Toni herüber.

Er nickte und sah sie freundlich an. Der Ausdruck veränderte sich aber schlagartig, als er Toni musterte. Seine Augenbrauen zogen sich kurz zusammen, doch sagte er nichts. Toni wusste selbst, dass ihr Erscheinungsbild gerade nicht das beste war. Ihre blasse Gesichtsfarbe und die Augenränder waren schlimm, ohne Frage. Sie hatte sich heute früh beim Blick in den Spiegel tatsächlich vor sich selbst erschrocken, was praktisch nie vorkam.

John kannte sie durch die jahrelange Zusammenarbeit wohl besser als jeder andere. Und wenn ihr Aussehen nicht grauenhaft schlecht wäre, dann würde er an ihrem restlichen Auftreten sehen können, dass es ihr nicht gut ging.

Dennoch lächelte er Toni ermutigend an. „Hat aber lange gedauert, du hast zweimal den Termin verschoben. Gibt es irgendetwas, das du mir erzählen möchtest? Hast du etwa die Seiten gewechselt?“

Dieser Mann war unglaublich! Selbst eine Bemerkung, die andere als Scherz ansehen würden, platzierte er nicht, ohne genau zu wissen, was er da tat.

Toni wich seinem Blick sofort aus und schaute nervös durch das ganze Café, ohne diesen auch nur ansatzweise zu kreuzen.

John atmete einmal tief durch, denn Tonis Reaktion sagte ihm sofort, dass er ins Schwarze getroffen hatte. „Die Hoffnung stirbt zuletzt. Erzähl mir einfach in Kurzfassung vom Fall.“

Ein kurzes Schmunzeln quälte sich auf ihre Lippen, hatte er doch unglaublicherweise denselben Leitspruch, wie sie, der *Hoffnung* als letzten Strohhalm sah.

Toni schaute sich aus alter Gewohnheit noch einmal um und sah, dass die letzten Gäste gerade zahlten und aufbrachen, sie würden also gleich vollkommen allein im Café sein.

John und sie kannten dieses Café und auch die Besitzerin, sie hatten ihr in einem Stalking–Fall geholfen und hatten das kleine Ladengeschäft seitdem zu einem ihrer Treffpunkte auserkoren, weil es recht unscheinbar war.

Der Barista ging gerade von der Eingangstür zurück zur Theke. Er hatte abgeschlossen, denn für den kleinen Laden war Feierabend. Sie beide durften aber bleiben, was dem besonderen Draht zwischen ehemaliger Klientin und Ermittlern geschuldet war und der Tatsache, dass der Barista jetzt noch Zeit zum Aufräumen brauchte.

Toni fing mit der Erzählung an und versuchte so gut wie möglich Victoria herauszuhalten, zumindest was deren Miteinander und ihre private Verbindung betraf.

Sie erzählte von den Menschen, die sie hatte kennenlernen dürfen. Das widerliche Vorgehen von Charles Lawrence und seine inzwischen mehr als offensichtlichen Rachepläne. Was er getan hatte, was er jetzt tat und wie er es tat.

Sie konnte das alles nicht mit ihrem Gewissen vereinbaren, wie sie John gegenüber einräumte. Von einem Menschen, der seine Machtposition missbrauchte und jetzt so viele Menschen wie möglich bei seinem Untergang mitreißen wollte, unschuldige Menschen, die mit dem eigentlichen Zwist zwischen Lawrence und Underwood nichts zu tun hatten, außer dass sie für Isabella arbeiteten.

Die guten Menschen, die alles dafür taten, um ihn aufzuhalten, ließ Toni bei ihrem Bericht ebenso wenig aus, nannte hierbei insbesondere Victoria als beratende Anwältin, ohne ihrer Meinung nach zu viel von dem zu verraten, was sie verbunden hatte.

Nachdem sie mit ihrer Kurzfassung fertig war, schob sie ihrem Chef die Akte zu und fragte mehr in den Raum hinein: „Diesen Personen soll ich jetzt schaden?“, ohne hierauf eine Antwort einzufordern.

John, der sie die ganze Zeit über aufmerksam beobachtet hatte, legte seine Hand auf die Mappe und fragte ernst: „Bist du dir sicher, dass ich die lesen sollte? Was ich lese und durch deine Unterlagen erfahren werde, kann nicht ungeschehen gemacht werden. Egal, wie du entscheidest.“

Tonis Nicken reichte und ihr Chef öffnete die Akte mit den gesammelten Unterlagen darin. Er schaute Toni kein einziges Mal an, sondern las in Ruhe den Bericht. Ab und an lag seine Stirn in Falten und ein unbestimmtes Brummen kommentierte Gelesenes, ohne dass Toni wusste, bei welchen Informationen er gerade war.

Nachdem John die Akte wieder zugeklappt hatte, sagte er noch immer kein Wort. Er nahm einen Schluck seines Kaffees und gab nur ein „Mh“ von sich, wobei er offensichtlich über die Inhalte der Unterlagen nachdachte, denn seine Kiefermuskulatur spannte sich an.

John nahm einen weiteren Schluck und legte die Stirn abermals in Falten. Er beugte sich vor, beide Unterarme waren auf der Akte platziert, und er fragte mit gesenkter Stimme: „Du bist dir über die Konsequenzen bewusst?“

Ein trauriges „Ja“ war Tonis schlichte Antwort. Was sollte sie auch groß anderes dazu sagen?

„Gut. Ich frage mich nur, warum es so lange gedauert hat.“

„Was?“ Toni verstand nicht, was John von ihr wollte.

Johns Blick war eindringlich auf seine Ermittlerin gerichtet, aber sein sanftes Lächeln zeugt von Verständnis. „Das wird nicht einfach werden, Toni. Über die Konsequenzen hast du dir auch Gedanken gemacht?“ Toni nickte. „Gut. Du bist nicht die Einzige, die solch einen Weg eingeschlagen hat.“

Toni wollte gerade nachfragen, was genau er meinte, da sprach John weiter: „Jeder von uns, okay, es gibt sicher Ausnahmen, selten, aber es wird sie geben. Wie auch immer, jeder gelangt in diesem Geschäft an diesen Punkt, wo er sich die Frage stellt, ob er nun weitermachen will oder nicht. Jeder, der eine gewisse Erziehung genossen hat, der ein Gewissen hat, und sei es noch so trainiert, durch Jobs wie den unseren einer Routine unterworfen, die es in Zaum zu halten scheint, wird irgendwann mit sich und seinem Gewissen in Konflikt geraten. Davon bin ich überzeugt.

Aber hat das echt dieser Fall sein müssen? Hätte das nicht irgendwas Kleines sein können? Ein harmloserer Fall, in dem ein Chef Angestellte überprüfen lässt, weil er sie loswerden will zum Beispiel. Du weißt schon. Das interessiert nach außen hin niemanden.

Wenn du da gesagt hättest, da ist Betrug, es geht dir um die Menschen, die ihren Job verlieren, obwohl der Chef im Unrecht ist, dann wäre das kaum eine Schlagzeile auf Seite elf wert, käme es bis zu irgendwelchen Presseleuten.

Aber etwas so Medienträchtiges wie ein Society–Pärchen wie Lawrence–Underwood? Wow, da hast du dir mal eine Bühne ausgesucht.“ Toni war klar, dass er versuchte, der Situation die Schärfe zu nehmen, doch sein Scherz verfehlte ihr Humorzentrum um einiges. Ihr war überhaupt nicht nach derartigen humoristischen Einlagen zumute, was John ihr ansah. „Entschuldige, Toni. Ist wohl nicht der richtige Moment für so was, hm?“ Die dunkelhaarige Frau schüttelte den Kopf und kniff die Lippen zusammen, was ihn bestätigte. „Ich weiß, dass du mir am Anfang vieles beweisen wolltest. Ich glaube, genau darum hast du dich selbst verloren.“ Er hob ergeben beide Hände, als Toni den Mund aufmachen wollte. „Ich konnte dir nicht sagen, was du zu tun und zu lassen hast, das kann ich bis heute nicht, wenn es deine *persönlichen* Entscheidungen betrifft. Du hattest deine Gefühle irgendwann knallhart abgeschaltet und glaub mir, es tat weh, das zu sehen.

Ich nehme viele Aufträge an und sammle vorher Informationen, der Fall lag auch mir quer. Aber es war ein Gefallen, der eingefordert wurde.

Toni, es ist ein dreckiger Job, das Begleichen einer sehr, sehr alten Schuld aus Zeiten, in denen ich nicht immer die Wahl hatte und Chancen ergreifen musste.

Wir stumpfen ab oder gehen daran zugrunde, weil unser Gewissen uns quält. Beschlagenheit und ein dickes Fell sind unabdingbar für uns, aber Skrupellosigkeit, soweit darf ein Job uns nicht bringen.

Sicher sehe ich das heute klarer als damals, als ich mir mein Geschäft aufbauen wollte und mich auf alles gestürzt habe, was es an Aufträgen gab.

Dennoch gibt es da Dinge, die aus eben dieser teilweise düsteren Zeit noch immer Schatten werfen, vor denen ich nicht weglaufen kann. Damit musst du dich als Information begnügen und darum geht es auch nicht.

Es geht mir auch um *dich*, schon seit so vielen Jahren.

Ich konnte dir praktisch bei deiner Verwandlung zusehen, du hast dich immer weiter als Mensch mit Empathie, einem persönlichen Urteilsvermögen zurückgezogen und dich nur auf die Fakten konzentriert. Über ein gewisses Maß hinweg haben dich die Ausgänge unserer Arbeit nicht interessiert, was in unserer Verbindung Arbeitgeber–Arbeitnehmer auch sinnvoll war. Fakten zusammentragen, abwägen, der Rest oblag mir.

Du hast nicht nur als Ermittlerin, sondern vor allem menschlich einen Wandel vollzogen, den ich so nicht erwartet und schon gar nicht geplant hatte. Doch hätte ich im falschen Moment gehandelt, wärst du gegangen und ich hätte nicht mehr auf dich aufpassen können.

Es ist schwer, sogar sehr schwer, nur zuzusehen. Aber es gibt Entscheidungen, die man ganz alleine treffen muss, jeder von uns kommt an diesen Punkt, nicht nur einmal im Leben. Diese Entscheidungen machen uns zu den Menschen, an die sich andere erinnern, sie machen uns aus – Entscheidungen aus der eigenen Überzeugung heraus.

Ich habe es schon vor langer Zeit erkannt, dass du nicht mehr zufrieden warst. Du warst nicht mehr aktiv bei den Fällen, sondern hattest angefangen, im Hintergrund zu arbeiten. Du hast dich davon distanziert, was einmal deine ursprüngliche Intention gewesen ist, an vorderer Front zu sein, um echte Aufklärungsarbeit zu betreiben.

Gut möglich, dass ich daran nicht unschuldig bin, denn ich habe immer entschieden, welche Fälle ich annehme, und darunter waren nicht immer moralisch einwandfreie.“ Toni lächelte schief und zuckte gleichmütig mit den Schultern. „Aber jetzt ist es anders. Ich werde nicht mehr um jeden Preis alles erfüllen, was der Kunde fordert. Meine Schuld gegenüber meinem alten Kontakt ist, mh, sagen wir mal durch deine Ermittlungen erfüllt. Du weißt ja, wie das mit dem selektierten Informationsfluss so ist.“ John grinste Toni kurz wissend an, konnte beobachten, wie Tonis Wangen rosa anliefen, fuhr dennoch ernst fort: „Du bist an einem Scheideweg angelangt und hast hier einen Weg eingeschlagen, bei dem ich dich unterstützen werde. Ich habe lange darauf gewartet, dass du Gefühle wieder zulässt, besonders die für einen Menschen, der dir wertvoller sein wird als dein beruflicher Erfolg, auch wenn mir Zweites als Chef natürlich nicht so leicht über die Lippen geht.

Ich spreche jetzt aber nicht als dein Chef, ich bin John, dein Freund, und wenn ich es so nennen darf, dein Dad, und ich will, dass du eines weißt: Ich bin unendlich stolz auf dich, Toni.

Die Entscheidungen, die du bereits getroffen hast und die, die du jetzt treffen wirst, können nicht mehr rückgängig gemacht werden, so wie die daraus resultierenden Konsequenzen.

Sei dir sicher, Kleine, auch ich hatte bereits Bedenken, als ich die Informationen für unsere Vorinformationen zusammengetragen und genauer recherchiert hatte. Jetzt noch das hier“, John tippte auf Tonis Unterlagen und nickte bestätigend. „Auch ich habe noch Gefühle, und das hier ist definitiv eine Geschichte, bei der ich nicht gewillt bin, weiter zu gehen, als wir es bisher getan haben.

Was ein Mensch bereit ist zu tun, ist manchmal erstaunlich, viel zu oft aber erschreckend." Toni glaubte, nicht recht zu sehen, John schüttelte tatsächlich fassungslos den Kopf. „Das ist unbegreiflich. Toni, ich verspreche dir eines, wir werden nicht die *Retter* sein und der Gegenpartei alles zuspielen, damit diese wiederum Beweise manipulieren und Menschen in Misskredit bringt. Dafür könnten wir richtig Ärger kriegen.

Wir werden sehen, wie es weitergehen wird. Aber ich werde nicht zulassen, dass Frey uns instrumentalisiert, damit Lawrence seinen persönlichen Rachefeldzug mit größtmöglichem Flurschaden über die Bühne bringt. Wären es nur die beiden Eheleute, okay, geschenkt. Aber du hast recht, es geht hier um vieles mehr!"

Toni wusste nicht, was sie sagen sollte. Es waren viel zu viele Dinge. die in ihrem emotionalen Chaos hier plötzlich noch dazukamen. Sie verstand nicht, woher er wusste, dass *ein* Mensch ihr um so vieles wichtiger geworden war, als sie es selbst je vermutet hatte. Sie hatte doch bei ihrem Bericht darauf geachtet, Victoria und ihre Gefühle zu der Anwältin unbeachtet zu lassen, außer sie in ihrer Rolle möglichst sachlich darzustellen.

Offensichtlich war ihr das alles andere als gelungen, was jetzt aber auch egal war; für jegliche Versuche, etwas zu leugnen oder zu relativieren, hatte Toni im Moment keine Argumente mehr. Daher sprach sie aus, was ihr ebenso Sorgen bereitete: „Und was ist mit euch? Ich kann euch das nicht antun."

John schnaufte durch die Nase aus. „Es geht nur bedingt darum, Toni. Im Moment zählst einzig und allein *du*. Und glaub mir, wenn du es selbst noch nicht zugeben willst, aber die Entscheidung hast du schon längst getroffen. Ich kann sie dir nicht ausreden, und das will ich auch gar nicht. Dich anzuschreien bringt mir auch nichts. Mit dir zu reden, welche Konsequenzen gezogen werden, darüber können wir reden, sicher. Als dein Chef werde ich mich von dir distanzieren müssen, um die Agentur zu schützen.

Dein Ruf wird massiv leiden, das weißt du selbst gut genug, und du wirst vorerst vermutlich keine Aufträge bekommen, wenn du mit dem Gedanken spielst, deine eigene Detektei zu eröffnen.

Man kann dir nicht mehr vertrauen, so werden es andere sehen, wenn ans Licht kommt, was passiert ist. Jeder wird wissen, dass ich dich sofort gekündigt habe, als herausgekommen ist, dass du deine Loyalität verloren hast.

Ich werde eventuell ein paar Gerüchte streuen müssen, dein Name wird möglicherweise beschädigt, damit meiner intakt bleibt.

Aber wozu gibt es Pseudonyme, Künstlernamen oder die Möglichkeit, sich einen hübschen Namen für seinen Laden zu überlegen? Amerika, das Land der unbegrenzten Möglichkeiten.

Als Freund sage ich dir, dass du das für *dich* tun musst und nicht für andere.

Das andere Thema, also diesen Fall entweder platzen zu lassen oder der gegnerischen Seite zuzuspielen, ich muss natürlich darüber nachdenken. Ich brauche eine gute Strategie, die uns alle bestmöglich schadlos hält, wobei ich jetzt schon sagen kann, du bekommst am meisten ab.

Aber du kannst dir sicher sein, eines werde ich nicht tun – ihnen liefern, was sie eigentlich wollen und vor allem offensichtlich brauchen.

Das Ganze wird mich ebenfalls schädigen. Einige Klienten werden mich nicht mehr kontaktieren, andere werden dafür bleiben." John lachte. „Es ist wie im richtigen Leben mit Bekanntschaften und Freundschaften.

Zumindest musst du dir um uns keine Sorgen machen, ich kann dir versichern, ich habe genug Aufträge und eine Reputation, die das mistige Thema überleben würde. Zwar nicht ohne Konsequenzen, aber selbst das wird sich wieder erholen.

Unser Team, tja, es wird schwer, sich da vorzubereiten, denn ich kann nicht voraussagen, wie das Team reagieren wird.

Du kennst alle lange genug und kannst dir ausmalen, wie sie reagieren, Unverständnis, Enttäuschung, vielleicht sogar Wut. Trotzdem werden alle respektvoll reagieren, denn eine derartige Entscheidung hat mit Menschlichkeit zu tun, von der sich niemand freisprechen kann, wenn er ehrlich zu sich ist.“ Er atmete tief durch und sah Toni eindringlich an. „Es geht hier um *dich* und wenn du jetzt weitermachst, Toni … Ich könnte nicht zusehen, wie du weiterhin all deine Gefühle abschaltest und dich selbst verlierst. Nicht nach dem, was du erzählt hast.“

Toni bekam einen Kloß im Hals, als sie ihren Freund ansah und er ihren Blick erwiderte. Beide hatten offensichtlich mit ihren Gefühlen zu kämpfen, jeder auf seine Weise.

John stand schließlich auf und deutete mit dem Kopf in Richtung Ausgang. „Okay, genug Gerede. Wir sollten eine Kleinigkeit essen gehen. Das ganze Gefühlsding, so was schlägt mir immer auf den Magen.“

Toni musste lachen, sie kannte Johns Schwäche diesbezüglich zu gut. Beide machten sich auf zur Tür und warteten auf den Barista, damit er sie rausließ.

„Kontaktiere die im Büro, die dir wichtig sind. Einige werden verletzt sein und andere werden dir vielleicht nicht endgültig verzeihen können, das kann nur die Zeit zeigen. Aber sie sollten es höchstpersönlich von *dir* erfahren.

Wann du sie kontaktierst, überlasse ich dir. Aber schieb das nicht auf die lange Bank, ich muss reagieren und es sollte für Frey und seinen Klienten nach *Agieren* aussehen.“

Sie standen sich jetzt gegenüber und sahen sich an, offen und beide mit einer sonderbaren Erleichterung im Gesicht, die nur sie wahrnahmen. John schien ähnlich schwere Gedanken mit sich herumgetragen zu haben, bemerkte Toni überraschend. Er hatte auch recht, als er sich als ihr Dad bezeichnete, denn er war für sie Familie geworden, wie seine Frau auch. All das, was er zu ihr gesagt hatte, kam aus tiefster Überzeugung, daran gab es keinerlei Zweifel.

„Lass mich dir noch einen väterlichen Rat geben, Kleine“, unterbrach er Tonis Gedanken. „Fahr bloß kurzfristig ins Büro und rede zumindest vorab mit Dana, bevor sie das von mir erfährt. Sie liest in mir wie in einem Liebesroman, dessen Ende sie schon nach Kapitel drei vorhersagt. *Das* wird sonst keiner von uns überleben! Und sie würde dir und mir das niemals verzeihen, wenn sie es nicht von *dir höchstpersönlich* erfährt, dass du diesen Weg gehen willst.“

Der Barista hatte ihnen die Tür inzwischen aufgeschlossen, John bedankte sich und hielt diese für Toni auf. Als sie an ihm vorbeiging, sagte er: „Eine Frage noch, Toni.“ Toni blieb stehen und schaute ihn an. „Ist sie es wert?“

Toni brauchte keine Bedenkzeit, um die Nachfrage ihres Freundes mit einem „Ja“ klar zu beantworten.

„Dann muss ich sie kennenlernen.“

Tonis Blick wurde traurig. „Ich weiß nicht, ob *ich* die Gelegenheit bekomme, sie dir vorzustellen, aber du *wirst* sie kennenlernen, denn der Fall ist ja noch offen.“

Kapitel 26

Wie vor jedem großen Fall musste Vic gegen ihre Nervosität und die damit verbundene Übelkeit ankämpfen. Dies konnte sie meist aber ohne Probleme überspielen, wenn sie ihren Mandanten traf.

Eigentlich war es paradox, aber sobald sie den Mandanten anlächelte, um ihm Sicherheit zu vermitteln, schien der Mandant eine Erleichterung zu verspüren, die sich wiederum in seiner Ausstrahlung durch Vertrauen widerspiegelte und die schlussendlich in der Lage war, Victorias Nervosität zu überstrahlen. Es war wohl ihre Art Lampenfieber, nur eben in der Juristerei, was durch eine gewisse Routine glücklicherweise im Zaum zu halten war.

Victoria schaute sich ihr Outfit für den Gerichtssaal im Spiegel noch mal genau an. Schwarze High Heels, dazu eine schwarze Stoffhose, die perfekt am Schuh endete, eine dunkelblaue Bluse, eine feine Kette und leichtes Make–up.

Unwillkürlich fragte sie sich, wie Toni sie wohl in diesem Outfit finden würde. Sie musste lächeln, als sie sich vorstellte, wie Toni reagieren würde, wenn sie sie so zu Gesicht bekäme. Sie wusste, welche Wirkung gewisse Details bei Toni hatten, und ließ ihre Fantasie für den Moment spielen.

Ob es sie anmachen würde, eine gewisse kühle Strenge und Eleganz zu sehen, die Victoria so selten außerhalb des Gerichts zur Schau stellte?

Ihre Kostüme fürs Gericht unterschieden sich doch um einiges von ihren sonstigen Businessoutfits fürs Büro.

Ob Toni wie ein Kind, dem es an Körperlänge fehlte, auf ihrem Sitzplatz hin und her wackeln würde, um sie besser zu sehen?

Eine zu komische Vorstellung. Doch so schnell das Lächeln kam, so schnell verging es wieder, weil in gleichem Atemzug die Erinnerungen daran zurückkehrten, welchen Verrat sie begangen hatte.

Toni hatte sich ihr Vertrauen erschlichen und hatte sie benutzt, mehr nicht. Sie wollte an Informationen herankommen, auf Biegen und Brechen, und dafür war sie offensichtlich, wie sie Victoria unfreiwillig bewiesen hatte, zu allem bereit.

Victorias Magen drehte sich um, wenn sie an den Moment dachte, in dem sie das Geheimfach und die Unterlagen darin entdeckt hatte. Fragen über Fragen brachen erneut über sie herein.

Was wussten sie, was nicht, was für Beweise hatten sie tatsächlich in der Hand? Und noch mehr Fragen, auf die sie nur zum Teil Antworten hatten.

Ihre Strategien hatten Schwachstellen, das wusste Victoria zu gut, die unbekannten und somit unkalkulierbaren Faktoren durch das Hintergrundwissen, das Toni gesammelt hatte, konnten gefährlich werden, je nachdem, was sie weitergegeben hatte und was der gegnerische Anwalt daraus machte.

Die Brünette konnte es noch immer nicht fassen, in was sie da hereingeraten war. Sie kannte tiefe Abgründe, die sich bei Trennungen auftaten, aber das, was sie selbst jetzt erlebte, war anders.

Sie beide waren doch eigentlich noch gar nicht an dem Punkt, ihre Verbindung *Beziehung* zu nennen. Konnte man da schon von Trennung sprechen?

Toni hatte es ohnehin nicht darauf ausgelegt, mit ihr wirklich eine Beziehung aufzubauen, dessen war Vic inzwischen nahezu sicher, sie wollte nur Informationen, mit denen Lawrences Anwalt gegen Isabella vorgehen konnte.

Sie war auf Toni reingefallen und hatte einen *weiteren* Beweis dafür, dass es sich nicht rechnete, sein Herz zu vergeben.

Nur war das hier für Vic noch mal ein komplett neuer Level. Ein Gegner, der eine Detektei beauftragte, die Verteidigung der Ex–Frau in spe auszuspionieren, egal, welche Mittel dazu nötig waren.

Okay, bleib sachlich. Du weißt nicht, ob es „um jeden Preis" hieß, als sie den Auftrag angenommen hat.

Es fiel Vic tatsächlich schwer, hierbei fair zu bleiben, denn sie war zutiefst verletzt. Also konzentrierte sie ihre Gedanken auf den eigentlichen Gegner und seinen Anwalt, um endgültig Überlegungen zu Toni auszublenden.

Wie konnten Menschen nur so sein?

Wenn Menschen wie Charles Lawrence nichts mehr zu verlieren hatten, versuchten sie nahezu immer, noch größtmöglichen Schaden anzurichten und andere mit in den Abgrund zu ziehen. Er legte es ausschließlich darauf an, seiner Frau zu schaden, er wollte ihr all das wegnehmen, das ihr etwas bedeutete. Vor allem aber den Verlag, den sie sich zurückgeholt hatte, für dessen Überleben sie seitdem kämpfte und alle Angestellten mit ihr, wollte er in Schutt und Asche sehen. Genau *das* wollte er zerstören.

Als krönenden Abschluss würde er auch die Beziehung zu Julia Porter kaputt machen wollen ...

Ihr Handy vibrierte auf dem Nachttisch. Vic schaute auf das Display und stellte den Alarm aus. Sie hatte sich einen durchgetakteten Zeitplan erstellt, so, wie sie es sonst auch immer machte, mit genügend Luft für unvorhersehbare Dinge.

Der Fahrer musste gleich da sein und dann würden sie Isabella und Julia abholen.

Vic wurde beim Gedanken an die beiden leicht melancholisch, weil Julia sich trotz der Beweise, die Charles' Anwalt gegen Isabella vorgebracht hatte, und der Härte der Verhandlungen vor dem Richter geweigert hatte, von Isabellas Seite zu weichen.

Nein, verdammt! Victoria verfluchte sich selbst. *Na, das hat ja bestens funktioniert, nicht an sie zu denken.*

Und solange machte sie sich über sich selbst lustig. Warum zur Hölle musste sie nur immer sofort Vergleiche ziehen?

Wie oft sie selbst an Toni dachte, besonders, wenn sie Isabella und ihre Geliebte vertraut miteinander beobachtete, empfand sie schon fast als krank. Fast alles erinnerte sie an Toni und wenn nicht direkt eine Erinnerung hochkam, stellte Victoria mit wenigen Zügen eine Verbindung her, und so war Toni allgegenwärtig.

Während der langen Überstunden der Verhandlungs-vorbereitungen musste sie *immer wieder* an Toni denken. Wie es wohl gewesen wäre, wenn sie so zusammengearbeitet hätten? Wenn es diese unsägliche Sache nicht gegeben hätte?

Vic hatte in den vergangenen Tagen viel und lange überlegt, welche Informationen Toni überhaupt zu Gesicht bekommen hatte. Dass ihr eigener Fehler, die Akte liegenzulassen, eigentlich auf Vertrauen basierte, war keine Entschuldigung, hätte ihr vor allem nie passieren dürfen.

Vic ärgerte sich über ihre eigene Naivität, seit die *Bombe geplatzt* war.

Aber Toni hatte doch einen Vertrag unterschrieben, der zur Geheimhaltung diente. Toni musste kopieren, sortieren und andere Kollegen holen, wenn Gesprächsbedarf war, bei welchem Mitarbeiter zu bestimmten Vorfällen im Zusammenhang mit Charles Lawrence befragt werden mussten. Tonis Verhalten war für sie nie auffällig gewesen. Oder war Victoria so blind gewesen, weil diese Frau sie unbändig angezogen hatte in ihrer faszinierenden Art? War sie tatsächlich nur abgelenkt, weil sie Sex wollte? War es wirklich nur deshalb passiert?

Nein, beantwortete Vic sich ihre Fragen selbst und ergänzte sarkastisch: *Sie ist ein Profi auf ihrem Gebiet, was auch immer das genau heißt.*

Wäre sie, nachdem die Verhandlung vorbei gewesen war, jemals auf Toni gekommen, wenn sie den Fall verloren hätten?

Hätten sie bei der Fallnachbearbeitung überhaupt bei der Frage, woher die gegnerische Partei die Information hatte, an sie gedachte? Wenn ja, *wie* hätte man es Toni überhaupt beweisen können, dass sie es war?

Toni musste viele Botengänge erledigen, Infos aus der Personalabteilung holen. Dass sie währenddessen nicht nur eine, sondern vielleicht zwei Kopien bestimmter Unterlagen gemacht hatte, wäre nicht zu belegen bei der Vielzahl an Mitarbeitern, die hier täglich Papiere durch die verschiedenen Kopiergeräte vervielfältigten. Der Verlag arbeitete sehr fortschrittlich, aber Kopierer mit personifizierten Codekarten, so weit waren sie hier nicht.

Sie war immer schnell und effizient. Wann hatte sie Zeit, die Unterlagen zu studieren? Vic schüttelte über sich selbst den Kopf. *Du hattest deinen Beleg dafür doch selbst in der Hand, als du Tonis Ermittlungsakte gefunden hast, die Notizen, einige Kopien. Das zusammengetragene Wissen ist eindeutig!*

Vic wusste es ja besser, der Versuch, Toni die Rolle des Unschuldslamms zuzuspielen, war vollkommener Schwachsinn und Selbstbetrug. Nur weil ihr Herz etwas anderes wollte, würden Tatsachen nicht unwahr. Toni hatte sie betrogen und ausgenutzt, wissentlich, vorsätzlich, Punkt!

Sie kannte sich bestens in ihrem Job aus und hatte bestimmt keine Schwierigkeiten, Unterlagen schnell zu studieren und sich Fakten zu merken.

Ihre Gedanken drehten sich erneut nur um Toni und um das, was Toni in Erfahrung gebracht hatte. Unpassenderweise führte das auch dazu, dass ihre Gedanken in andere Gefilde abdrifteten, wie zum Beispiel zu ihrem Lächeln, einem Blick oder einer Berührung.

Wenn sie abends in ihre leere Wohnung kam, ganz besonders, wenn sie ins Schlafzimmer kam, musste sie wieder und *wieder* an Toni denken. Sie fehlte ihr in so vielen Momenten.

Doch so oft dieses Gefühl da war, so schnell wurde es von Victorias Wut abgelöst. Und mit Wut kam sie definitiv besser klar als mit den schmerzhaften Gedanken und Erinnerungen und der unsagbar großen Enttäuschung.

Sie gab Vic den richtigen Ansporn, um, wie mit Isabella ausgemacht, um alles zu kämpfen.

Charles Lawrence sollte rein gar nichts bekommen. Das war von allen Beteiligten das ausgemachte Ziel.

Victoria versuchte sich noch ein wenig abzulenken und biss von ihrem Toast ab. Sie hoffte, diese Grundlage könnte helfen, dass es ihr später nicht allzu schlecht ginge, wenn der nächste nervöse Schub ihrem Magen sagte, er solle sich bemerkbar machen.

Als ihr Handy schließlich klingelte, nahm sie das Gespräch an, in dem sich der Fahrdienst meldete, griff anschließend ihre Aktentasche und ging hinunter vor die Tür, wo der Fahrer am Wagen geduldig auf sie wartete.

Eine Viertelstunde später stieg sie aus dem Fahrzeug. Eigentlich hätten die beiden anderen Frauen schon vor der Tür stehen müssen, denn Vic selbst hatte sich durch das unerwartet heftige Verkehrsaufkommen verspätet, was aber noch in ihrem als Puffer einberechneten Zeitrahmen geblieben war. Von ihnen fehlte noch jegliche Spur. Doch traten Isabella und Julia in dem Moment, als Vic ihr Handy zückte, um sie anzurufen, aus dem Eingangsbereich und stiegen Hand in Hand die Treppen der Villa hinunter.

Isabella erschien in ähnlichem Outfit wie Vic selbst. Sie hatte nur andere Farben gewählt und trug einen leicht veränderten Schnitt, der ihre trainierten und zugleich femininen Konturen bestens betonte. Das Outfit war perfekt für sie, zeigte Kraft und Entschlossenheit, ließ gleichzeitig diese kleine Note *„zarte, blonde Frau“* durchschimmern, die den knallharten Business–Touch etwas brach, was nur zuträglich sein konnte. Julia hingegen kam in schwarzer Jeans und Bluse aus dem Haus.

Sie begrüßten sich bereits durch geöffnete Seitenfenster des Wagens und als Vic ihnen von innen die Tür öffnete, fragte sie: „Ihr seid spät dran, Ladies. Was hat euch aufgehalten?“

Ohne dass beide einen Ton sagten, stiegen sie ein.

Sie mussten auch nichts antworten, denn Vic sah die leichte Röte auf Julias Wangen, was bei der Juristin ein breites Schmunzeln hervorrief.

Während der Fahrt gingen Isabella und Vic noch einige Einzelheiten durch, bevor sie die Sicherheitskontrollen vor Gericht passierten.

Victorias Nackenhaare stellten sich auf, sie hatte das Gefühl, beobachtet zu werden, aber als sie sich umschaute, war da niemand, den sie kannte oder der sie anschaute.

Als sie den richtigen Gerichtssaal gefunden hatten und davor warteten, sahen sie, wie Charles Lawrence und Frey ebenfalls ankamen. Beide mussten an ihnen vorbei und aus dem Augenwinkel sah sie, wie Isabella nach Julias Hand griff und erst wieder losließ, als sie sich sicher war, dass Charles die Verbindung ihrer Hände mitbekommen hatte.

Der Hass in seinen Augen, als sein Blick wieder auf Isabella fiel, schockierte Vic. Sie wusste schlagartig, dass dieser Mann definitiv zu allem bereit war, nur um die beiden Frauen in ihr Unglück zu stürzen.

Er blieb vor dendreien stehen, zog rechts seine Oberlippe leicht hoch.

„Du hast mir alles genommen.“

Ein überhebliches Lächeln formte sich auf den Lippen von Isabella. „Das hast du dir selbst zu verdanken.“

Charles machte einen weiteren Schritt auf Isabella zu, um ihr mit gesenkter Stimme, aber nicht ohne bedrohliche Schärfe darin, zu drohen: „Ich werde dich fertigmachen und dir ebenfalls alles nehmen, was dir lieb und teuer ist, wie du es mit mir getan hast. Und ich werde nicht aufhören, bis ich mit *dir* fertig bin. Du wirst mich anbetteln, dass ich aufhören soll. Und glaube mir, dann mache ich erst recht weiter.“

Sein Blick ging zu der Hand, die nach Isabellas griff. Die Ader, die bereits deutlich auf seiner Stirn zu sehen war, trat noch stärker hervor.

„Wisst ihr, was ich mir für euch beide wünsche?“ Sein Blick ging einmal abschätzend nach unten und wieder nach oben und Vic sah, dass Anwalt Frey nun endlich wieder zurückkam, als er merkte, dass er seinen Klienten verloren hatte, er machte einen Schritt auf Charles zu und stellte sich vor Isabella und Julia. „Dass ihr zwei Scheiß Les …“

Victoria wartete ab, was er zu sagen hatte. Wenn er die Kontrolle verlor, kam es ihnen vor Gericht eventuell sogar zugute. Doch auch ihr reichte es jetzt. „Ganz vorsichtig mit dem, was Sie sagen wollen, Mr. Lawrence.“ Vic machte noch einen Schritt auf ihn zu, sodass zwischen sie beide kaum noch eine Handbreit passte. Leise und mit ruhiger Stimme warnte sie: „Wir sind hier bei Gericht und hier gibt es genügend Zeugen, die das, was Sie sagen wollen, hören werden, glauben Sie mir.“ Sie beugte sich vor und flüsterte. „Ich werde Sie schneller an den Eiern haben, als Sie gucken können.“

„Ach, Sie gehören auch zu denen?“

Vic lächelte ihn nur süffisant an, ohne weiter in irgendeiner Form zu kommentieren. Ihr freches Grinsen war für Lawrence jedoch Antwort genug.

Er wollte gerade den Mund aufmachen, da fragte ein Mann neben ihnen: „Ist hier alles in Ordnung?“

Alle Beteiligten schenkten ihre Aufmerksamkeit dem Polizisten, der unerwartet neben ihnen stand.

Frey war der Erste, der das Wort wiederfand. „Alles bestens, Officer, wir wollten sowieso gerade weitergehen.“ Damit legte er seine Hand auf Charles‘ Schulter. Dieser ging wutentbrannt mit knallrotem Kopf an allen vorbei. Die Türen des Verhandlungssaales öffneten sich und Anwalt samt Kläger verschwanden in den Saal.

Vics Körper stieß Adrenalin aus und machte sich in jedem Winkel bereit, als auch sie sich dem Cop zuwendete: „Danke für Ihre aufmerksame Nachfrage, Officer.“

Sie schenkte ihm ein Lächeln, das er mit einem „Jederzeit gern, Ma'am" beantwortete, um sich dann mit einem kurzen Tippen zweier Finger an den Schirm seiner Dienstmütze zu verabschieden.

Noch immer lächelnd, drehte sie sich zu den beiden anderen Frauen um und deutete auf den Zugang zum Sitzungssaal. „Wir sollten auch mal. Wird Zeit, dass wir der Farce ein Ende setzen."

Julia, welche die ganze Zeit nichts gesagt hatte, meldete sich zu Wort: „Ich hätte Sicherheitsschuhe tragen sollen. Hätte er die nur gesehen, wäre er bestimmt weggelaufen. Und glaubt mir, ich hab richtig Kraft im Bein."

Isabella und Victoria fingen an zu lachen. Es tat gut, dass die ganze Situation jetzt aufgelockert wurde, bevor es endgültig ernst wurde. Isabella gab Julia einen Kuss, nahm ihre Hand und ging mit ihr hinein.

Vic schüttelte grinsend den Kopf, als sie ihnen hinterhersah.

Sie legte sich den Trageriemen ihrer Tasche über die Schulter und wollte gerade losgehen, als jemand ihren Namen rief.

Sie drehte sich um und entdeckte nicht weit von sich einen Mann, der auf sie zukam. Gepflegt, gut gekleidet, mit warmen braunen Augen. Sie schätzte, dass er Mitte oder Ende vierzig war. Er war gekleidet wie die meisten Menschen im Gericht und fiel nicht durch irgendeine Besonderheit auf.

Sie schaute ihn an, als er vor ihr stehen blieb. „Ja, bitte?"

„Victoria Wentworth?", fragte er noch mal.

„Ja, das bin ich."

„Dann habe ich Sie gefunden." Er reichte ihr einen Umschlag. „Das ist für Sie."

Victorias erster Gedanke war, dass es eine Vorladung war. Doch als der Mann einfach ging, ohne eine Unterschrift zu wollen oder ein Foto zu machen, das die Übergabe dokumentierte, lief sie ihm hinterher.

„Warten Sie!"

Er blieb stehen, drehte sich um und lächelte Victoria freundlich an.

„Wer sind *Sie*, wenn ich fragen darf?"

„John Fawcett." Bevor Victoria weitersprechen konnte, sagte er: „Und das ist von einer gemeinsamen Freundin. Sie bat mich darum, es Ihnen zu geben."

„Eine gemeinsam …", ihr Satz verstummte, weil es sie wie ein Blitz traf.

Toni?

Er konnte nur sie meinen. Vic wusste nicht, was sie sagen sollte, hatte aber Angst, er würde einfach verschwinden, also brachte sie etwas stockend hervor: „Wie … wie geht es ihr?" Sie konnte nicht sagen, warum sie ausgerechnet *das* fragte, aber sie tat es.

„Es geht ihr den Umständen entsprechend." Sein Lächeln war eher traurig als freundlich.

„Ms. Wentworth?"

Vic drehte sich zu der jungen Kollegin um, die gerade erst von der Uni kam und hier heute ein bisschen die Praxis sehen sollte, und wurde von dieser etwas verlegen angelächelt. „Wir müssten eigentlich …"

Die Jurastudentin war direkt von der Kanzlei zum Gericht gefahren und hatte dort vor dem Verhandlungssaal gewartet, sie hatten sich nur kurz begrüßt, danach hatte sich die junge Frau ein wenig zurückgezogen, um Victoria und ihrer Mandantin noch etwas Raum zu geben. Als Lawrence dann seinen Auftritt hatte, war sie noch ein paar Schritte zurückgewichen, was die erfahrene Anwältin im Augenwinkel mitbekommen hatte. Vic hatte sie jedoch vollkommen vergessen, als dieser Fremde aufgetaucht war.

Nur gut, dass sie hier war, da sie Vic kurz aufmerksam machte, sonst hätte diese den Verhandlungsbeginn wegen ihrer Begegnung vollkommen ausgeblendet.

Vic war hin– und hergerissen, doch Mr. Fawcett übernahm. „Sie müssen da rein." Er zeigte mit dem Zeigefinger auf den

Umschlag. „Und das sollten Sie nicht vergessen." John zwinkerte ihr zu, drehte sich um und ging.

Im Gerichtssaal sprach gerade Mr. Frey und hielt sein Eröffnungsplädoyer, als Victoria immer wieder auf den Umschlag schaute.

Die Neugierde war zu groß, als dass sie damit warten konnte. Sie fing an, die Unterlagen zu lesen und immer weiter durchzublättern.

Vic war, wie ihr Vater ihr über viele Jahre immer wieder bestätigt hatte, eine der multitaskingfähigsten Mitarbeiterinnen der Kanzlei, was sich hier wieder auszahlte. Neben dem Lesen bekam sie nahezu immer mit, was der gegnerische Anwalt von sich gab. Hinzu kam, dass ihre Kollegin auch zuhörte und entsprechende Notizen machte, auf die Vic zurückgreifen konnte, falls sie das Gefühl hatte, etwas überhört zu haben.

Dennoch, eine Hand, die sich auf die ihre legte, ließ sie mit der vollen Aufmerksamkeit wieder in die Verhandlung zurückkommen. Sie blickte hoch und sah, dass alle Augen auf sie gerichtet waren. Vic räusperte sich. „Entschuldigung, Euer Ehren."

„Gut, dass Sie jetzt bei uns sind, Ms. Wentworth, wie wäre es, wenn Sie jetzt fortfahren, da Ihr Kollege fertig ist?"

Sie wusste, dass jetzt der Moment bevorstand, in dem der Richter entschied, ob die Klagen von Frey im Namen seines Mandanten zugelassen würden und es dann zu einem möglicherweise langwierigen Gerichtsverfahren kam oder nicht. Natürlich war es in ihrem Interesse, dass die Klagen abgewiesen werden.

Ein Richter würde in Vorverhandlungen wie dieser genau abwägen, ob Vergleiche außerhalb von Gerichtssälen machbar wären oder ob Fronten so verhärtet waren, dass die Parteien sich einem gerichtlichen Rechtsstreit aussetzen mussten.

Ihr Blick ging wieder zum Umschlag. Das war ihre Chance, Frey einen satten Strich durch die Rechnung zu machen; besonders durch das, was sie hier in Händen hielt.

Sie stand auf, nahm den Zettel in die Hand und sagte: „Euer Ehren, ich habe hier eine eidesstattliche Aussage von Antonia Saiz, einer unter falschem Namen bei Underwood Publishing beschäftigten Mitarbeiterin, die hierin bezeugt, dass die Beweise für die von Mr. Lawrence durch seinen Anwalt vorgebrachten Anschuldigungen nicht oder nur zu Teilen den Tatsachen und somit der Wahrheit entsprechen.

Miss Saiz ist als Ermittlerin für die Gegenpartei tätig gewesen, hat sich aber auf eigenen Wunsch hin wegen persönlicher, moralischer Gewissenskonflikte von ihrem Arbeitgeber von diesem Fall entbinden lassen und die beauftragte Detektei verlassen. Das zum Hintergrund zur Person. In diesen Unterlagen finden sich Stellungnahmen zu den Vorwürfen des Ehebruchs, finanzielle Informationen über das erwirtschaftete Geld des Stone–Verlages, Vermögenswerte der neuen Inhaberin Julia Porter, tatsächliche finanzielle Vermögenswerte von Underwood Publishing. Die Informationen zu den Vermögenswerten beziehen sich auf die Zeit der Ehe, was für die Klage maßgeblich ist und in keiner Weise mit den Angaben übereinstimmt, die Mr. Lawrence bei Gericht angegeben und die Mr. Frey vorgelegt hat. Es handelt sich nicht nur bei den Finanzen um Falschangaben.“ Ein selbstbewusster Blick traf Frey und Lawrence, die offensichtlich nicht wussten, wie ihnen geschah bei dem, was Victoria da zum Besten gab. „Aber wir beginnen ja erst, daher möchte ich nicht zu sehr ausschweifen. Inwieweit wir uns diesbezüglich auch auf die Thematik des Ehebruchs beziehen müssen, wird sich zeigen. Ich hab da ja auch noch das ein oder andere vorzubringen. Fakt ist, es handelt sich bei den vorgebrachten *Beweisen* der Gegenpartei zum Großteil um unhaltbare Vorwürfe, gefälschte Angaben und ebensolche Beweise und Aussagen. Absichtlich und in vollem Wissen seines Mandanten von Mr. Frey illegal beschafft, um später Falschaussagen Angestellter, die in finanzieller Not sind, zu erkaufen.

Die Erklärung besagt zudem, dass die gegnerische Partei diese Beschaffung sogar explizit in Auftrag gegeben hat. Da ich die Unterlagen erst vor fünf Minuten bekommen habe, möchte ich um eine kurze Unterbrechung bitte. Es sieht den Unterlagen nach so aus, dass Mr. Lawrence seine Abfindung verspekuliert hat und somit kein nennenswertes Vermögen mehr hat. Meiner Vermutung und diesen Dokumenten nach könnte dieses Verfahren aus niederen Beweggründen veranlasst worden sein.

Mit der wissenden Unterstützung seines Anwaltes Mr. Frey. Um mich hier zu vergewissern, möchte ich die Papiere nochmals in Ruhe sichten und ein, zwei Telefonate ..."

Ehe Victoria noch etwas ausführen konnte, sprang der gegnerische Anwalt auf und rief dazwischen, woraufhin der Richter beide Anwälte zu sich bestellte.

Victoria ging wie selbstverständlich festen Schrittes auf den Richter zu und gab ihm die Zettel zusammen mit den im Umschlag befindlichen Unterlagen, die Toni als Beweise gesammelt hatte, Frey stand sofort neben ihr und versuchte die Erklärung in Augenschein zu nehmen. Ohne Erfolg. Der Richter drehte das Blatt mit der Schriftseite nach unten, schaute hoch und stand auf. „Sie beide." Er zeigte jeweils kurz auf Vic und Frey. „In mein Büro, sofort!"

Simon Frey versuchte alles, um die Echtheit des Dokuments in Zweifel zu ziehen. Doch als der Richter ihm in seinem Amtszimmer nun endlich den Zettel gab, wurde er bleich. Die verschiedenen Beweise im Umschlag wollte der Anwalt merkwürdigerweise gar nicht erst sehen. Er schluckte schwer und sagte nichts mehr.

Victoria hingegen fand sehr wohl Worte: „Meine Mandantin und ich sehen davon ab, Klagen zu erheben, wenn die Forderungen von Mr. Lawrence zurückgenommen werden und er der Scheidung zustimmt. Erst dann wird es auch keine Schadensersatzforderungen von unserer Seite aus geben. Es wird keine zukünftigen Klagen von *Ihnen* geben, Frey, und er hält Abstand von Ms. Underwood und Ms. Porter. Wenn es sein muss, legen wir hier und jetzt noch einen einzuhaltenden Mindestabstand fest. Auch wird der Vorfall, der im Restaurant stattgefunden hat, keine weitere Beachtung mehr finden und zukünftig auch keine Forderungen nach sich ziehen. Was sagen Sie dazu, Mr. Frey?“

„Ähm ... ich denke, das wird gehen. Er wollte die Sache nur ...“ Frey derart hilflos rumstottern zu sehen, war die reinste Genugtuung für Victoria. Die ganze Nervosität im Vorfeld, das permanente Gedankenkarussell, was passieren könnte. Alles war wie weggeblasen.

Da war es! Das unbeschreibliche Gefühl des Sieges der Gerechtigkeit und es gab Vic für den Moment ein absolutes Hochgefühl. „Das interessiert hier keinen. Was er wollte und was nicht. Was jetzt schwarz auf weiß auf dem Papier ist, das zählt.“ Victoria wandte sich fragend an den Richter: „Euer Ehren?“

„Reden Sie mit ihrem Mandanten, Mr. Frey.“ Die Stimme des Richters machte deutlich, dass er keine weiteren Spielchen duldete. Es war klar, dass Frey Glück hätte, wenn der Richter gegen ihn nicht noch wegen eines Betrugsversuches wegen manipulierter oder gefälschter Beweise vorgehen würde.

Vic konnte kaum glauben, was hier gerade passierte, aber es passierte definitiv. Frey stand mit dem Rücken zur Wand und war jetzt vollkommen auf das Wohlwollen des Richters angewiesen, was seine eigene Karriere anging.

„Er wird dem zustimmen“, krächzte Simon Frey, als würde ihm jemand die Luft abdrücken, und fuhr sich mit dem Zeigefinger hinter die Krawatte, um sie ein wenig zu lösen.

„Gut, damit ist Ihre Klage abgewiesen, Frey.“ Der Richter stand auf und seine Assistentin kam herein. Er reichte ihr den Zettel und den Umschlag mit den weiteren Dokumenten. „Drucken Sie eine Kopie für Ms. Wentworth und Mr. Frey aus sowie eine für mich. Das Original der eidesstattlichen Erklärung ist auch für mich. Und bitte suchen Sie mir die Nummer der Ethikkommission raus. Das wird sie sehr interessieren.“

War das wirklich schon alles?

Victoria konnte nicht fassen, dass es so einfach gewesen sein sollte, dass es so schnell vorbei war. Sie hatte Isabellas Fall gewonnen und zugleich den Untergang des schmierigen Rechtsverdrehers Simon Frey herbeigeführt, beinahe im Vorbeigehen.

Nein, das war so nicht ganz richtig, denn sie hatte diesen nur miterleben dürfen heute. Die Hauptverantwortung trug eine andere Person, der Vic im Stillen anerkennend dankte.

Tatsächlich war es gute Ermittlungsarbeit gewesen, aber nicht ihre eigene. Dieses Timing, von dem Vic nicht wusste, ob es gut oder beschissen war, konnte sie noch immer nicht fassen. Möglicherweise ein wenig Fügung und die Begebenheit, dass ein Mensch sein Gewissen überprüft hatte, hinterfragte, was im Leben richtig ist und was er will. Wo er einen Sinn sieht und wo seine eigene Stelle auf dem Spielfeld des Lebens.

All das hatte zu Freys Untergang geführt, zu einer abgeschmetterten Klage, einem Sieg für Isabella, und all das nur durch Toni.

Nachdem sie Isabella und Julia alles erzählt hatte, kam Charles auf sie zu. Der Anwalt hielt ihn fest und wollte ihn in die andere Richtung ziehen. Er aber blieb dicht vor Isabella stehen.

„Ich werde dich fertigmachen, du Schlampe."

Isabella zog eine Augenbraue hoch und lächelte ihn an.

„Charles, du hattest damals nicht die Eier in der Hose, etwas zu unternehmen, und jetzt auch nicht. Ohne mich bist du nichts, und das weißt du. Was denkst du, wo die nächsten Spenden aus dem Spendenfonds der Underwoods hingehen werden? Damit werden Pro–bono–Fälle bezüglich sexueller Belästigung finanziert. Du warst dumm genug, dass du uns alles in den Schoß gelegt hast. Du hast dich noch nicht einmal bemüht, Nachrichten, die du gesendet hast, zu löschen." Sie schaute einmal zu Vic und wieder zu Charles. „*Ich* werde dich nicht fertigmachen, das war der Deal, aber was andere machen werden, dafür bin ich nicht verantwortlich. Du hast dir selbst ein Grab geschaufelt."

Vic sah die pochende Halsschlagader und puren Hass in seinen Augen. Sein Blick ging zu Julia, dem gleich darauf ein Schritt in Julias Richtung folgen sollte, doch Isabella stellte sich ihm in den Weg. „Das würde ich an deiner Stelle nicht wagen. Denn fasst du sie an, werde ich dich so fertigmachen, bis du am Boden liegst. Und das meine ich nicht nur körperlich!"

Sein Anwalt stand neben ihm und zog Charles endlich weg.

Victoria drehte sich mit einem halb lächelnden, halb schockierten Gesichtsausdruck zur ihrer Mandantin.

„Das war gerade die Isabella Underwood, von der ich gehört habe, glaube ich."

Isabella lächelte sie an. „Die gibt es noch, aber das bin nicht mehr ich. Außer man legt sich mit jemandem an, den ich liebe."

Victoria sah John Fawcett gerade weggehen und musste nach dem, was Isabella eben gesagt hatte, automatisch an Toni denken. Sie entschuldigte sich bei den beiden und lief ihm hinterher. „Entschuldigen Sie, Mr. Fawcett?"

Er drehte sich zu ihr um. „Ja?"

„Wo kann ich Toni finden?"

„Es tut mir leid, aber das darf ich, besonders jetzt in dieser heiklen Situation, nicht sagen. Es werden viele Leute Fragen an Toni haben. Besonders der Staatsanwalt zu den vorhin bekannt gegebenen Informationen. Jeglicher Informationsfluss wird über mich laufen. Ich hoffe, das verstehen Sie. Soll ich ihr etwas ausrichten?"

Victoria wusste noch nicht einmal, was sie sagen wollte oder sollte. Nur eines wusste sie, dass sie noch etwas für Toni fühlte. Sie wusste, dass es Liebe war, traute sich aber nicht, die Worte auszusprechen. Zu viel war passiert, als dass sie jetzt durch diese Aktion alles vergessen konnte.

Hätte Toni genauso gehandelt, wenn sie nicht erwischt worden wäre?

Sie erinnerte sich an Tonis Gesichtsausdruck, den Schmerz und dass sie alles erklären wollte. Genau in diesem Moment war sich Vic darüber klar, dass Toni ebenso gehandelt, vielleicht einen anderen Weg gewählt hätte, aber mit dem gleichen Ausgang.

Fawcett beobachtete Vic ganz genau. Irgendetwas suchte er in ihren Augen, wobei Vic keine Ahnung hatte, was es sein konnte.

Einzig ein kleines Aufflackern seiner Augen signalisierte ihr, dass er anscheinend gefunden hatte, wonach er in ihrem Gesicht gesucht hatte.

Doch was sollte sie zu ihm sagen? Dass sie mit Toni reden wollte oder ihr verzeihen würde?

Nein, ganz sicher nicht, sie kannte ihn doch nicht, wusste nicht, in welchem Verhältnis die beiden zueinander standen.

Es war viel passiert, einiges, von dem Vic nicht wusste, ob sie darüber hinwegsehen könnte. Aber sie musste mit Toni reden, es gab Ungesagtes, Fragen, Vorwürfe, die sie klären, möglicherweise sogar revidieren würde, bekäme sie die Chance dazu. Zusammen würden sie bestimmt einen Weg finden, in aller Ruhe über all das zu sprechen, was zwischen ihnen geschehen war. Sie würde nichts zurückhalten, sie würde fragen, um zu verstehen, erklären, um ihre Seite darzulegen; vor allem aber würde sie Toni ihre Gefühle gestehen. Doch sagen konnte sie es *ihm* nicht, diese Worte waren für Tonis Ohren bestimmt.

Stattdessen sagte sie: „Schon gut, ist nicht so wichtig", und sah Fawcett traurig nach, als er die Szenerie verließ.

Als alle Beteiligten in die Limousine stiegen, war die offensichtliche Freude groß.

In Vics Herzen aber war sie getrübt, denn in ihr tobte das emotionale Chaos. *Ich habe sie verloren*, war der alles überstrahlende Gedanke und ein verräterisches Glitzern in ihren Augen zeigte Victorias Kampf mit den Tränen, als sie abwesend aus dem Fenster starrte, während sich der Wagen in Bewegung setzte.

Kapitel 27

Immer öfter war *Toni* der erste Gedanke, wenn sie morgens aufwachte, und der letzte, bevor Victoria einschlief. Doch was sollte sie dagegen tun?

Nach alldem, was passiert war, und mit dem Wissen darüber, wen Toni alles benutzt hatte, um an Informationen für die Gegenseite zu kommen, hätte die Entscheidung leicht sein sollen und Victoria hätte die Frau objektiv gesehen abhaken müssen.

Aber ihr Herz war anderer Meinung. Es war so viel lauter als die Vernunft, der sie doch eigentlich folgen müsste.

Einzig tröstend an ihrer Situation war die Tatsache, zu wissen, dass sie nicht die einzige Person auf Erden war, bei der Herz und Verstand jegliche Logik zu einer Lachnummer machten. Wie oft folgten Menschen ihrem Herzen und ließen dabei alle Rationalität außer Acht? Warum sollte sie es nicht so machen? Einfach mal etwas tun, das – vor allem für sie – alles andere als rational war? Warum sollte sie nicht versuchen, Kontakt mit Toni aufzunehmen?

Vielleicht half es ihr, die schmerzvollen Gefühle loszuwerden, ihr Herz zu beruhigen und so Toni endlich loszulassen.

„Ja, genau, und dann was?" Victoria schüttelte über sich selbst den Kopf. Wie kam sie bloß auf solche Ideen? Sie konnte nicht einfach vergeben und vergessen, dafür war zu viel vorgefallen.

Wenn sie genau nachdachte, war das einzig Gute, was nach dieser ganzen Geschichte übriggeblieben war, die Freundschaft zu Isabella und Julia, die sie aufgebaut hatte.

Eher die Freundschaft zu Isabella. Julia war zurückhaltender als Isabella und arbeitete viel in ihrem Verlag mit ihrer Partnerin. Sie steckte viel Zeit und Energie in das kleine Unternehmen, welches das zweite von Isabellas *Kindern* war. Sie wollte den Verlag noch erfolgreicher machen, schließlich hatte sie ihr die Führung zu verdanken. Vor allem aber liebte Julia sie und wollte, dass Isabella stolz auf sie war.

Das hieß leider oftmals, dass sie Überstunden machen musste, was dazu führte, dass Vic und Isabella alleine essen gingen. Nicht selten kam der Spruch von Isabella „Und *mich* nennen sie Workaholic", der Stolz in ihrer Stimme war dabei jedoch nicht zu überhören.

Wenn Isabella von Julia redete, beobachtete Victoria, wie deren Augen aufleuchteten. Nicht selten ertappte sie sich dabei, wie sie sich verträumt anhörte, was Isabella aus ihrem gemeinsamen Leben mit Julia preisgab.

All das vermisste Victoria tatsächlich, auch wenn es noch immer schwer war, sich diese Tatsache einzugestehen – sie wünschte nichts sehnlicher, als all das mit Toni zu erleben.

Im Büro angekommen, schaute Vic auf ihren Kalender. Heute war es genau drei Monate her, als das mit Toni in die Brüche gegangen war.

Vic hatte die letzten Wochen versucht, mitzuverfolgen, was weiter mit Charles Lawrence, vor allem aber auch mit seinem Rechtsbeistand passierte und wie der Stand bei den Untersuchungen der Ethikkommission war.

So gut aber waren ihre Kontakte auch nicht, als dass sie ohne Weiteres Hintergründe mitbekam, die zu noch laufenden

Ermittlungen gehörten. Auch ihren Vater nebenbei zu fragen, ob er etwas wüsste, hatte nicht funktioniert, doch jetzt war das Thema Frey durch.

Es war ein heikles Thema, das nicht an die Öffentlichkeit kommen sollte; absolut nachvollziehbar in Victorias Augen – Anwälte sollten nach den Gesetzen gehen, sich daran halten, nichts anderes.

Frey hatte gegen das Berufsethos verstoßen und höchstwahrscheinlich war der Fall Charles Lawrence nur die Spitze des Eisbergs gewesen. Es hatte bis zu diesem offenbar niemals einen fundierten Beleg dafür gegeben, dass Frey nicht sauber spielte, was bei seinem zwiespältigen Ruf in der Szene umso erstaunlicher war.

Zugegeben, neben einer Menge Verstand und akribischem Sammeln von Informationen, deren Auswertung und Einschätzung, hatte Victoria auch das Glück auf ihrer Seite gehabt, dass durch Tonis Entscheidung, das für sie Richtige zu tun, diese sich auf Vics Seite geschlagen hatte. Dass sie so gehandelt hatte, war für Victoria noch immer unglaublich.

Auch wenn sie gehofft hatte, Toni würde ihren Worten, Vic niemals wehzutun oder ihr schaden, Taten folgen lassen – sicher hatte sie sich nicht sein konnte können, nicht zu hundert Prozent, denn Menschen waren wankelmütig und nicht selten schwach, wenn sie unter Druck gerieten.

Dann war der Tag der Verhandlung gekommen und dieser John mit einem Umschlag, den er Vic übergeben hatte, danach war alles schneller gegangen, als Victoria selbst fassen konnte.

Der Fall war vom Richter abgewiesen worden und somit für sie gewonnen und Vic wusste natürlich, *wem* sie den Löwenanteil hieran zu verdanken hatte.

Das Einzige, was sie vor zwei Tagen noch mitbekommen hatte, war, dass Simon Frey die Lizenz entzogen wurde. Allein das, was im Fall Lawrence passiert war, hätte ihm das Genick brechen können. Andere Kleinigkeiten aus der Vergangenheit, Beschwerden durch Anwälte anderer Fälle und Zeugen, kamen zwar dazu und führten teilweise zu Disziplinarverfahren, aber das waren eben nur Kleinigkeiten, die jede zu ihrer Zeit nicht allzu sehr ins Gewicht gefallen waren.

Jetzt aber, bei der tatsächlichen Einschätzung von Freys Handeln, hatten all diese Kleinigkeiten sich summiert, das Bild eines Anwaltes komplettiert, der alles andere als rechtschaffen war, und damit war für ihn alles zu Ende.

Die Staatsanwaltschaft hatte sich bei ihm gemeldet, so viel ging über den juristischen Buschfunk, mehr jedoch nicht. Er hatte gegen Gesetze verstoßen und Vic ging davon aus, dass sie einen Deal ausgearbeitet hatten, der ihn letztlich vorm Gefängnis rettete. Die Ethikkommission hatte ihm die Lizenz entzogen, das war das Einzige, was Vic aus zuverlässiger Quelle gehört hatte.

Was Toni ausgesagt hatte, wusste sie auch nicht. Es wurde alles möglichst flach gehalten, die Presse sollte davon am besten nichts erfahren, weil allen klar war, welches Licht das auf die generelle Arbeit der Juristen werfen würde.

Das Bild des Anwaltes, aber auch von Richtern, wäre sehr stark in Verruf gekommen und die Frage, die sich dann viele Klienten stellen würden, war, warum es so weit kommen konnte, würde eine Menge Arbeit an fremdverschuldeten Fronten und somit verschwendete Ressourcen zur Schadensbegrenzung bedeuten.

Sie hatte nichts mehr darüber gehört, ob es noch weitere rechtliche Konsequenzen für Frey gab, aber im Grunde interessierte es Vic überhaupt nicht. Das, was sie interessierte, war etwas vollkommen anderes; *jemand* anderes, eine Person, zu der sie keinerlei Kontaktmöglichkeiten hatte.

Bei alldem, was sie hinter sich hatte, fragte Vic sich aber inzwischen selbst, ob sie überhaupt jemals in der Lage sein würde, einem Menschen so zu vertrauen, sich wirklich jemandem zu öffnen. Oder hatte Toni genug *Arbeit* geleistet und die Fähigkeit, Vertrauen aufzubauen, vollends zerstört, dass das nun unmöglich war?

Bedenken, niemals ohne Vorbehalte zu sein, auf eine Frau zu treffen, die sie mehr interessierte als nur für eine Bettgeschichte, und gleichzeitig zu wissen, dass Misstrauen auf gewisse Weise immer ein Begleiter sein würde, schoben sich schon so lange wie ein Schatten auf ihre Seele.

Die Geschichte ihrer Eltern war ein mehr als prägendes Erlebnis. Dann war Toni in ihr Leben getreten, hatte ihre Seele anders berührt, als Victoria es je zulassen wollte. Sie hatte sich tatsächlich vorstellen können, sich auf eine Beziehung mit ihr einzulassen. Und dann war etwas verdammt schiefgelaufen, hatte die Schatten zurückgeholt und sie dunkler gemacht, als sie je zuvor gewesen waren, weil sie Toni ihr Herz in die Hände gelegt und diese es aus einem Grund zerquetscht hatte, den Vic noch immer nicht richtig begriff. Gefühle waren da und kämpften gegeneinander, Liebe gegen Wut, Vertrauen rangen mit Zweifeln, und das würde nicht aufhören, bis sie eine Chance bekam, mit Toni reinen Tisch zu machen.

Natürlich, Toni hatte einen Auftrag auszuführen. Ja, vielleicht war das, was zwischen ihnen passiert war, niemals geplant gewesen. Trotzdem verstand Vic das Timing nicht. Warum hatte Toni nicht früher die Karten auf den Tisch gelegt? Was hatte sie abgehalten? Sie wollte das so gerne verstehen.

Victoria wollte so gern vertrauen und eigentlich tat sie es doch bereits. Nur, was half es, die Bereitschaft in sich zu wissen, wenn man keine Chance bekam, diesem Menschen zu zeigen, dass ihm das eigene Vertrauen galt?

Wenn Vic zurückdachte, sah sie Ehrlichkeit, Liebe und Begehren in Tonis Augen. Toni hatte mit ihr reden wollen und es schien ihr sehr wichtig zu sein, was sie ihr erzählen wollte, doch Vic hatte an diesem Morgen nicht reden, sondern etwas anderes gewollt, nämlich Toni in ihrem Bett.

Sogar jetzt, hier im Büro, spürte sie die verräterische Hitze, verursacht durch ihre Erinnerungen, und sie hoffte, dass ihr Gesicht nicht so rot war, wie es sich anfühlte.

Die Zeit, die sie mit Toni verbracht hatte, war aufregend und intensiv gewesen. Und der Moment, in dem sie hätten reden können, war ungenutzt geblieben, wofür Vic selbst unbewusst gesorgt hatte. Es war nur ein Moment gewesen, eine Gelegenheit, die verstrichen war, und Toni hätte Wochen gehabt, um mit ihr reden zu können.

Vic konnte und wollte sich keine Schuld geben, Toni hatte genug Möglichkeiten gehabt.

Dass Toni am Anfang nichts gesagt hatte, das verstand Vic; aber wenn ihr das Ganze etwas bedeutet hätte, dann hätte Toni früher angefangen zu reden oder hätte einen anderen Weg gehen können.

All das Grübeln und Nachdenken, was wie hätte werden können, hätten sie früher geredet, brachte nichts mehr außer Kopfschmerzen.

Ihre Sekretärin klopfte an, um Vic daran zu erinnern, dass sie noch eine Verabredung hatte. Sie bedankte sich für die Erinnerung, packte ihre Unterlagen in die Tasche und machte sich auf den Weg.

Das ganze Hinterfragen dessen, was unabänderlich war, verbrauchte viel Zeit und brachte Vic komplett aus ihrem Tagesrhythmus. Dennoch konnte sie ihren Kopf einfach nicht ausschalten oder Toni aus ihren Überlegungen verbannen, denn Toni war überall in ihr!

Die folgenden Stunden entwickelten sich besser, als Vic es erwartet hatte. Sie und ihre alte Bekanntschaft, Madeline, aus Uni–Zeiten, hatten einen lustigen Abend. Nicht nur, dass sie in alten Erinnerungen schwelgten, die beide andauernd zum Lachen brachten. Die lockere Stimmung zwischen ihnen tat der Anwältin unsagbar gut und lenkte sie zumindest für einige Zeit von Toni ab.

Vic war das letzte Mal vor zwei Jahren bei Madeline auf ein paar Drinks in der Stadt gewesen. Sie hatten sich immer bei Madeline und ihrer Frau getroffen. Heute hielten sie es ebenso und starteten von dort aus ihren Zug durch die Gemeinde, wie sie es nannten.

Es war, als wäre keine Zeitspanne von gut zwei Jahren vergangen. Die skurrilsten Vorkommnisse beider vor Gericht waren lustiger Gesprächsstoff und anscheinend gingen ihnen hierbei die Themen nicht aus.

Irgendwann wechselten sie dennoch vom Berufs– zum Privatleben und Madeline fing an, über ihre Frau Carla zu erzählen, über Sachen, die sie gerne machte, um damit ihre Frau absichtlich auf die Palme zu bringen oder zu piesacken. Vic musste sich bei den verschiedenen Berichten mehrfach die Tränen aus den Augen wischen oder sich den Bauch halten, weil die Geschichten zu amüsant waren.

„Aber jetzt mal im Ernst. Ich bin mehr als glücklich“, kam es irgendwann von Victorias Freundin. „Wir sind seit zehn Jahren ein Paar und ich freue mich jeden Tag darauf, nach Hause zu kommen. Ich möchte mir mein Leben nicht ohne sie vorstellen. Ich wusste nicht, was ich die ganze Zeit über vermisst habe, bis ich sie traf. Und ich kann mir jetzt nichts Schöneres vorstellen, als unsere Liebe, die wir füreinander empfinden, mit jemandem zu teilen und unsere Familie zu vergrößern.“

Ich will das auch!

Der Satz überraschte Vic im Inneren, traf sie vollkommen unerwartet. Statt ihn auszusprechen, sagte sie aber: „Das freut mich für euch.“ Das tat es wirklich. Sie legte ihre Hand auf Madelines und lächelte sie an. „Ihr sagt mir dann aber Bescheid, okay?“

„Was ist mit dir?“ Madeline grinste. „Wie steht es um *dein* Liebesleben?“

Vic versuchte zu lächeln, damit ihre Freundin nicht sah, wie schmerzhaft dieser Moment für sie war, und wollte gerade anfangen zu erzählen, dass sie glücklicher Single sei und sowieso ein Workaholic, der für eine Beziehung überhaupt keine Zeit hätte. Stattdessen erstarrte sie, als sie ein Kribbeln auf der Haut spürte und sich gleichzeitig ihre Nackenhaare aufstellten. Ihr Blick ging an Madelines linker Schulter vorbei und traf auf braune Augen, die ihrerseits völlige Überraschung und auch emotionalen Schmerz widerspiegelten.

Toni! Victorias Herz setzte für Schläge aus, nur um dann loszurasen, dass ihr kurz schwindelig wurde.

In diesem kurzen Augenblick, in dem sich beide in die Augen schauten, wusste Vic, dass all das, was sie immer wieder versuchte sich einzureden, warum sie Toni nicht bräuchte, zu Schall und Rauch verpuffte. Sie wusste endgültig, dass sie Toni immer noch liebte und sie zurückhaben wollte.

Toni war diejenige, die den Blickkontakt unterbrach, sie drehte sich auf dem Absatz um und ging aus dem Restaurant, ohne sich noch einmal nach Vic umzusehen.

Vic saß, überrascht von dem Moment, Minuten später immer noch fassungslos da. Erst als ihre Freundin mehrmals ihren Namen nannte, kam sie in ihrer Aufmerksamkeit wieder zurück an ihren Tisch. Sie schaute auf ihre Hand, die behutsam gehalten wurde, und ihr wurde bewusst, dass sie die ganze Zeit ihre Hand in Madelines Handfläche gelegt hatte.

Oh nein!

Toni hatte nicht nur *sie* gesehen, sondern sicher auch diesen vertraut wirkenden Kontakt! Das musste es gewesen sein, was diese Verletztheit in ihren Augen ausgelöst hatte, die sie ohne Rückhalt gezeigt hatte.

Zu wissen, dass sie für Tonis Reaktion verantwortlich war, wenn auch unbeabsichtigt, schmerzte Vic selbst zutiefst.

Sie riss sich aus ihrer körperlichen Starre, weil ihr schlagartig bewusst wurde, dass das hier ihre Chance sein könnte.

Während sie „Ich bin gleich wieder da“ sagte, war Vic auch schon aufgestanden. Sie ging, so schnell sie konnte, zum Ausgang, doch als sie auf dem Bürgersteig ankam, war Toni nirgendwo zu sehen. Sie schaute nach links, dann nach rechts und wieder zurück, versuchte Toni irgendwo zwischen den Menschen auszumachen. Aber egal, wie sie sich anstrengte, Vic entdeckte sie in den Massen einfach nicht und hatte auch keine Ahnung, in welcher Richtung sie hätte suchen sollen.

Vic hätte nicht sagen können, wie lange sie dort gestanden hatte und die Leute um sich herum nur unbeachtet an sich vorbeiziehen ließ. Erst als Madelines Hand auf ihrer Schulter lag, erschrak sie.

„Ist alles in Ordnung?“ Madeline sah sie besorgt an.

Nichts ist in Ordnung, aber ich möchte darüber nicht sprechen. Nicht heute.

Victoria hätte mit ihrer Freundin reden können, über Toni, über ihr Gefühlschaos, über ihren Verlust. Sie entschied sich aber dagegen, weil sie ihnen den gemeinsamen Abend nicht durch Krisengespräche über gebrochene Herzen versauen wollte, sagte stattdessen: „Nein, nein, schon gut. Ich dachte nur, ich hätte jemanden von früher gesehen, das ist alles.“ Vic lächelte ihre Freundin an. „Komm schon, nicht, dass sie noch denken, wir wollten die Zeche prellen.“

Kapitel 28

Vic hatte die Nacht kein Auge zugemacht, die ganzen Gefühle, die sie glaubte, tief genug vergraben zu haben, kamen wieder hoch. Selbst in ihren Träumen ging es um Toni und sie. Sie stellte sich vor, wie das Zusammentreffen ausgegangen wäre, wenn sie Toni eingeholt hätte. Doch jedes Mal, wenn sie im Traum kurz davor war, Toni zu erreichen, wachte Vic auf.

Morgens beim Frühstück, nach einer Nacht praktisch ohne erholsamen Schlaf, fühlte sie sich wie gerädert und überlegte, wie es weitergehen sollte, was sie wollte.

Alles hatte doch in den letzten Tagen schon immer wieder auf die eine Antwort hingedeutet, es konnte gar keinen anderen Weg mehr geben. Aber vielleicht brauchte es tatsächlich diese eine Begegnung, um mit dem letzten Tropfen ihre Emotionen endlich überlaufen zu lassen, pro Toni!

Als sie sich diese Frage beantwortet und sich eingestanden hatte, dass es so war, wurde vieles einfacher und klarer. Es fühlte sich an, als sei eine Last von ihren Schultern gefallen.

Sie musste sich nur überlegen, wie sie an Toni herankommen konnte, ohne dass diese sie unbeachtet stehen ließ. Sie brauchte einen Plan, denn für sie war Toni nicht ohne Probleme zu erreichen. Auch wenn sie gehofft hatte, diesen

Weg nicht gehen zu müssen, sie brauchte John Fawcett. Nur durch ihn hatte sie überhaupt die Chance, Toni zu treffen.

Gegen Mittag im Büro klopfte ihre Assistentin an die Tür. „Die Unterlagen sind da, nach denen Sie gefragt haben. Da kommt eine Menge Papier auf Sie zu, Ms. Wentworth." Sie sah Victoria mitleidig an, wobei ihre Mundwinkel sich an einem aufmunternden Lächeln versuchten.

„Lassen Sie bitte alles reinbringen, danke."

Vic interessierten die Berge nicht, die sie sichten müsste; was sein musste, musste nun mal sein. Sie hatte ein Ziel vor Augen und dafür würde sie notfalls alles Papier dieser Welt von links nach rechts stapeln.

Die Bürotür wurde geöffnet und ein Aktenwagen wurde in den Raum geschoben. Ihr Vater kam direkt dahinter in ihr Büro und schaute auf die unzähligen Ordner. Er nahm einen davon und las die Aufschrift auf dessen Rücken.

„Hallo, Schatz." Er sah vom Ordner zu Vic. „Ich dachte, der Underwood–Fall war abgeschlossen?"

Vic fühlte sich ertappt, stand deswegen schnell auf und nahm ihm die Akte aus der Hand. „Ist er auch. Ich wollte nur ein paar Sachen nachlesen und ein bisschen was herauskopieren. Du weißt schon, Vorbereitung für unsere Frischlinge, so können sie es besser nachvollziehen. Was wolltest du?"

„Ich wollte fragen, ob du Lust und Zeit hättest, um mit deinem alten Herrn Mittagessen zu gehen?"

„Ein anderes Mal liebend gern, aber ich muss das wirklich schnell fertig machen."

Ihr Vater war wohl der verständnisvollste Mensch in Vics Leben, dennoch hörte sie das Bedauern aus seiner Stimme heraus, bevor er sich verabschiedete. Ihr schlechtes Gewissen musste sie einstweilen beiseiteschieben, aber sie würde das Essen mit ihm schnellstmöglich nachholen, das hatte sie ihm versprochen, als er ging.

Vic schloss die Tür hinter ihrem Vater und ging zurück zu den Akten.

Sie suchte und fand schneller als gedacht, wonach sie gesucht hatte, setzte sich an ihren Schreibtisch, notierte sich etwas und packte ein paar Sachen in ihre Handtasche.

Zu ihrer Assistentin sagte sie: „Ich bin zu Mittag außer Haus und in einer Stunde wieder da." Dann verließ sie das Büro.

Draußen schnappte sie sich ein Taxi und nannte dem Fahrer die Adresse, die sie zuvor notiert hatte.

Als sie vor dem großen Gebäude stand, schaute Vic im Eingang auf die riesige Info–Tafel, auf der alle ansässigen Unternehmen gelistet waren, und ging zum Fahrstuhl, nachdem sie gefunden hatte, in welche Etage und welchen Gebäudeflügel sie musste.

In gesuchter Etage vor einer älteren Dame stehend, wurde sie leicht nervös, sprach sich dennoch aufmunternd Mut zu, bevor sie sie begrüßte: „Hallo, ich bin Victoria Wentworth und möchte gerne zu Mr. John Fawcett und ehe Sie fragen, nein, ich habe leider keinen Termin. Aber es ist wirklich sehr dringend."

Sie wurde mit zusammengekniffenen Augen angeschaut, als würde sie gescannt werden. Vermutlich war es auch so, dachte Vic, während sie darauf wartete, dass etwas passierte.

„Einen Moment bitte", sagte die Frau mit fester Stimme, der man allerdings nicht entnehmen konnte, ob sie ihr wohlgesonnen war.

Die Frau verschwand hinter der ersten Bürotür und Vic wartete. Sie schaute sich derweil um und wäre niemals auf die Idee gekommen, dass dies hier eine *Detektei* sein könnte oder wie auch immer sie sich offiziell nannten.

Die ältere Dame kam wieder aus dem Büro und sagte: „Sie können reinkommen, er hat fünf Minuten für Sie." Vic nickte ihr dankend zu und ging durch die Tür. John schüttelte ihr zur Begrüßung die Hand und beide setzten sich.

„Was kann ich für Sie tun, Ms. Wentworth?"

Er konnte sich denken, weswegen sie hier war, und seine Zeit war vermutlich knapp. Auch Vic hatte weder Lust noch Zeit, um großartig um den heißen Brei herumzureden. Hinzu kam, dass sie den Mann, der ihr gegenüberstand, für jemanden hielt, der Ehrlichkeit ebenso schätzte wie sie selbst.

„Ich möchte mit Toni reden."

John lehnte seine Unterarme auf den Schreibtisch. „Das wollten in den letzten drei Monaten viele Personen."

„Ich bin nicht hier, um eine Aussage von ihr zu erbitten. Ich bin zu Ihnen gekommen, weil ich mit Toni reden muss." Nervös rutschte Vic auf dem Stuhl hin und her und räusperte sich, um den lästigen Frosch im Hals zu besiegen. „Es ist etwas Privates." Als sie in seine Augen schaute, hatte Vic das Gefühl, dass er über sie beide Bescheid wusste.

Weil er dennoch nicht antwortete, sagte Vic: „Bitte, Mr. Fawcett. Sagen Sie mir, wo ich sie finden kann."

„Das weiß ich selbst nicht genau. Wie Sie sich vorstellen können, arbeitet Toni nicht mehr hier."

Wie ich mir vorstellen kann? Vic schaute ihn fragend an, weil sie nicht verstand. Bevor sie etwas sagen konnte, fuhr er fort: „Sie wollte nicht mehr und ich, sagen wir mal so, ich war froh darüber. Das hier war nichts mehr für Toni. Aber darum geht es jetzt nicht, richtig? Ich mache Ihnen einen Vorschlag. Ich werde Toni kontaktieren und ihr Bescheid geben. Ich weiß nicht, wie lange es dauert, bis sie die Nachricht kriegt. Ich habe nur eine Handynummer. Das Handy ist mehr abgeschaltet als dass es an ist. Ich weiß also nicht, wann sie die Nachricht liest. Aber ja, ich werde ihr schreiben. Mehr kann ich nicht tun."

„Mehr erwarte ich auch nicht." Das tat Vic tatsächlich nicht, sie hoffte nur auf eine Chance. „Ich möchte nur mit ihr reden und ihr etwas Wichtiges sagen."

John Fawcett machte einen aufrichtigen und verständnisvollen Eindruck auf Victoria, wirkte dabei zugleich sonderbar zufrieden. Irgendetwas sagte ihr, dass er einen besonderen Draht zu Toni hatte und dass ihm die jüngere Frau viel bedeutete, ebenso ihr Wohlergehen.

Als sie sich voneinander verabschiedeten, hoffte Vic deshalb, dass sie ganz schnell mit Toni reden konnte.

∞

Sie hatte das Handy nach Tagen wieder eingeschaltet und es dann achtlos auf ihren Wohnzimmertisch gelegt, während sie in die Küche ging.

Als es sich in das Netz eingebucht hatte, dauerte es nicht lange, und Toni vernahm hinter sich das charakteristische Brummen des Mobiltelefons, wenn der Vibrationsalarm es surrend über die Tischplatte schickte, sobald Nachrichten eingingen.

Sie stand am Waschbecken und hatte sich ein Glas Leitungswasser eingeschenkt, blieb damit an der Spüle stehen. Bevor sie sich den Nachrichten stellte, wollte sie noch ein paar Sekunden Ruhe haben.

Langsam trank sie das Glas leer, stellte es ab und machte sich missmutig ins Wohnzimmer.

Zurück am Tisch, nahm sie das Handy auf und ließ sich die Nachrichten anzeigen. Eine ganz bestimmte erregte sofort ihre Aufmerksamkeit, denn sie begann in der Kurzansicht anders als die üblichen Texte.

Justitia ist eine interessante Person. Jedoch fehlt ihr ganz offensichtlich ihre Waage. Sie fragt, ob ich helfen kann, sie zu finden … J.

Toni wusste sofort, *wer* John besucht hatte, und ebenso war klar, was die Person gewollt hatte. Allein die Erinnerung an sie ließ ihr Herz schneller schlagen.

Warum ausgerechnet jetzt? Was wollte sie?

Toni verstand das Schicksal mit seinem Timing nicht, aber sie konnte es nicht ändern.

So weh es ihr auch selbst tat, Toni konnte der Bitte nicht nachkommen, es war nicht der richtige Zeitpunkt dafür, sie war noch nicht bereit, *Justitia* zu treffen.

Kapitel 29

Vic hatte drei Wochen lang gewartet, aber nichts war passiert. Am Anfang war sie unendlich nervös gewesen, jedes Handy- oder Türklingeln erschreckte sie und versetzte sie gleichzeitig in unbeschreibliche Aufregung, weil sie auf Tonis Kontaktaufnahme hoffte. Jedes einzelne verdammte Klingeln zerrte an ihren Nerven.

Nach der ersten Woche bekam sie ein ungutes Gefühl und dieses verstärkte sich mit der darauf folgenden.

Ihre hilflose Rolle, in der sie zum Abwarten verdammt war, machte sie wütend, sodass sie schließlich John anrief. Dieser sagte ihr, dass er noch einmal mit Toni Kontakt aufnehmen würde, er aber definitiv nichts versprechen konnte; es sei letztlich Tonis Entscheidung und er würde respektieren, was sie entschied.

Dass Toni gleich nach ihrer Aussage und den Vorkommnissen, die den Fall zugunsten Isabellas entschieden und Frey vor die Ethikkommission gebracht hatten, ihre Handynummer gewechselt hatte, war kein Wunder. Jeder Kontakt lief daher über ihren Chef und wahrscheinlich auch einen Anwalt, den sie hinzugezogen hatte.

Vic fragte sich, welchen Deal sie abgeschlossen hatten, und hoffte auf einen guten.

Dass Toni straffrei aus dieser Sache kam, war Victorias größter Wunsch und ziemlich wahrscheinlich.

Egal was zwischen ihnen beiden passiert war und wie sehr Tonis ursprünglicher Auftrag mit dessen Hintergründen noch immer an Vic nagte, sie wünschte ihr sicher keine Strafen, die sie ins Gefängnis oder wegen Strafzahlungen in finanzielle Probleme brächten. Auch darüber wollte sie natürlich mit Toni sprechen, ob sie unbeschadet aus allem herausgekommen war, um endlich einen echten Schlussstrich unter dieses Kapitel ziehen zu können. Das zumindest redete sie sich ein.

Der Frust in Victoria wuchs und sie konnte nicht umhin, ihn auch laut auszusprechen: „Verdammt! Sie hat doch meine Nummer. Warum meldet sie sich nicht?“ Erleichterung brachte es kaum, vor sich hin zu schimpfen. Die blank liegenden Nerven ließen sie solche und ähnlich irrationale Dinge trotzdem ab und an tun.

Wieder waren Tage vergangen. Vic rief ihn nicht noch einmal an, sondern stand wieder in Johns Büro. Sie drohte ihm in ihrer Verzweiflung an, dass sie so lange auftauchen würde, bis er Toni überzeugte, sich bei ihr zu melden, oder er ihr Tonis Nummer gab, was Fawcett aufnahm und mit relativer Gelassenheit kommentierte: „Ich kann Toni nicht zwingen, das wissen Sie selbst besser als ich. Wenn Sie das wollen, was ich vermute, macht es keinen Sinn, sie zu drängen. Kommt sie nicht freiwillig und aus eigener Überzeugung, was hat es dann für einen Wert?“

Sein Spruch hatte gesessen, denn was er gesagt hatte, war absolut richtig gewesen. Schließlich wollte Victoria nicht, dass Toni zu ihr kam, um ihr zu sagen, sie solle aufhören, John und sie zu belästigen. Sie wollte doch eigentlich nur, dass sie sah, wie sehr Vic um eine Chance kämpfte, Toni noch einmal zu sehen, mit ihr zu sprechen.

Durch Johns Ansagen sah sie schließlich ein, dass sie es auf ihre Art nicht besser machte oder zu ihren Gunsten beeinflusste. Also hielt Vic sich von dieser Begegnung an zurück.

Sie schlief schlecht und ihr Make–up war kein Wundermittel. Wie die Tage zuvor ging sie auch heute erschöpft zum Fahrstuhl, um hinauf zu ihrer Wohnung zu fahren.

Sie drückte den Knopf, der sie in ihr Stockwerk bringen würde, lehnte sich an die hintere Kabinenwand und ließ ihre Gedanken an sich vorbeiziehen.

Vic bekam Zweifel, was ihr ganzes Vorhaben anging. Toni sagte ihr mit dem Schweigen schließlich eindeutig, dass sie keinen Kontakt wollte, und so sehr es Vic schmerzte, sie musste Tonis Entscheidung respektieren und sie endgültig gehen lassen.

Die Türen der Fahrstuhlkabine öffneten sich und nachdem sie den ersten Schritt gemacht hatte und den Kopf hob, blieb sie perplex mitten auf der Türschwelle der Kabine stehen.

Toni stand neben dem Eingang zu ihrer Wohnung, ganz locker an die Wand gelehnt, als wären sie einfach verabredet. Victorias Puls beschleunigte sich und sie konnte es nicht fassen, dass die Dunkelhaarige tatsächlich dort vor ihr stand.

Sie sah Tonis Augen funkeln, als sich ihre Blicke trafen, aber Toni schaute schnell weg. Das Ping des Fahrstuhls, das anzeigte, dass die Türen sich nicht schließen konnten, erschreckte Victoria und ließ sie einen kleinen Schritt nach vorne machen, nur so viel, dass der Aufzug Ruhe gab.

Der Gedanke, dass Toni persönlich gekommen war, um ihr zu sagen, sie solle John und vor allem sie in Ruhe lassen, ließ Panik in ihr ausbrechen. Aber so, wie Toni dastand, locker mit der Schulter an der Wand, als wäre es das Normalste der Welt, als hätte sie den Schlüssel vergessen, schob ihr Auftreten Victorias Angst beiseite und animierte sie, sich langsam in Bewegung zu setzen.

So, wie Toni sie unverhofft bei jedem Schritt beobachtete, spürte Vic, dass zwischen ihnen beiden noch etwas war.

Toni war die Erste, die das Wort fand. „Mir wurde ausgerichtet, dass du mich unbedingt sprechen müsstest."

„Ähm, ja … Aber können wir drin reden?“, fragte Victoria mit leicht unsicherer Stimme. Toni nickte nur und Vic schloss augenblicklich die Tür auf aus Angst, Toni könne es sich anders überlegen.

Als sie im Wohnzimmer ankamen, stand Toni abwartend da und sagte kein Wort.

„Würde es dir etwas ausmachen, kurz zu warten, ich möchte nur schnell aus den Büro–Klamotten raus.“ Vic lief ins Schlafzimmer und zog sich ihre Jogginghose und ein lockeres T–Shirt an.

Sie nutzte diese Pause, um ein paarmal tief durchzuatmen und ihre Nervosität in den Griff zu kriegen. Dann ging sie noch in die Küche, holte zwei Gläser, dazu Wasser und eine Flasche Weißwein, die sie am Abend zuvor geöffnet hatte, und stellte sie auf den Wohnzimmertisch.

„Setz dich doch bitte“, sagte Vic, während sie aus dem Vitrinenschrank im Wohnzimmer noch zwei Weingläser holte und sich schließlich ebenfalls setzte.

Beide saßen nun nebeneinander, der mittlere Sitz des Dreiersofas zwischen ihnen blieb jedoch frei.

Es fühlte sich wie eine Ewigkeit an, in der die beiden Frauen offensichtlich erst einmal runterkommen mussten und schwiegen. Einzig das Ticken der Wanduhr war zu hören und Toni schaute auf die Gläser auf dem Tisch. Ihr war anzumerken, dass die Worte in ihr nach draußen drängten, als würde ein Überdruckventil sie zurückhalten, bevor der Moment da war, in dem Tonis Dämme brachen: „Es tut mir leid, dass ich dich und dein Vertrauen so hintergangen habe.“ Der Anfang war gemacht und Toni atmete tief durch. „Als das zwischen uns beiden ernst wurde und ich merkte, dass ich mich in dich verliebt habe, habe ich einen Ausweg gesucht. Das muss du mir glauben Vic. Es sollte zwischen uns beiden nicht so weit kommen.

Mit dir zu schlafen wäre eine wunderbare Sache gewesen, wenn sie auf Gegenseitigkeit beruht hätte und wir uns einig gewesen wären, dass es nur darum geht.

Dass für mich mehr daraus wird, habe ich niemals erwartet, verstehst du? Aber ich konnte nicht anders, ich konnte nicht verhindern, dass du mir passierst. Entweder habe ich mir eingeredet, dass ich eine Lösung finde, oder ich habe es komplett verdrängt." Sie schaute Vic in die Augen.

„Das, was ich jetzt getan habe, hatte ich so–wieso vor. Bei John aufzuhören, meine ich. Aber nicht nur das. Der Fall, du weißt schon. Es gab keinen vernünftigen Ausweg, das war mir klar.

Ich hätte dich mehr drängen können, dass ich mit dir reden will. Vielleicht wäre das der richtige Weg *für uns beide* gewesen, aber ich zögerte es hinaus, Tag um Tag. Ich war unbeschreiblich hin– und hergerissen, kannst du das nachvollziehen?" Tonis Augen zeigten den Schmerz, den sie fühlte. „Ich wusste, dass, sobald du es weißt, dass das, was wir miteinander hatten, enden würde, sofort. Und davor hatte ich am meisten Angst, ich wollte dich nicht verlieren, obwohl es vorgezeichnet war, dass es so kommen würde. Nenn mich einen Feigling, doch ich war dazu noch nicht bereit."

Victoria wusste nicht, was sie sagen sollte. Sie wusste, dass es stimmte, was Toni sagte, Vic glaube ihr das alles und ihr war ebenfalls klar, dass die Enttäuschung über Tonis Vorgehen und ihre Rolle sie von ihr weggetrieben hätten, zumindest vorerst.

Nur war das jetzt alles kaum mehr präsent, sie sah, wie sehr es Toni noch immer quälte, was sie angerichtet hatte, und das tat ihr selbst ebenso weh im Herzen. Sie hatte ihr doch schon längst verziehen, denn etwas ganz anderes hatte viel mehr Gewicht. Es war nur ein Satz von Toni, der für sie in diesem Moment noch wichtig war. „Du hast dich in mich verliebt?"

Toni nickte nur.

Vic schaute Toni unsicher an. „Meinst du jetzt in der Vergangenheit, also du bist verliebt gewesen, oder …?"

„Nein", Toni schnitt ihr sofort das Wort ab. „Ich meine, wie *immer noch.*"

Vics Herzschlag beschleunigte sich und ihr ganzer Körper begann zu kribbeln. Trotzdem, sie konnte nicht anders, sie musste ihr noch sagen, was ihr die ganze Zeit im Kopf herumspukte: „Ich war sauer und verletzt und ich war blind vor Wut. Ich schätze, ich habe alles andere als besonnen reagiert, hm?

Es tut mir auch leid, nur konnte ich auch nicht anders, auch wenn mein Auslöser wohl kaum mit deinem vergleichbar ist.

Ich habe miterlebt, wie mein Vater fast daran kaputtgegangen ist, als meine Mutter uns einfach so verließ. Und habe mir geschworen, mich nie zu verlieben, aus Angst davor, dass es mir so ergehen könnte wie Dad.

Doch bei dir wurde jeder Selbstschutz einfach weggewischt. Ich hatte gar keine Chance, du warst plötzlich einfach da und hast alles ausgehebelt, was für mich über Jahre hinweg perfekt funktioniert hat. Und ich weiß nicht einmal, wie oder warum." Ein zartes Lächeln schlich sich für einen Moment auf Victorias Gesicht, veränderte aber nicht ihre aufrichtige, ernste Haltung; schließlich wollte sie diese Aussprache unbedingt. „Ich war verletzt und wütend. Und das ist jetzt noch ein wenig so, aber ich kann dir nicht allein den schwarzen Peter zuschieben. Ich habe auch einiges falsch gemacht. Toni, ich hätte dir zuhören sollen, was du zu sagen hattest. Ich sah in deinen Augen, dass du ehrlich sein wolltest, dass dich etwas gequält hat, und habe trotzdem nicht reagiert, weil ich nicht wusste, was kommt. Aber so, wie es dann passierte …"

„Hätte ich mir auch nicht zugehört, schon klar." Tonis Lächeln war im Gegenzug zu Victorias traurig.

Victoria merkte, dass sie beide von diesem Thema wegmussten und fragte: „Wie ist es dir ergangen? Was machst du zurzeit?" Innerlich rollte Vic mit den Augen. *Was anderes ist dir nicht eingefallen?*

„Ich habe meine eigene kleine Detektei aufgebaut." Toni hob beschwichtigend beide Hände. „Nein, nicht das, was du denkst. Ich möchte helfen und werde die Fälle persönlich auswählen. Der Job hätte mich fast aufgefressen.

Durch dich habe ich eine neue Sichtweise auf verschiedene Dinge bekommen." Ihr Blick wurde eindringlich und sie hielt Victoria darin gefangen. „Zu sehen, was es noch alles im Leben gibt, das unbeschreibliche Gefühl, das Richtige zu tun. Menschen helfen zu können, denen Unrecht widerfahren ist, die aber nicht in der Lage sind, sich einen teuren Anwalt leisten zu können, der ihnen zuhört und für sie kämpft.

Zu wissen, dass man jemanden hat, der auf einen wartet, wenn man nach Hause kommt. All das hat mir die Augen geöffnet und ich danke dir dafür."

Für einen Moment herrschte wieder Stille und Toni stand auf. In Sekundenbruchteilen sprang Vic auf, um sie aufzuhalten.

„Wo willst du hin?"

„Ich wollte gehen. Ich dachte, das war alles, was du wissen wolltest. Wolltest du nicht eine Aussprache und einen klaren Schnitt?"

Toni setze ein weiteres Mal an, zu gehen, doch Vic griff nach ihrem Handgelenk.

„Ja, eine Aussprache, aber dafür muss ich auch *richtig* zu Wort kommen. Setz dich bitte wieder." Toni folgte ihrer Bitte mit leichtem Zögern und nahm wieder Platz, Vic setzte sich diesmal direkt neben sie.

„Ich habe mich ein bisschen informiert und ich weiß nicht, wie man das machen kann, also für solche Typen wie Frey zu arbeiten, aber das ist Vergangenheit. Du hast dich gegen ihn, vor allem aber gegen das, was Typen wie ihn ausmacht, entschieden, als du die eidesstattliche Erklärung aufgesetzt hast. Es war nicht nur eine Entscheidung gegen deinen bisherigen Job, es war viel mehr als das.

Ich weiß inzwischen auch, dass es für deine Arbeit ebenso feste Regeln gibt, wie zum Beispiel nicht *persönlich involviert* zu sein, indem man zum Beispiel mit dem Klienten schläft.

Ich kann dir nicht sagen, warum ich es dir anders unterstellt habe, aber das habe ich. Ich habe in meiner Wut Dinge unterstellt, dass du Sex als Instrument nutzt, mit Klienten schläfst, um an Informationen zu kommen …"

„Oder mit der Anwältin der Gegenpartei", ergänzte Toni das Beispiel mit finsterem Klang in ihrer Stimme.

„Vic, du warst für mich nie ein *Teil des Jobs* und solltest auch nie einer sein, das war nie der Plan."

„Ich weiß." Toni sah sie nur an und plötzlich rollte Vic mit den Augen. „Das hier führt zu nichts. So nicht." Sie stand auf und setzte sich auf Tonis Schoß.

„Ich habe nicht umsonst den Kontakt zu dir gesucht." Mit beiden Händen umfasste sie Tonis Gesicht und zwang sie sanft, ihr direkt in die Augen zu sehen. „Als ich mit einer alten Freundin essen war, die glücklich verheiratet ist, was ich nebenbei erwähnen möchte." Vic beugte sich vor, blieb mit ihren Lippen dicht vor Tonis Lippen stehen. „Du hast uns gesehen, im Restaurant, weißt du noch?" Tonis schmerzliches Lächeln reichte Vic als Antwort. „Als ich dich dort im Restaurant so unerwartet wiedersah, wusste ich, dass ich nie über dich hinwegkommen würde. Dass ich auch gar nicht über dich hinwegkommen will, weil ich dich brauche." Victoria fixierte Tonis Augen mit ihren und stellte die Frage, die ihr mehr als alles andere auf der Seele lag: „Liebst du mich noch immer? So sehr, dass du uns eine Chance gibst?" Toni konnte nur nicken, in ihrem Blick lag unbändige Freude und ungläubiges Staunen zugleich. „Gut." Kurz bevor sich ihre Lippen berührten, sagte Victoria: „Ich dich nämlich auch. Und ich will das hier."

Sie wusste in dem Moment, als sich ihre Lippen endlich wieder berührten, dass sie keine andere Frau mehr spüren wollte außer Toni.

Sie hatte sie immer gewollt, schon seit ihrer ersten Begegnung. Es war nie klarer als in diesem Augenblick, dass Toni ihr Schicksal war, denn sie hatte ihr gezeigt, dass Liebe Vertrauen bedeutete, aber auch Vertrauen Liebe war.

Sie beide würden Zeit brauchen, um das angeschlagene Vertrauen wieder aufzubauen. Aber sie würden es schaffen, denn sie wollten es beide.

Der Kuss war für beide ein klarer Schnitt, mit dem die Vergangenheit endete und der für beide den ersten Schritt einer gemeinsamen Zukunft bedeutete.

Als der Kuss intensiver wurde, unterbrach Toni ihn kurz und schob Vic an den Schultern ein wenig von sich. „Sorry. Aber ich muss eben telefonieren."

„Wie bitte? Jetzt?" Vic glaubte, sich verhört zu haben.

„Ja, jetzt. Ich muss John anrufen und ihm sagen, dass ich nicht mehr runterkomme."

„Ehrlich?" Victoria musste mit einem Mal kichern. „Habt ihr mich für so gefährlich gehalten?"

Toni versuchte sich ein Grinsen zu verkneifen. „Ich weiß, wie du werden kannst." Jetzt fing Toni an zu lachen und schüttelte den Kopf. „Nein, natürlich nicht. Ich hätte mich dir schon alleine gestellt. Er hat mich nur gefahren. Beistand, falls du mich rauswirfst." Ein Zwinkern zeigte ihre Belustigung, obwohl der Gedanke da gewesen war, als John sie hergefahren hatte.

Vic stupste ihr mit dem Zeigefinger in die Seite, küsste sie blitzschnell auf die Lippen und stand auf. „Bitte! Aber nicht zu lange." Sie setzte sich auf das Sofa und konnte nicht aufhören zu lächeln.

Die ganze Anspannung, all die Sorgen fielen endgültig von ihr ab und sie spürte, wie erschöpft ihr Körper und ihr Geist waren. Sie lehnte sich zurück und schloss nur kurz die Augen. *Wir werden es schaffen, etwas miteinander aufzubauen*, dachte sie noch, bevor der Schlaf sie einfing.

Als Victoria langsam wieder wach wurde, schaute sie sich um und stellte fest, dass sie im Schlafzimmer in ihrem Bett lag. Durch den Spalt der offenen Schlafzimmertür fiel Licht von der kleinen Lampe ihres Beistelltisches im Eingangsbereich und schuf eine diffuse Helligkeit im Raum.

Die Erinnerungen kehrten zurück und sie bekam Panik, dass Toni gegangen war. Im gleichen Moment jedoch spürte sie einen Arm, der sie festhielt, und einen Körper hinter sich, der eng an ihren gekuschelt war.

Vics Herz raste vor Glück, denn sie freute sich auf den morgigen Tag und alle zukünftige, die sie mit Toni würde erleben dürfen. Es war ein langer Weg, den sie hatten hinter sich bringen müssen, aber das hier entschädigte sie für alles, und so formten Victorias Lippen ein stilles „Danke“ und schickten es in die Nacht.

Ende

31875628R00207

Printed in Poland
by Amazon Fulfillment
Poland Sp. z o.o., Wrocław